A última carta de amor

"Uma narrativa dramática e romântica sobre paixões desencontradas, corações partidos e recomeços cheios de esperança... A história é incrivelmente comovente, pois Moyes explora a forma como o amor, a perda e algumas palavras podem criar uma nova vida ou partir um coração."
Marie Claire

"Eu li de uma vez só. Jojo Moyes é uma escritora brilhante."
India Knight

"Vívido, comovente e habilmente escrito. Paixão, amor e perda são os grandes temas. Prepare-se para chorar."
Sainsbury's Magazine

"Épico, romântico e completamente brilhante. O livro do ano."
Lisa Jewell

"Uma história fantástica que vai inspirar o leitor a escrever suas próprias cartas de amor."
Glamour

"Se você gosta de histórias emocionantes, *A última carta de amor* não vai desapontar."
She

"Moyes traz inteligência e destreza para o romance tradicional."
Saga

"O romance atemporal é comovente."
Candis

"Se está à procura de uma leitura romântica que fará você pegar lenços de papel para secar suas lágrimas de tristeza e alegria, este é o livro. Repleto de personagens maravilhosos, você o lerá durante a madrugada, desejando que não acabe. Puro romance."
Lovereading.co.uk

"Impossível largar."
News of the World

"Maravilhosamente comovente e despudoradamente romântico. Vai cativar você desde a primeira página."
Woman

"Não há romance mais encantador."
Sunday Herald

"Um livro maravilhoso, emocionante – certifique-se de arrumar um lugar para aproveitá-lo sem ser interrompido."
Thebookbag.co.uk

"Vívido, comovente e habilmente escrito. Paixão, amor e perda são os grandes temas. Prepare-se para chorar."
Sainsbury's Magazine

"Uma leitura maravilhosa."
My Weekly

"Um romance pungente que vai fazer seu coração flutuar."
Heat

A última carta de amor

A última carta de amor

JOJO MOYES

Tradução de Adalgisa Campos da Silva

Copyright © Jojo's Mojo Ltd., 2010

O trecho da carta de Zelda Fitzgerald para Scott Fitzgerald aparece em *Hell Hath No Fury*, de Anna Holmes, e foi reproduzido com a permissão de Estate of F. Scott Fitzgerald c/o David Higham Associates.

O trecho da carta de Agnes von Kurowsky para Ernest Hemingway aparece em *Hemingway in Love and War*, de Henry S. Villard e James Nagel, e foi reproduzido com a permissão de University Press of New England.

TÍTULO ORIGINAL
The Last Letter From Your Lover

PREPARAÇÃO
Sheila Louzada

REVISÃO
Milena Vargas
Carolina Rodrigues

DIAGRAMAÇÃO
ô de casa

CIP-BRASIL. CATALOGAÇÃO-NA-FONTE
SINDICATO NACIONAL DOS EDITORES DE LIVROS, RJ

M899u
2. ed.

Moyes, Jojo, 1969-
    A última carta de amor / Jojo Moyes ; tradução de Adalgisa Campos da Silva. - 2. ed. - Rio de Janeiro : Intrínseca, 2018.

    384p. : 23 cm
    Tradução de: The last letter from your lover
    ISBN 978-85-8057-957-4

    1. Romance inglês. I. Silva, Adalgisa Campos da. II. Título.

16-32304.   CDD: 823
                                  CDU: 821.111-3

[2018]
Todos os direitos desta edição reservados à
EDITORA INTRÍNSECA LTDA.
Rua Marquês de São Vicente, 99/3º andar
22451-041 – Gávea
Rio de Janeiro – RJ
Tel./Fax: (21) 3206-7400
www.intrinseca.com.br

A Charles, que começou tudo isso com um bilhete.

Feliz Aniversário! Aí vai o seu presente. Espero que goste...

Hoje estou pensando em você de modo especial... porque decidi que, embora eu o ame, não estou apaixonada por você. Não sinto que você seja o Eleito de Deus para mim. Bom, espero mesmo que goste do seu presente e que tenha um aniversário maravilhoso.

Mulher para Homem, por carta

Prólogo

Até. Bj.

Ellie Haworth avista os amigos por entre as pessoas e vai abrindo caminho pelo bar. Larga a bolsa no chão e coloca o telefone na mesa diante deles. Já estão bem calibrados — nota-se pelo tom das vozes, pelo exagero dos gestos e das gargalhadas, pelas garrafas vazias.

— Atrasada. — Nicky mostra o relógio, apontando o dedo acusadoramente para ela. — Não venha dizer "Eu tinha uma matéria para terminar".

— Entrevista com a mulher ludibriada de um membro do Parlamento. Desculpe-me. Era para a edição de amanhã — diz, ocupando o assento vazio e servindo em um copo o restinho de uma garrafa. Ela empurra o telefone na mesa. — Tudo bem. Palavra irritante de hoje para discussão: "até".

— Até?

— Usada como despedida. Significa até amanhã ou até mais tarde? Ou será só uma horrorosa forma de falar típica de adolescentes que na verdade não significa absolutamente nada?

Nicky olha a tela acesa do celular.

— É "até" e um "bj". É tipo "boa noite". Eu diria amanhã.

— Definitivamente amanhã — diz Corinne. — "Até" é sempre até amanhã. — Faz uma pausa. — Poderia também significar até depois de amanhã.

— É muito informal.

— Informal?

— Aquele tipo de coisa que a gente diz ao carteiro.

— Você manda um beijo para o seu carteiro?

Nicky sorri ironicamente.

— Poderia mandar. Ele é lindo.

Corinne analisa a mensagem.

— Não sei se é bem isso. Pode significar apenas que ele estava com pressa para fazer alguma outra coisa.

— É. Tipo encontrar a mulher dele.

Ellie dirige um olhar de advertência a Douglas.

— Que foi? — diz ele. — Só acho que você já passou dessa fase de ter que decifrar linguagem de torpedos.

Ellie engole depressa o vinho, depois debruça-se na mesa.

— Tudo bem. Se estou prestes a ouvir um sermão preciso de outra bebida.

— Se você tem intimidade suficiente para fazer sexo no escritório de alguém, acho que deveria pedir que esse alguém esclarecesse quando vocês poderiam se encontrar para tomar um café.

— E o resto da mensagem? Por favor, que não seja nada sobre sexo no escritório.

Ellie espia seu telefone, descendo a lista de mensagens. "Ligação complicada de casa. Dublin semana que vem mas ainda não sei direito quais são os planos. Até. Bj."

— Ele está mantendo as opções em aberto — diz Douglas.

— A menos que... bem... ele não saiba direito quais são os próprios planos.

— Nesse caso ele teria dito "Te ligo de Dublin". Ou mesmo "Vou comprar sua passagem para Dublin".

— Ele vai levar a mulher?

— Ele nunca leva. É uma viagem a trabalho.

— Talvez ele esteja levando outra pessoa — murmura Douglas para dentro do copo de cerveja.

Nicky balança a cabeça, pensativa.

— Nossa, a vida não era mais fácil quando eles tinham que ligar para falar com a gente? Aí a gente podia pelo menos perceber a rejeição pelo tom de voz.

— É. — Corinne suspira. — E a gente podia ficar em casa sentada ao lado do telefone por horas e horas esperando eles ligarem.

— Ah, as noites que eu passei...

— ... verificando se o telefone estava mesmo funcionando...

— ... e, ao ouvir o sinal de discar, desligando logo, para o caso de ter sido o momento exato em que ele estava ligando.

Ellie ouve os amigos rirem, reconhecendo que eles têm razão, mas no fundo ainda querendo ver a telinha se iluminar de repente com uma chamada. Uma chamada que, em vista da hora e de as coisas estarem "complicadas em casa", não vai acontecer.

Douglas a acompanha até em casa. Ele é o único dos quatro que mora com uma parceira, mas Lena, sua namorada, é importante no ramo de tecnologia de recursos humanos e quase sempre fica no trabalho até 22 ou 23 horas. Lena não se importa que ele saia com as velhas amigas — já o acompanhou algumas vezes, mas é difícil para ela transpor o muro de piadas antigas e referências cúmplices decorrentes de uma década e meia de amizade. Quase sempre, ela o deixa ir só.

— Então, o que está havendo com você, garotão? — Ellie o cutuca ao desviarem de um carrinho de compras largado na calçada. — Não falou nada sobre você lá no bar. A menos que eu tenha perdido tudo.

— Não muita coisa — diz ele, e hesita. Enfia as mãos nos bolsos. — Quer dizer, não é bem verdade. Hum... Lena quer ter um filho.

Ellie olha para ele.

— Uau.

— E eu também — acrescenta depressa. — Temos falado sobre isso há séculos, mas agora chegamos à conclusão de que nunca vai haver uma hora certa, então é melhor encomendar logo.

— Um romântico à moda antiga, você!

— Eu estou... sei lá... bem feliz com isso, mesmo. Lena vai continuar trabalhando, e eu vou ficar cuidando do bebê em casa. Bem, se tudo acontecer conforme o planejado...

Ellie tenta manter a voz neutra.

— E é isso que você quer?

— É. Eu não gosto do meu trabalho mesmo. Já não faço nada há anos. Ela ganha uma fortuna. Acho que seria bem gostoso passar o dia inteiro às voltas com uma criança.

— Ter um filho é um pouco mais que andar às voltas... — começa ela.

— Eu sei. Cuidado... na calçada. — Delicadamente, ele a desvia da sujeira. — Mas estou pronto para isso. Não preciso sair toda noite para o bar. Quero o estágio seguinte. Isso não quer dizer que eu não goste de sair com vocês, mas às vezes me pergunto se a gente não deveria... sabe... crescer um pouco.

— Ah, não! — Ellie segura o braço dele. — Você passou para o lado negro.

— Bem, eu não encaro o meu trabalho do mesmo jeito que você. Para você, o trabalho é tudo, certo?

— Quase tudo — admite ela.

Eles caminham em silêncio algumas ruas, ouvindo as sirenes ao longe, as portas dos carros batendo e as discussões abafadas da cidade. Ellie adora essa hora da noite, apoiada pela amizade, temporariamente livre das incertezas que cercam o resto de sua vida. Foi uma noite legal lá no bar, ela está indo para seu apartamento aconchegante. É uma pessoa saudável. Tem um cartão de crédito com um limite ainda inexplorado, planos para o final de semana, e é a única dos amigos que ainda não tem um fio de cabelo branco. A vida é boa.

— Você às vezes pensa nela? — pergunta Douglas.

— Em quem?

— Na mulher do John. Acha que ela sabe?

A menção dissipa a felicidade de Ellie.

— Sei lá. — E, quando Douglas não diz nada, ela acrescenta: — Com certeza eu saberia se fosse ela. Ele diz que ela se interessa mais pelos filhos que por ele. Às vezes eu digo a mim mesma que talvez bem lá no fundo ela ache bom não ter que se preocupar com ele. Sabe, em fazê-lo feliz.

— Puxa, *isso* é que é acreditar na verdade que você mesma inventou.

— Talvez. Mas, sendo muito honesta, a resposta é não. Eu não penso nela e não me sinto culpada. Porque acho que isso não teria acontecido se eles estivessem felizes ou fossem... sabe... ligados.

— Vocês mulheres têm uma visão tão equivocada dos homens...

— Você acha que ele é feliz com ela? — Ela analisa a expressão no rosto do amigo.

— Não tenho ideia. Só não acho que ele precisa ser infeliz com a mulher para transar com você.

O clima mudara um pouco, e, talvez, percebendo isso, Ellie solta o braço de Douglas e ajeita a echarpe em volta do pescoço.

— Você acha que eu não presto. Ou que ele não presta.

Saiu. O fato de a afirmação ter partido de Douglas, o menos dogmático dos seus amigos, dói.

— Eu nunca acho que alguém não presta. Só penso em Lena, e no que significaria para ela ter um filho meu, e na ideia de passá-la para trás só porque ela optou por dar a essa criança a atenção que eu achava que era minha...

— Então você acha, *sim*, que ele não presta.

Douglas balança a cabeça negativamente.

— Eu só... — Ele para e olha para o céu antes de formular a resposta. — Acho que você deveria ter cuidado, Ellie. Essa coisa toda de tentar decifrar o que ele quer dizer, o que ele deseja, isso é só babaquice. Você está perdendo o seu tempo. Para mim, as coisas em geral são bastante simples. Uma pessoa gosta de você, você gosta dela, vocês ficam juntos, e é mais ou menos isso.

— Universo legal, esse em que você vive, Doug. Pena que não se parece com o real.

— Tudo bem, vamos mudar de assunto. Falar nisso depois de alguns drinques não dá.

— Não. — A voz de Ellie fica aguda. — *In vino veritas*, e essa coisa toda. Tudo bem. Pelo menos eu sei o que você pensa. Daqui posso ir sozinha. Mande um beijo para Lena.

Ela corre as duas ruas até em casa, sem se virar para olhar o velho amigo.

O *Nation* está sendo embalado, caixa por caixa, para ser transferido para sua nova sede de fachada de vidro em um esplêndido cais revitalizado na zona leste da cidade. A redação vem minguando semana após semana: onde havia torres de *releases*, pastas e recortes para arquivar, agora há mesas vazias, brilhantes extensões inesperadas de superfícies compensadas, expostas à claridade dura da luz fria. Lembranças de matérias passadas foram desenterradas, como prêmios de uma escavação arqueológica, bandeiras de jubileus reais, capacetes de aço amassados de guerras distantes e certificados emoldurados de prêmios havia muito esquecidos. Montes de fios estão expostos, placas de carpete foram deslocadas e grandes buracos foram abertos no teto, incitando inspeções histriônicas de especialistas em saúde e segurança e um sem-fim de visitantes com pranchetas. As editorias de Anúncios, Classificados e Esporte já se mudaram para o Compass Quay. A revista de sábado, a Economia e as Finanças Pessoais estão preparando a transferência para as próximas semanas. A editoria de Ellie, Reportagens Especias, vai junto com a Geral, em um truque cuidadosamente coreografado, de modo que o jornal de sábado sairá da antiga sede da Turner Street, mas o de segunda-feira virá, como que num passe de mágica, do novo endereço.

O prédio, sede do jornal por quase cem anos, já não mais "atende aos objetivos" — aquela expressão antipática. Segundo a administração, não reflete a natureza dinâmica e eficiente de uma redação moderna. Há muitos lugares para se esconder, observam, de mau humor, os picaretas, quando arrancados de suas posições para voltar ao trabalho, como cracas teimosamente agarradas a buracos em um casco de navio.

— Deveríamos comemorar isso — diz Melissa, chefe de Reportagens Especiais, da sala quase totalmente esvaziada da editoria.

Ela está com um vestido de seda cor de vinho. Em Ellie, pareceria a camisola de sua avó. Em Melissa, parece o que é: moda de altíssimo nível.

— A mudança?

Ellie está olhando para o celular, a seu lado, configurado para o modo silencioso. A sua volta, os outros redatores da editoria estão calados, bloquinhos de anotações nos joelhos.

— Sim. Eu estava falando com um dos bibliotecários outro dia. Ele disse que há montes de pastas velhas que ninguém olha há décadas. Quero alguma coisa sobre as páginas femininas de cinquenta anos atrás. Como as atitudes mudaram, as modas, as preocupações das mulheres. Estudos de caso, lado a lado, de então e de agora. — Melissa abre uma pasta e puxa várias folhas A3 xerocadas. Ela fala com a segurança de quem está acostumado a ser ouvido.

— Por exemplo, da nossa seção de aconselhamento sentimental: *O que eu posso fazer para minha mulher se vestir com mais elegância e ficar mais atraente? Minha renda é de 1.500 libras por ano, e estou começando a fazer carreira numa empresa da área de comércio. Tenho recebido muitos convites de clientes para jantares e coisas do tipo, mas, nas últimas semanas, tenho que me esquivar deles porque a minha mulher, francamente, está um lixo.*

Ouve-se uma risada em tom grave na sala.

— *Já tentei dizer isso a ela de uma forma delicada, e ela diz que não liga para moda nem joias nem maquiagem. Francamente, ela não parece a esposa de um homem de sucesso, que é o que eu desejo que ela seja.*

John uma vez dissera a Ellie que, depois que vieram os filhos, sua mulher se desinteressara da própria aparência. Ele desconversara tão logo tocara no assunto, e nunca mais tornara a mencioná-lo, como se considerasse aquele comentário uma traição ainda maior que transar com outra mulher. Ellie ficara ressentida com esse vestígio de lealdade cavalheiresca do namorado, mas no fundo o admirou por isso.

Entretanto, aquilo tinha ficado na sua cabeça. Ela imaginara a mulher dele: desmazelada, com uma camisola manchada, agarrada a um bebê e passando um sermão no marido por algum suposto problema. Ellie queria dizer a John que ela própria jamais seria assim com ele.

— A pessoa poderia fazer as perguntas a uma consultora sentimental moderna.

Rupert, o editor da revista de sábado, se inclina a fim de olhar as outras páginas fotocopiadas.

— Não sei se seria preciso. Ouça a resposta: *Talvez nunca tenha ocorrido a sua mulher que ela deva ser parte da sua vitrine. Talvez, quando pensa minimamente nessas coisas, ela diga a si mesma que está casada, segura, feliz, então por que deveria se preocupar?*

— Ah — diz Rupert. — "A tão profunda paz conjugal."

"Já vi isso acontecer com uma rapidez incrível tanto com jovens que acabaram de se apaixonar quanto com mulheres que se acomodam num acolhedor casamento de longa data. Uma hora elas estão todas perfeitinhas, lutando heroicamente contra a cintura, as costuras das meias retas no corpo, ansiosamente embebidas em perfume. Basta um homem dizer 'Eu te amo' e imediatamente aquela garota esplêndida está praticamente um bagulho. Um bagulho feliz."

Ouve-se na sala uma risada geral breve e educada, de aprovação.
— Qual é a escolha de vocês, meninas? Lutar heroicamente contra a cintura ou virar um bagulho feliz?
— Acho que vi um filme com esse nome não faz muito tempo — diz Rupert. Seu sorriso murcha quando ele percebe que as risadas morreram.
— É possível fazer muita coisa com isso. — Melissa aponta para a pasta.
— Ellie, você pode pesquisar um pouco hoje à tarde? Ver o que mais consegue achar. Estamos olhando para quarenta, cinquenta anos atrás. Cem anos seria muito irreal. O editor quer muito que a gente enfatize a mudança de uma forma que traga leitores com a gente.
— Você quer que eu procure no arquivo?
— Isso seria um problema?
Não para quem gosta de ficar sentado em porões escuros cheios de papéis mofados vigiados por homens perturbados de mentalidade stalinista que aparentemente não veem a luz do dia há trinta anos.
— De forma alguma — diz Ellie animadamente. — Tenho certeza de que vou encontrar algo.
— Leve duas estagiárias para ajudar, se quiser. Ouvi dizer que tem umas escondidas lá na seção de moda.
Ellie não registra a satisfação maldosa cruzando as feições de sua editora diante da ideia de despachar o último lote das pretendentes a Anna Wintour para as entranhas do jornal. Está ocupada pensando: *Filha da mãe. No subsolo o celular não pega.*
— Por falar nisso, Ellie, onde você estava hoje de manhã?
— O quê?
— Hoje de manhã. Eu queria que você reescrevesse aquela matéria sobre filhos e perda. Ninguém sabia onde você estava.
— Eu estava fora fazendo uma entrevista.
— Com quem?
Uma perita em linguagem corporal, pensa Ellie, teria identificado corretamente que o sorriso inexpressivo de Melissa era mais um rosnado.
— Um advogado. Whistleblower. Eu estava tentando desenvolver algo sobre sexismo nos tribunais. — A justificativa escapa antes que ela se dê conta do que está dizendo.
— Sexismo na City. Pouco inovador. Esteja em sua mesa na hora certa amanhã. Deixe as entrevistas especulativas para o seu tempo livre, sim?
— Certo.
— Ótimo. Quero uma matéria de página dupla para a primeira edição saída do Compass Quay. Algo na linha de *plus ça change*. — Ela está escre-

vendo em seu caderno de capa de couro. — Preocupações, anúncios, problemas... Traga umas laudas hoje à tarde e vamos ver o que você conseguiu.

— Pode deixar.

O sorriso de Ellie é o mais alegre e o mais profissional de toda a sala quando ela se retira com os outros.

Hoje passei o dia no equivalente moderno do purgatório, digita ela, fazendo uma pausa para dar um gole no vinho. *Sala do arquivo do jornal. Você devia agradecer por só inventar histórias.*

Ele lhe enviou uma mensagem instantânea pela conta do hotmail. Chama a si mesmo de Carimbador; uma brincadeira entre os dois. Ela senta-se em cima dos pés na cadeira e aguarda, torcendo para que a máquina sinalize logo a resposta dele.

Você é uma péssima bárbara. Adoro arquivos, responde a tela. *Lembre-me de levá-la à Biblioteca Britânica de Jornais para o nosso próximo encontro quente.*

Ela ri. *Você sabe divertir uma mulher.*

Faço o melhor que posso.

O único bibliotecário humano me deu um montão de papéis soltos. Não é a coisa mais excitante de se ler antes de dormir.

Temendo que essa afirmação soe sarcástica, ela acrescenta uma carinha feliz, mas depois xinga a si própria ao lembrar que ele uma vez escreveu um ensaio para a *Literary Review* sobre como esse sorriso representava tudo o que havia de errado com a comunicação moderna.

Foi um sorriso irônico, acrescenta ela, e enfia o punho na boca.

Espera aí. Telefone. A tela fica parada.

Telefone. A esposa dele? Ele está num quarto de hotel em Dublin. Tem vista para o mar, dissera-lhe. *Você ia adorar.* O que ela deveria dizer em resposta a isso? *Então me leve da próxima vez?* Era exigir muito. *Eu com certeza adoraria?* Soava quase sarcástico. *Sim*, ela respondeu, finalmente, e deixou escapar um longo suspiro que ele não ouviu.

É tudo sua culpa, dizem-lhe seus amigos. Incomumente, ela não pode discordar.

Ela o conhecera num festival literário em Suffolk, ao qual fora enviada para entrevistar um autor de *thrillers* que ganhara uma fortuna depois de ter desistido de trabalhos mais literários. Seu nome é John Armour, e seu herói, Dan Hobson, um amálgama quase caricatural de características antiquadas masculinas. Ela o entrevistara durante o almoço, esperando uma defesa do gênero bastante irritada, talvez algumas reclamações sobre o mercado editorial — ela sempre achou os escritores pessoas bastante cansativas de entrevistar. Esperara alguém barrigudo, de meia-idade, balofo após anos trabalhando sentado. Mas o homem alto e bronzeado que se levantou para apertar sua mão era magro e sardento, parecia um fazendeiro sul-africano curtido pelo clima ensolarado. Era divertido, charmoso, atencioso e capaz de rir de si mesmo. Dirigira a entrevista para ela, fazendo-lhe perguntas pessoais, depois explicara-lhe suas teorias sobre a origem da linguagem e como achava que a comunicação estava se transformando em algo perigosamente pobre e feio.

Quando chegou o café, ela viu que fazia quase quarenta minutos que não encostava a caneta no papel.

— Mas ainda assim você não adora o som das línguas? — perguntou ela, enquanto saíam do restaurante e voltavam para o festival.

O ano estava no fim, e o sol de inverno mergulhara atrás dos prédios baixos da rua, que ia ficando sossegada. Ela bebera demais, chegara ao ponto em que sua boca desatava a falar desafiadoramente antes que pudesse elaborar o que deveria dizer. Ellie não queria ter saído do restaurante.

— Quais?

— O espanhol. O italiano, principalmente. Tenho certeza de que é por isso que eu adoro as óperas italianas e não suporto as alemãs. Todos aqueles barulhos duros, guturais. — Ele pensara sobre o assunto, e o silêncio a deixara nervosa. Começou a gaguejar: — Sei que é totalmente fora de moda, mas adoro Puccini. Adoro aquela emoção forte. Adoro o *r* rolado, o *staccato* das palavras... — foi parando de falar ao perceber quão ridícula e pretensiosa soava.

Ele parou à entrada de um prédio, olhou rapidamente para a rua atrás deles, depois tornou a se virar para ela.

— Eu não gosto de ópera.

Fitara-a nos olhos ao dizer isso. Como se fosse um desafio. Ela sentiu algo ceder, lá no fundo do estômago. Ai, meu Deus, pensou.

— Ellie — disse ele, depois de já estarem ali parados fazia quase um minuto. Foi a primeira vez que a chamara pelo nome. — Ellie, tenho que pegar uma coisa no hotel antes de voltar para o festival. Quer subir comigo?

Antes mesmo que ele fechasse a porta do quarto, eles já estavam agarrados, corpos colados, bocas se devorando, enlaçados enquanto suas mãos executavam a urgente e frenética coreografia de tirar a roupa.

Depois, ao lembrar-se de seu comportamento, ela ficaria espantada como se estivesse vendo de longe uma espécie de aberração. Nas centenas de vezes em que repassara a cena, apagara o significado, a emoção avassaladora, e ficara só com os detalhes. Sua roupa de baixo, corriqueira, inadequada, jogada em cima de uma prensa de passar calças; o modo como eles riram loucamente no chão depois do ato, embaixo da colcha sintética estampada do hotel; como depois, naquela tarde, todo alegre e com um charme inapropriado, ele devolvera a chave ao recepcionista.

Ele ligara dois dias depois, quando o choque eufórico daquele momento começava a dar lugar a algo mais desapontador.

— Você sabe que sou casado — disse ele. — Leu as matérias sobre mim.

"Procurei no Google todas as últimas referências a você", disse-lhe ela em silêncio.

— Eu nunca fui... infiel antes. Ainda não consigo articular bem o que aconteceu.

— A culpa foi da quiche — brincou ela.

— Você mexe comigo, Ellie Haworth. Não escrevo uma palavra há 48 horas. — Ele fez uma pausa. — Você me faz esquecer o que eu quero dizer.

Então estou condenada, pensou ela, porque, tão logo sentira o peso dele sobre ela, a boca colada na sua, Ellie soubera — apesar de tudo o que já dissera aos seus amigos sobre homens casados, tudo em que já acreditava — que só precisava de um mínimo reconhecimento por parte dele do que acontecera para estar perdida.

Um ano depois, ainda não começara a procurar uma saída.

Ele volta a aparecer on-line quase 45 minutos depois. Nesse meio-tempo, ela se afastara do computador, servira-se de outro drinque, perambulara pela casa, examinando a pele num espelho do banheiro, depois catara meias perdidas e atirara-as no cesto de roupa suja. Ouve o som de uma nova mensagem e senta correndo na cadeira.

Desculpa. Não pretendia demorar. Espero que eu possa falar amanhã.

Nada de se falar por celular, dissera ele. As contas de celular são detalhadas.

Está no hotel agora?, digita ela depressa. *Eu poderia ligar para o seu quarto.* A palavra falada era um luxo, uma oportunidade rara. Mas ela precisava ouvir a voz dele.

Tenho um jantar, linda. Desculpe — já estou atrasado. Até. Bj.

E ele se vai.

Ela fica olhando a tela vazia. Ele agora estará atravessando o vestíbulo do hotel com passadas largas, encantando o pessoal da recepção, entrando em seja qual for o carro que o festival reservara para ele. Hoje à noite vai fazer um discurso de improviso no jantar e depois será aquela pessoa divertida e ligeiramente nostálgica que sempre é para os felizardos que se sentarem à sua mesa.

Ele estará lá, vivendo plenamente a sua vida, quando ela parece ter colocado a dela continuamente em espera.

Que diabo ela está fazendo?

— Que diabo estou fazendo? — diz em voz alta, batendo no botão de desligar.

Grita sua frustração para o teto do quarto, deixa-se cair na enorme cama vazia. Não pode ligar para os amigos: eles já suportaram essas conversas muitas vezes, e ela pode adivinhar qual será a reação deles — a *única* possível. O que Doug lhe dissera fora doloroso. Mas ela diria exatamente o mesmo a qualquer um deles.

Senta-se no sofá, liga a televisão. Finalmente, olhando para a pilha de jornais ao seu lado, coloca-a no colo, xingando Melissa. Uma pilha variada, disse-lhe o bibliotecário, recortes sem data e sem categoria óbvia. "Não tenho tempo de examinar todos eles. Estamos descobrindo muitas pilhas assim." Ele era o único bibliotecário com menos de 50 anos lá embaixo. Ellie se perguntou, por um momento, por que nunca o notara.

— Veja se tem alguma coisa útil para você. — Ele se debruçara em uma atitude conspiratória. — Jogue fora o que não quiser, mas não diga nada ao chefe. Estamos em uma etapa agora em que não podemos nos dar ao luxo de examinar cada pedaço de papel.

Logo ela descobre por quê: algumas críticas teatrais, uma lista de passageiros de um cruzeiro marítimo, alguns cardápios de jantares comemorativos do jornal. Ela passa os olhos em tudo aquilo, espiando de vez em quando a TV. Não há muita coisa ali que vá empolgar Melissa.

Agora ela está folheando uma pasta surrada com o que parecem ser registros médicos. Tudo doença pulmonar, nota distraidamente. Algo a ver com mineração. Está prestes a jogar o maço todo na lixeira quando um canto azul-claro lhe chama a atenção. Com o indicador e o polegar, ela tira um envelope com o endereço escrito à mão. Já foi aberto, e a carta lá dentro é datada de 4 de outubro de 1960.

Meu querido e único amor,

Eu falei a sério. Cheguei à conclusão de que o único caminho é um de nós tomar uma decisão ousada.

Não sou tão forte quanto você. Quando a conheci, achei que você fosse uma coisinha frágil, alguém que eu precisava proteger. Agora percebo que me enganei. Você é a forte de nós dois, a que é capaz de suportar conviver com a possibilidade de um amor como este, e com o fato de que ele jamais nos será permitido.

Peço-lhe que não me julgue por minha fraqueza. A única forma de eu poder suportar isso é estar em um lugar em que não a veja nunca, em que eu não seja assombrado pela possibilidade de vê-la com ele. Preciso estar em um lugar onde a pura necessidade impeça que você ocupe cada minuto, cada hora dos meus pensamentos. Aqui isso é impossível.

Vou aceitar o trabalho. Estarei na Plataforma 4, Paddington, às 19h15, sexta-feira à noite, e nada no mundo me faria mais feliz do que você encontrar coragem para vir comigo.

Se não vier, saberei que o que sentimos um pelo outro, seja lá o que for, não basta. Não a culpo, minha querida. Sei que a pressão das últimas semanas foi intolerável para você, e o peso disso me afeta profundamente. Odeio a ideia de poder lhe causar qualquer tristeza.

Esperarei na plataforma a partir das 18h45. Saiba que você tem meu coração, minhas esperanças, em suas mãos.

Seu,
B.

Ellie relê a carta e se vê, inexplicavelmente, com os olhos cheios d'água. Não consegue desviar o olhar da letra grande, cheia de volteios. A urgência das palavras a toca mais de quarenta anos depois de elas terem sido escritas. Ela vira a carta, confere o envelope em busca de alguma pista. Está endereçado à caixa postal 13, Londres. O que você fez, caixa postal 13?, pergunta ela mentalmente.

Então se levanta, repõe a carta cuidadosamente no envelope e vai até o computador. Abre a caixa de mensagens e pressiona "atualizar". Nada desde a mensagem que recebera às 19h45.

Tenho um jantar, linda. Desculpe — já estou atrasado. Até. Bj.

Parte 1

A única forma de eu poder suportar isso é estar em um lugar em que não a veja nunca, em que eu não seja assombrado pela possibilidade de vê-la com ele. Preciso estar em um lugar onde a pura necessidade impeça que você ocupe cada minuto, cada hora dos meus pensamentos. Aqui isso é impossível.

Vou aceitar o trabalho. Estarei na Plataforma 4, Paddington, às 19h15, sexta-feira à noite, e nada no mundo me faria mais feliz do que você encontrar coragem para vir comigo.

Homem para Mulher, por carta

I

1960

— Ela está acordando.

Ouviu-se um sibilar, uma cadeira sendo arrastada, depois o tilintar seco de argolas de cortina se encontrando. Duas vozes murmurando.

— Vou buscar o Sr. Hargreaves.

Seguiu-se um breve silêncio, durante o qual ela lentamente se deu conta de outra camada sonora — vozes, abafadas pela distância, um carro passando: parecia, estranhamente, que vinha de algum lugar abaixo dela. Ficou ali deitada assimilando os sons, deixando-os se cristalizarem, atualizando-se, à medida que reconhecia cada um pelo que era.

Foi aí que se deu conta da dor. Ia subindo em estágios intensos: primeiro o braço, uma ardência aguda do cotovelo ao ombro, depois a cabeça: surda, incessante. O resto do seu corpo doía, como doera quando ela...

Quando ela...?

— Ele já vem. Mandou fechar as cortinas.

A boca estava muito seca. Fechou os lábios e engoliu dolorosamente. Queria pedir água, mas as palavras não vinham. Entreabriu os olhos. Dois vultos indistintos moviam-se em volta dela. Cada vez que ela imaginava ter descoberto o que eram, eles tornavam a se mover. Azuis. *Eram azuis.*

— Sabe quem acabou de descer, não sabe?

Uma das vozes ficou mais baixa.

— A namorada do Eddie Cochrane. A que sobreviveu ao acidente de carro. Ela andou compondo músicas para ele. Em memória dele, quer dizer.

— Não vai ser tão boa quanto ele era, aposto.

— Ela passou a manhã inteira recebendo jornalistas. A enfermeira-chefe está à beira do desespero.

Ela não conseguia entender o que falavam. A dor de cabeça tinha virado um latejar pulsante, aumentando de volume e intensidade até ela não poder fazer mais nada senão tornar a fechar os olhos e esperar que ela ou a dor se fosse. Então o branco entrou, como uma maré, para envolvê-la. Com certa gratidão, suspirou silenciosamente e se deixou mergulhar de novo em seus braços.

— Está acordada, querida? Tem visita para você.

Havia um reflexo tremeluzente acima dela, um fantasma andando com rapidez, primeiro para um lado e depois para outro. De repente ela se lembrou de seu primeiro relógio de pulso, como refletira a luz do sol na caixinha de vidro, direcionando-a para o teto do quarto de brinquedos, mandando-a para trás e para a frente, fazendo seu cachorrinho latir.

O azul estava lá de novo. Ela o viu andar, acompanhado do farfalhar. Depois havia uma mão no seu pulso, uma breve faísca de dor que a fez uivar.

— Um pouquinho mais de cuidado com esse lado, enfermeira — repreendeu a voz. — Ela sentiu isso.

— Desculpe-me, Sr. Hargreaves.

— O braço vai exigir outra cirurgia. Já o fixamos em vários pontos, mas ainda não está bom.

Um vulto escuro pairava a seus pés. Desejou com todas as forças que ele se materializasse, mas, assim como os vultos azuis, ele se recusava a fazer isso, e ela deixou os olhos se fecharem.

— Pode se sentar com ela, se quiser. Fale com ela. Ela pode ouvi-lo.

— Como estão os... outros ferimentos?

— Vão ficar algumas cicatrizes, receio. Principalmente naquele braço. E, como ela levou um golpe e tanto na cabeça, talvez custe um pouco a voltar a ser o que era. Mas, dada a gravidade do acidente, acho que podemos dizer que escapou por pouco.

Houve um breve silêncio.

— Sim.

Alguém colocara uma tigela de frutas ao seu lado. Ela tornara a abrir os olhos, focalizando aquele objeto, deixando a forma, a cor se materializarem até entender, com uma pontada de satisfação, que conseguia identificar o que havia lá dentro. Uvas, disse ela. E novamente, rolando a palavra muda dentro da cabeça: *uvas*. Sentia que a palavra era importante, como se a estivesse ancorando naquela nova realidade.

E então, com a mesma velocidade que apareceram, sumiram, obliteradas pela massa azul-escura que se instalara a seu lado. À medida que a massa se aproximava, ela conseguia apenas identificar o leve cheiro de tabaco. A voz, quando veio, era hesitante, talvez até meio constrangida:

— Jennifer? Jennifer? Está me ouvindo?

As palavras saíam muito altas, estranhamente intrusivas.

— Jenny, querida, sou eu.

Ela se perguntou se a deixariam ver de novo as uvas. Parecia necessário vê-las; viçosas, roxas, concretas. Familiares.

— Tem certeza de que ela pode me ouvir?

— Tenho, mas talvez ela ache bastante cansativo se comunicar.

Houve uns murmúrios que ela não conseguiu entender. Ou talvez tenha apenas desistido de tentar. Nada parecia claro.

— Você poderia...? — sussurrou ela.

— Mas a mente dela não foi afetada? No acidente? Você sabe se não haverá... permanentes...?

— Como disse, ela levou uma boa pancada na cabeça, mas não houve indícios médicos para alarme. — Ruído de papéis sendo revolvidos. — Não houve fratura. Nem edema no cérebro. Mas essas coisas são sempre meio imprevisíveis, e os pacientes são afetados de maneiras bastante diferentes. Portanto, o senhor simplesmente terá que ser um pouco...

— Por favor... — A voz dela era um murmúrio, mal se ouvia.

— Sr. Hargreaves! Acho que ela está tentando falar.

— ... quero ver...

Um rosto desceu até ela.

— Sim?

— ... quero ver... — As uvas, ela estava implorando. Eu só quero ver de novo aquelas uvas.

— Ela quer ver o marido! — A enfermeira se levantou de um pulo ao anunciar isso, triunfante. — Acho que ela quer ver o marido.

Houve uma pausa, e então alguém se inclinou em direção a ela.

— Estou aqui, querida. Está tudo... está tudo bem.

O corpo recuou, e ela ouviu uma mão dando batidinhas nas costas de alguém.

— Pronto, está vendo? Ela já está voltando a si. Tudo no seu tempo, hã? — Uma voz masculina de novo. — Enfermeira? Vá pedir à enfermeira-chefe que providencie alguma comida para hoje à noite. Nada muito pesado. Algo leve e fácil de engolir... Talvez a senhora pudesse nos trazer uma xícara de chá já que vai até lá.

Ela ouviu passos, vozes baixas que continuavam a falar ao lado dela. Seu último pensamento antes de a luz envolvê-la novamente foi: *Marido?*

* * *

Mais tarde, quando lhe contaram quanto tempo fazia que estava no hospital, ela mal pôde acreditar. O tempo ficara fragmentado, inadministrável, chegando e partindo em caóticos blocos de horas. Era o café da manhã de terça-feira. Agora era o almoço de quarta. Ela aparentemente dormira por 18 horas — isso foi dito em um tom de certa desaprovação, como se houvesse uma grosseria implícita em estar tanto tempo ausente. E aí era sexta-feira. De novo.

Às vezes, quando acordava, estava escuro, e ela levantava um pouco a cabeça do travesseiro branco engomado e observava os movimentos relaxantes do hospital à noite. O arrastar de pés muito suave das enfermeiras pelos corredores, uma ou outra conversa em voz baixa entre enfermeira e paciente. Ela podia ver TV à noite, se quisesse, diziam-lhe as enfermeiras. Seu marido tinha um bom plano de saúde — ela podia ter quase tudo o que desejasse. Ela sempre dizia não, obrigada: já bastava a confusão que lhe provocava a perturbadora enxurrada de informações, mesmo sem o incessante tagarelar da TV no canto.

À medida que os períodos de vigília ficavam maiores e mais frequentes, foi se familiarizando com os rostos das outras mulheres na pequena ala. A mais velha, no quarto a sua direita, tinha um cabelo negro retinto preso com laquê em uma escultura rígida e perfeita no alto da cabeça e as feições congeladas numa expressão de leve desapontamento e admiração. Pelo visto ela atuara em um filme em sua juventude, e se dignava a contar isso a todas as enfermeiras novas. Tinha uma voz autoritária e recebia poucas visitas. Havia a jovem rechonchuda no quarto em frente, que chorava baixinho de madrugada. Uma senhora enérgica — talvez uma babá — trazia crianças pequenas para visitá-la por uma hora todas as noites. Os dois meninos subiam na cama, agarrando-se a ela, até a babá mandá-los descer, pois "vão acabar machucando sua mãe".

As enfermeiras lhe diziam o nome das outras mulheres, e às vezes os próprios, mas ela não conseguia se lembrar de nenhum. Estavam decepcionadas com ela, desconfiava.

Seu Marido, como todo mundo se referia a ele, vinha quase toda noite. Usava um terno bem-cortado, de sarja azul-marinho ou cinza, dava-lhe um beijo perfunctório no rosto e na maior parte das vezes sentava-se ao pé da cama. Puxava conversa sobre trivialidades, muito solícito, perguntando se ela estava gostando da comida, se queria que ele providenciasse algo. Às vezes ele simplesmente lia o jornal.

Era um homem bonito, talvez uns dez anos mais velho que ela, com uma testa alta, curvada, e olhos sérios e fundos. Ela sabia, bem lá no íntimo, que ele devia ser quem dizia ser, que ela era casada com ele, mas era incrível não sentir nada quando obviamente todo mundo esperava uma reação diferente. Às vezes ela o fitava quando ele não estava olhando, esperando ser acometida por alguma sensação de familiaridade. Às vezes, ao acordar, ela o encontrava sentado ali, o jornal abaixado, olhando para ela como se sentisse algo parecido.

Sr. Hargreaves, o especialista, passava lá todos os dias, verificava a papeleta, perguntava se ela saberia lhe dizer o dia, a hora, o próprio nome. Ela sempre acertava essas coisas agora. Até conseguia lhe dizer que o primeiro-ministro era o Sr. Macmillan e que ela estava com 27 anos. Mas tinha dificuldade com manchetes de jornais, com coisas que haviam acontecido antes que chegasse ali.

— Isso vai vir — dizia ele, dando-lhe tapinhas na mão. — Não tente forçar, muito bem.

E depois havia sua mãe, que trazia presentinhos, sabonete, bons xampus, revistas, como se fossem ajudar a transformá-la numa cópia do que aparentemente ela era.

— Andamos todos muito preocupados, Jenny querida — dizia ela, colocando uma mão fria em sua cabeça.

Era bom. Não familiar, mas bom. Às vezes sua mãe começava a dizer algo, depois murmurava:

— Não devo cansar você com perguntas. Tudo vai voltar. É o que os médicos dizem. Então você não deve se preocupar.

Ela não estava preocupada, Jenny queria lhe dizer. Dentro de sua pequena bolha era bastante tranquilo. Sentia apenas uma vaga tristeza por não conseguir ser a pessoa que todo mundo obviamente esperava que ela fosse. Era nessa hora, quando sua cabeça ficava muito confusa, que tornava a adormecer.

Finalmente disseram a ela que iria para casa, numa manhã tão límpida que os rastros de fumaça formavam uma floresta esguia contra o brilhante céu azul de inverno da capital. A essa altura, ela às vezes conseguia andar pelo hospital, trocando revistas com outras pacientes, que ficavam conversando com as enfermeiras ou escutando rádio, se estivessem com vontade. Ela passara por uma segunda cirurgia no braço e se recuperava bem, disseram-lhe, embora a comprida cicatriz vermelha em que fora inserida a placa lhe desse aflição. Por isso, ela tentava mantê-la escondida sob mangas compridas. Seus olhos haviam sido examinados, sua audição, conferida; sua pele havia sarado da extensa escoriação causada pelos estilhaços de vidro. Os hematomas haviam desaparecido e a costela e a clavícula já estavam bem cicatrizadas, de forma que ela podia deitar em várias posições sem sentir dor.

Para todos os efeitos, ela parecia, afirmavam, "a mesma de antes", como se a repetição pudesse fazer com que ela se lembrasse de quem era. Sua mãe, enquanto isso, passava horas revirando pilhas de fotografias em preto e branco para poder refletir a vida de Jennifer de volta para ela.

Ela soube que tinha quatro anos de casada. Não tinha filhos — pelo tom de voz mais baixo de sua mãe, supôs que isso causasse certo desapontamento a todos. Ela morava numa casa muito elegante numa área muito boa de Londres, com uma governanta e um motorista, e muitas mulheres aparentemente dariam tudo para ter metade do que ela possuía. Seu marido tinha um cargo influente no setor de mineração e vivia viajando, embora fosse tão dedicado que adiara várias viagens *muito importantes* desde o acidente. Pela deferência com que a equipe médica falava com ele, ela imaginava que ele era mesmo bastante importante e, por extensão, que ela poderia esperar certo respeito também, mesmo que isso lhe parecesse um absurdo.

Ninguém lhe falara muito sobre como fora parar lá, embora ela uma vez tivesse dado uma olhada furtiva nas anotações do médico e descoberto que tinha sofrido um acidente de carro. Na única vez que pressionara a mãe para que lhe contasse o que acontecera, viu-a ficar toda vermelha e, colocando a mãozinha gorda sobre a de Jennifer, insistir em que ela "não ficasse pensando nisso, querida. Foi tudo muito... desagradável". Vieram-lhe lágrimas aos olhos, e Jennifer, para não perturbá-la, mudara de assunto.

Uma moça falante com uma cabeleira ruiva armada chegara de outra parte do hospital para cortar e pentear seu cabelo. Isso, disse-lhe a jovem, faria com que se sentisse muito melhor. Jennifer perdera um pouco de cabelo na parte de trás da cabeça — rasparam aquela parte para que um ferimento fosse suturado — e a moça anunciou ser craque em disfarçar tais falhas.

Pouco mais de uma hora depois, a tal moça ergueu um espelho com um floreio. Jennifer olhou para a jovem que a encarava de volta. Bem bonitinha, pensou, com uma espécie de satisfação distante. Machucada, meio pálida, mas um rosto agradável. Meu rosto, corrigiu-se.

— Está com seus cosméticos à mão? — perguntou a cabeleireira. — Eu posso maquiá-la, se ainda sentir dor nos braços. Um batonzinho ilumina qualquer rosto, madame. Isso e um pouco de base.

Jennifer continuava olhando para o espelho.

— Acha que eu deveria?

— Ah, sim. Uma moça bonita como você. Posso fazer algo bem leve... mas vai dar um brilho ao seu rosto. Espere aí. Vou dar um pulinho lá embaixo e buscar minhas coisas. Tenho umas cores lindas de Paris, e um batom Charles of the Ritz que vai ficar perfeito em você.

— Ora, ora, você me parece ótima. É bom ver uma dama maquiada. Mostra que você está um pouco mais animada — disse Sr. Hargreaves em uma de suas rondas, mais tarde. — Estamos ansiosos para ir para casa, não é mesmo?

— Sim, obrigada — afirmou ela educadamente. Jennifer não fazia ideia de como informá-lo de que não sabia que casa era essa.

Ele perscrutou o rosto dela um instante, talvez avaliando sua insegurança. Então sentou-se na cama ao seu lado e colocou a mão no seu ombro.

— Entendo que tudo deve parecer meio desconcertante, que você ainda não esteja se sentindo você mesma, mas não fique preocupada se muitas coisas estiverem confusas. É muito comum ter amnésia depois de uma lesão na cabeça.

"Você tem uma família que lhe dá muito apoio, e garanto que, quando estiver cercada de coisas conhecidas, sua rotina, seus amigos, suas idas às compras e coisas assim, achará que tudo está voltando para o lugar."

Ela confirmou obedientemente com um aceno de cabeça. Entendera bem depressa que todo mundo pareceria mais feliz se ela fizesse isso.

— Agora, eu gostaria que você voltasse daqui a uma semana para eu ver o progresso desse braço. Você vai precisar de fisioterapia para recuperar todos os movimentos. O mais importante, porém, é simplesmente descansar, e não se preocupar muito com nada. Entende?

Ele já estava saindo. O que mais ela poderia dizer?

Seu marido veio buscá-la pouco antes da hora do chá. As enfermeiras haviam se enfileirado na recepção do térreo para se despedir dela, todas eretas como alfinetes com seus aventais engomados. Ela ainda se sentia curiosamente fraca e sem equilíbrio, e estava grata pelo braço que ele estendeu para ela.

— Agradeço o carinho com que trataram a minha esposa. Mande a conta para o meu escritório, por favor — disse ele à enfermeira-chefe.

— Foi um prazer — disse ela, apertando a mão dele e sorrindo para Jennifer. — É maravilhoso vê-la recuperada. Está com uma aparência ótima, Sra. Stirling.

— Eu me sinto... bem melhor. Obrigada.

Ela usava um casaco longo de caxemira e um chapéu sem aba combinando. Ele mandara levar-lhe três trajes. Ela escolhera o mais discreto: não queria chamar atenção.

Elas olharam quando Sr. Hargreaves pôs a cabeça para fora de uma sala.

— Minha secretária disse que há uns repórteres lá fora, estão aqui para ver a moça Cochrane. Talvez vocês prefiram sair pelos fundos se quiserem evitar confusão.

— Seria melhor. Poderia pedir para meu motorista dar a volta?

Depois de semanas no calor da enfermaria, a friagem era um choque. Ela se esforçava para acompanhar o passo dele, a respiração entrecortada, e de repente estava no banco traseiro de um grande carro preto, engolida por enormes bancos de couro, e as portas se fecharam com uma batida cara. O carro partiu para entrar no tráfego de Londres com um ronco surdo.

Ela olhava pela janela, observando os repórteres, apenas visíveis na escadaria da frente, e os fotógrafos agasalhados comparando suas lentes. Mais além, as ruas centrais de Londres estavam cheias de gente passando apressadas, as golas levantadas para se proteger do vento, homens de chapéus enterrados até as sobrancelhas.

— Quem é a moça Cochrane? — perguntou ela, virando-se para encará-lo.

Ele estava murmurando algo para o motorista.

— Quem?

— A moça Cochrane. Sr. Hargreaves estava falando dela.

— Acho que era a namorada de um cantor popular. Eles sofreram um acidente de carro pouco antes...

— Todas falavam dela. As enfermeiras, no hospital.

Ele pareceu ter perdido o interesse.

— Vou deixar Sra. Stirling em casa, e, assim que ela tiver se instalado, vou para o escritório — informou ao motorista.

— O que aconteceu com ele? — perguntou ela.

— Quem?

— Cochrane. O cantor.

Seu marido a olhou como se estivesse ponderando algo.

— Morreu — disse ele.

Depois tornou a se virar para o motorista.

Ela subiu devagar os degraus da casa branca de estuque e a porta se abriu, quase como um passe de mágica, quando ela chegou ao topo. O motorista colocou sua valise cuidadosamente no corredor, depois se retirou. O marido, atrás dela, fez um aceno de cabeça para uma mulher que estava no corredor, aparentemente para recebê-los. Ao fim da meia-idade, tinha um cabelo escuro preso em um coque apertado e vestia um conjunto azul-marinho.

— Seja bem-vinda, madame — cumprimentou a mulher, estendendo a mão. Seu sorriso era genuíno, e ela falava um inglês com sotaque carregado.

— Estamos muito felizes de ter a senhora bem de novo.

— Obrigada — respondeu Jennifer. Queria usar o nome da mulher, mas ficou sem jeito de perguntar.

A mulher esperou para pegar seus casacos e desapareceu no corredor com eles.

— Está cansada? — Ele abaixou a cabeça para examinar o rosto dela.

— Não. Não. Estou bem. — Ela olhou ao redor, desejando poder disfarçar a consternação pelo fato de que era como se nunca tivesse visto aquela casa.

— Preciso voltar para o escritório agora. Você vai ficar bem com a Sra. Cordoza?

Cordoza. O nome não era de todo estranho. Sentiu uma pequena onda de gratidão. *Sra. Cordoza.*

— Vou ficar muito bem, obrigada. Por favor não se preocupe comigo.

— Estarei de volta às 19 horas... Se você tem certeza de que vai ficar bem...

Estava claro que ele queria ir embora. Inclinou-se para perto dela, deu-lhe um beijo no rosto e, após uma breve hesitação, saiu.

Ela ficou parada no corredor, ouvindo os passos dele se afastando nos degraus lá fora, o ronco suave do motor quando seu grande carro partiu. A casa de repente pareceu grande e sombria.

Ela tocou as paredes forradas de seda, observou o parquê lustroso do assoalho, o pé-direito vertiginosamente alto. Tirou as luvas com movimentos precisos, decididos. Então inclinou-se para olhar melhor as fotografias que havia sobre a mesa do corredor. A maior era uma foto de casamento, numa moldura de prata enfeitada e muito polida. E lá estava ela, em um vestido branco justo, o rosto parcialmente encoberto por um véu de renda branca, o marido com um sorriso largo a seu lado. *Eu me casei mesmo com ele*, pensou. E depois: *pareço tão feliz.*

Sobressaltou-se. Sra. Cordoza chegara por trás dela e estava ali parada, as mãos cruzadas à frente.

— A senhora não gostaria que eu lhe trouxesse um chá? Talvez queira tomar na sala de estar. Acendi a lareira do cômodo para a senhora.

— Seria... — Jennifer olhou para dentro da casa, para as várias portas. Então tornou a observar a fotografia. Custou um pouco a voltar a falar. — Sra. Cordoza... a senhora se importa em me dar o braço para eu me apoiar? Só até eu me sentar. Não estou sentindo muita firmeza ao caminhar.

Depois, não tinha certeza da razão de ter ocultado da mulher quão pouco ela se lembrava da disposição dos cômodos da própria casa. Parecia-lhe que, se conseguisse fingir, e se acreditassem nela, o que era fingimento poderia acabar sendo verdade.

A governanta tinha preparado a ceia: um ensopado, com batatas e finas vagens francesas. Deixara-a dentro do forno desligado, dissera ela a Jennifer. Jennifer tivera que esperar o marido voltar para conseguir pôr qualquer coisa na mesa: seu braço direito continuava fraco, e ela temia derrubar a pesada panela de ferro.

Passara uma hora sozinha, tempo que aproveitou para andar pela ampla casa, familiarizando-se com a residência, abrindo gavetas e analisando fotografias. *Minha casa*, repetia para si mesma. *Minhas coisas. Meu marido.* Uma ou duas vezes, esvaziou a mente e deixou seus pés levarem-na aonde ela achava que poderia haver um banheiro ou um escritório, e ficou contente ao descobrir que alguma coisa dentro dela ainda conhecia esse lugar. Olhou os livros na sala de estar, notando, com uma ponta de satisfação, que, embora tantos deles fossem estranhos, ainda conseguia se lembrar da história de muitos.

Demorou-se mais no seu quarto. Sra. Cordoza desfizera sua mala e guardara tudo. Dois armários embutidos estavam abertos, revelando uma grande quantidade de roupas impecavelmente guardadas. Tudo cabia nela à perfeição, até os sapatos mais surrados. Sua escova de cabelo, seus perfumes e seus cosméticos estavam alinhados sobre uma penteadeira. Os cheiros encontraram sua pele com uma familiaridade agradável. As cores das maquiagens lhe caíam bem: Coty, Chanel, Elizabeth Arden, Dorothy Gray — seu espelho era cercado por um pequeno batalhão de cremes e unguentos caros.

Ela abriu uma gaveta, pegou camadas de chiffon, sutiãs e outras roupas de baixo feitas de seda e renda. Sou uma mulher que dá importância à aparência, observou. Sentou-se e ficou se olhando no espelho de três faces, depois começou a escovar o cabelo com movimentos longos e regulares. É isso que eu faço, disse a si mesma várias vezes.

Nos poucos momentos em que a sensação de estranheza foi avassaladora, entreteve-se com pequenas tarefas: rearrumar as toalhas do primeiro andar, organizar pratos e copos.

Ele voltou pouco antes das 19 horas. Ela o aguardava no corredor, a maquiagem recém-aplicada e um leve toque de perfume no pescoço e nos ombros. Percebeu que o agradou, essa aparência de normalidade. Pegou o casaco dele, pendurou-o e perguntou se gostaria de beber alguma coisa.

— Seria ótimo. Obrigado — disse ele.

Ela hesitou, a mão pousada numa garrafa de cristal.

Ao virar-se, ele notou a indecisão dela.

— Isso mesmo, querida. Uísque. Dois dedos, com gelo. Obrigado.

Na ceia, ele sentou-se à sua direita na grande mesa de mogno lustrosa, boa parte dela vazia e sem enfeites. Ela serviu a comida fumegante em dois pratos, e ele os colocou diante de cada lugar à mesa. Essa é a minha vida, ela se viu pensando, enquanto observava as mãos dele se moverem. É isso que fazemos à noite.

— Pensei em convidar os Moncrieff para o jantar na sexta-feira. Você conseguiria recebê-los?

Ela deu uma pequena garfada.

— Acho que sim.

— Ótimo. — Ele assentiu com um gesto de cabeça. — Nossos amigos andam perguntando por você. Querem ver que você... voltou a ser a boa e velha Jennifer.

Ela sorriu.

— Seria... ótimo.

— Achei que passaríamos uma ou duas semanas sem fazer muita coisa. Só até você se sentir bem.

— Sim.

— Isso está muito bom. Você que fez?

— Não. Foi a Sra. Cordoza.

— Ah.

Comeram calados. Ela bebeu água — Sr. Hargreaves aconselhara-a a não tomar nada mais forte —, mas invejou o copo diante do marido. Gostaria de anestesiar a sensação de estranheza desconcertante, embotá-la.

— E como vão as coisas... no trabalho?

Ele estava de cabeça baixa.

— Tudo bem. Preciso visitar as minas nas próximas semanas, mas, antes de ir, quero ter certeza de que você consegue se virar. Vai ter a Sra. Cordoza para ajudá-la, claro.

Ela se sentiu um pouco aliviada com a ideia de estar só.

— Tenho certeza de que vou ficar bem.

— E depois, pensei que talvez pudéssemos passar umas semanas na Riviera. Tenho assuntos a resolver lá, e o sol pode fazer bem a você. Sr. Hargreaves disse que talvez fosse bom para... as cicatrizes... — A voz dele sumiu.

— A Riviera — repetiu ela.

Uma súbita visão de uma orla enluarada. Risadas. O tilintar de copos. Ela fechou os olhos, desejando com todas as forças que a imagem fugaz entrasse em foco.

— Pensei em irmos de carro dessa vez, só nós dois.

A imagem se fora. Ela podia escutar a própria pulsação nos ouvidos. Fique calma, disse a si mesma. Vai voltar tudo. Sr. Hargreaves disse que voltaria.

— Lá você sempre parece feliz. Talvez um pouco mais feliz do que em Londres. — Ele a fitou depois desviou o olhar.

De novo a sensação de ser testada. Ela obrigou-se a mastigar e engolir.

— O que você achar melhor — respondeu baixinho.

A sala ficou em silêncio, a não ser pelo raspar dos talheres dele no prato, um ruído opressivo. A comida de repente lhe pareceu intransponível.

— Na verdade, estou mais cansada do que pensava. Você se importaria se eu subisse?

Ele se levantou enquanto ela se punha de pé.

— Eu deveria ter dito a Sra. Cordoza que uma ceia na cozinha bastaria. Quer ajuda para subir?

— Por favor, não se preocupe. — Com um gesto, recusou o braço que ele lhe oferecia. — Só estou um pouco cansada. Tenho certeza de que amanhã de manhã estarei bem melhor.

Às 21h45 ela o ouviu entrar no quarto. Deitara-se na cama, totalmente consciente dos lençóis à sua volta, do luar que atravessava as compridas cortinas, dos barulhos do tráfego ao longe na praça, de táxis parando para os passageiros saltarem, uma saudação educada de alguém passeando com um cachorro. Mantivera-se bem quieta, esperando que algo se encaixasse no lugar, que a facilidade com que se encaixara de volta em seu ambiente físico se ampliasse para sua mente.

E então a porta se abrira.

Ele não acendeu a luz. Ouviu cabides de madeira batendo de leve enquanto ele pendurava o paletó, o suave *tuc* dos sapatos sendo descalçados. E de repente ela ficou rígida. Seu marido — esse homem, esse estranho — ia se deitar na cama. Estivera tão focada em superar cada momento que não considerara isso. Quase esperava que ele dormisse no quarto de hóspedes.

Mordeu o lábio, os olhos apertados, forçando-se a respirar devagar, como se estivesse dormindo. Ouviu-o entrar no banheiro, o fluxo de água da torneira, um escovar os dentes vigoroso e um gargarejo breve. Seus passos voltaram pelo carpete, e então ele deslizou para dentro das cobertas, fazendo o colchão afundar e a cabeceira ranger em protesto. Por um minuto ele ficou ali deitado, e ela se esforçou para manter a respiração regular. *Por favor, ainda não*, desejou com todas as forças. *Mal conheço você.*

— Jenny? — chamou ele.
Ela sentiu a mão dele em seu quadril e obrigou-se a não estremecer.
Ele a moveu com cautela.
— Jenny?
Ela se obrigou a dar um longo suspiro, sugerindo o esquecimento sem culpa do sono profundo. Sentiu-o parar, a mão imóvel, e depois, com o próprio suspiro, deitar-se pesadamente no travesseiro.

Eu bem que queria poder ser a pessoa que a salva, mas isso simplesmente não vai acontecer... Não vou ligar para você depois que receber esta carta, porque isso poderia perturbá-la, e ouvir você chorar não será uma imagem justa sua, porque eu nunca a vi chorar em um ano e meio, e eu nunca tive uma namorada assim antes.

Homem a Mulher, por carta

2

Moira Parker viu a expressão preocupada no rosto do chefe, a forma determinada com que passou da sala dela para a dele, e achou que era uma boa coisa o fato de Sr. Arbuthnot estar atrasado. Pelo visto, a última reunião não fora das melhores.

Ela se levantou, alisando a saia, e ajudou-o a tirar o paletó, ainda salpicado da chuva que ele pegara no curto trajeto entre o carro e a entrada do prédio. Colocou o guarda-chuva no local apropriado e depois demorou-se um pouquinho mais que o normal para pendurar o paletó cuidadosamente no cabide. Já trabalhava com ele havia bastante tempo para avaliar quando precisava ficar um tempo sozinho.

Serviu-lhe uma xícara de chá — ele sempre tomava uma xícara de chá à tarde, e duas de café pela manhã —, recolheu os próprios papéis com uma economia de tempo que era fruto de anos de prática, depois bateu à porta dele e entrou.

— Acho que o Sr. Arbuthnot está preso no trânsito. Parece que há um grande engarrafamento na Marylebone Road.

Ele lia as cartas que ela deixara em sua mesa mais cedo para serem assinadas. Visivelmente satisfeito, pegou a caneta do bolso do peito e assinou com movimentos curtos e bruscos. Ela colocou a xícara na mesa dele e juntou as cartas à pilha de papéis que carregava.

— Já peguei suas passagens para a África do Sul, e providenciei para que alguém vá buscá-lo no aeroporto.

— Isso é no dia 15.

— Sim. Eu trago tudo aqui se o senhor quiser conferir a papelada. Aqui estão os números das vendas da semana passada. A última folha de pagamentos está nesta pasta aqui. E, como eu não tinha certeza se o senhor teria tempo de almoçar depois da reunião com os fabricantes de automóveis, tomei a liberdade de pedir uns sanduíches. Espero que não se oponha.

— Muita gentileza sua, Moira. Obrigado.

— Quer os sanduíches agora? Com o chá?

Ele confirmou com um gesto de cabeça e lançou-lhe um sorriso breve. Ela fez o possível para não corar. Sabia que as outras secretárias debochavam dela por causa da atenção, na opinião delas exagerada, que dedicava ao chefe, sem falar em suas roupas muito formais e seu jeito ligeiramente afetado de fazer as coisas. Mas ele era um homem que gostava do serviço bem-feito, e ela desde o início compreendera isso. Aquelas garotas bobas, com as cabeças sempre metidas em uma revista, aquelas fofocas sem fim no banheiro feminino, elas não entendiam o prazer de um trabalho caprichado. Não entendiam a satisfação de ser *indispensável*.

Moira hesitou um pouco, depois puxou a última carta da pasta.

— O segundo correio chegou. Achei que o senhor provavelmente deveria ver isso. É mais uma daquelas cartas sobre os homens em Rochdale.

Ele franziu o cenho, o que matou o sorrisinho que lhe iluminara o rosto. Leu a carta duas vezes.

— Alguém mais viu esta carta?

— Não, senhor.

— Arquive com as outras. — Ele estendeu-lhe bruscamente o papel. — É tudo matéria para criar encrenca. Os sindicatos estão por trás disso. Não quero saber deles.

Moira pegou a carta sem dizer nada. Fez menção de sair, depois voltou.

— E permita-me perguntar... como vai sua esposa? Contente por ter voltado para casa, imagino.

— Ela está bem, obrigado. Quase... quase refeita — disse. —Tem ajudado muito o fato de ela estar em casa.

Moira engoliu em seco.

— Fico muito feliz de saber.

A atenção dele já estava em outra coisa — ele passava os olhos nos números de vendas que ela deixara para ele. Ainda com o sorriso estampado no rosto, Moira Parker abraçou a papelada e voltou para sua mesa.

Velhos amigos, dissera ele. Nada muito complicado. Duas delas já eram familiares agora, tendo visitado Jennifer no hospital e de novo quando ela voltara para casa. Yvonne Moncrieff, uma mulher esguia de cabelos escuros de uns 30 e poucos anos, era sua amiga desde que passaram a ser vizinhas na Medway Square. Tinha um jeito sardônico e seco, que contrastava com o da outra amiga, Violet, a qual parecia aceitar resignadamente o humor cortante e as gozações de Yvonne, que conhecera no colégio.

Jennifer no início esforçara-se para captar as referências que tinham em comum, para ver se os nomes que elas citavam lhe diziam algo, mas depois sentira-se à vontade na companhia delas. Estava aprendendo a confiar suas reações viscerais às pessoas: as lembranças podiam se armazenar em outros lugares que não a mente.

— Eu queria poder perder a memória — dissera Yvonne quando Jennifer confessara como se sentira estranha ao acordar no hospital. — Eu iria embora para longe. Primeiro de tudo, esqueceria que algum dia fui casada com Francis.

Ela passara por lá para tranquilizar Jennifer, dizer-lhe que estava tudo em ordem. Seria um jantar "calmo", mas, no fim da tarde, Jennifer estava quase paralisada de nervoso.

— Não sei por que você está histérica, querida. Suas festas são lendárias.

Sentou-se na cama enquanto Jennifer experimentava um vestido atrás do outro.

— Sim. Mas para quê?

Tentou ajeitar o seio dentro de um vestido. Parecia ter emagrecido um pouco no hospital, e a parte da frente da roupa franzia.

Yvonne riu.

— Ah, relaxe. Você não tem que fazer nada, Jenny. A maravilhosa Sra. C. vai deixar você orgulhosa. A casa está linda. Você está incrível. Ou ao menos estará se vestir alguma roupa. — Chutou os sapatos e pôs as pernas compridas e elegantes sobre a cama. — Nunca entendi o seu entusiasmo para receber gente em casa. Não me entenda mal, eu adoro festas, mas ter que *organizar* tudo... — Ela examinava as unhas. — Festas são para ir, não para promover. É o que minha mãe dizia, e, francamente, ainda vale. Compro um ou dois vestidos novos para mim, mas cuidar dos canapés e de quem vai sentar onde? Urgh.

Jennifer lutou para que o decote ficasse no lugar e olhou-se no espelho, virando para um lado, depois para o outro. Esticou o braço. A cicatriz estava alta e ainda em um tom rosa forte.

— Acha que devo usar manga comprida?

Yvonne se endireitou e olhou para ela.

— Dói?

— Todo o meu braço dói, e o médico me deu uns remédios. Eu só pensei que talvez a cicatriz fosse meio...

— Constrangedora? — Yvonne franziu o nariz. — Talvez você fique melhor de manga comprida, querida. Só até a marca sumir um pouco. E está muito frio.

Jennifer ficou estarrecida com a avaliação franca da amiga, mas não ofendida. Era a primeira coisa direta que lhe diziam desde que ela voltara para casa.

Tirou o vestido, foi até o armário e examinou tudo até encontrar um tubinho de seda crua. Tirou-o do cabide e analisou. Era muito chamativo. Desde que se vira naquela casa, quisera se esconder em *tweed*, tons de cinza e marrons discretos, ainda que aqueles vestidos enfeitados ficassem saltando na sua frente.

— É esse tipo de coisa? — perguntou.

— Que tipo de coisa?

Jennifer respirou fundo.

— Que eu costumava usar? Eu era assim? — E segurou o vestido junto ao corpo.

Yvonne pegou um cigarro da bolsa e acendeu-o, observando o rosto de Jennifer.

— Está me dizendo que não se lembra mesmo de nada?

Jennifer sentou-se no banco em frente à penteadeira.

— Quase nada — admitiu. — Sei que *conheço* vocês. Do mesmo jeito que conheço ele. Sinto isso aqui. — Tocou no peito. — Mas há... há lacunas enormes. Não lembro o que eu achava da minha vida. Não sei como devo me comportar com as pessoas. Eu não... — Mordeu o canto do lábio. — Não sei quem sou.

Inesperadamente, seus olhos encheram-se de lágrimas. Ela abriu uma gaveta, depois outra, procurando um lenço.

Yvonne esperou um pouco, depois se levantou e foi sentar-se com ela no banco estreito.

— Tudo bem, querida. Vou resumir. Você é linda e divertida e cheia de *joie de vivre*. Tem uma vida perfeita, um marido rico e bonito que adora você e um guarda-roupa pelo qual qualquer mulher morreria. Seu cabelo é sempre perfeito. Sua cintura mede um palmo da mão de um homem. Você é sempre o centro das atenções em qualquer evento social, e nossos maridos todos são secretamente apaixonados por você.

— Ah, não seja ridícula.

— É sério. O Francis adora você. Sempre que ele vê o seu sorrisinho sedutor, essas suas tranças louras, deve se perguntar por que cargas-d'água se casou com essa judia magricela, velha e rabugenta. Quanto ao Bill...

— Bill?

— O marido da Violet. Antes de você se casar, ele praticamente andava atrás de você para todo lado feito um cachorrinho. Ainda bem que ele morre de medo do seu marido, senão teria se mandado com você há anos.

Jennifer enxugou os olhos com um lenço.

— Você está sendo muito gentil.

— Não mesmo. Se você não fosse tão boa, eu teria que mandar acabarem com você. Mas você tem sorte. Gosto de você.

Elas ficaram ali sentadas por alguns minutos. Jennifer esfregou uma mancha no carpete com o dedo do pé.

— Por que eu não tenho filhos?

Yvonne deu uma longa tragada no cigarro. Olhou para Jennifer e arqueou as sobrancelhas.

— Na última vez que falamos sobre isso você comentou que, para ter filhos, normalmente é aconselhável o marido e a mulher passarem algum tempo no mesmo continente. Ele viaja muito, o seu marido. — Yvonne deu um sorrisinho e exalou um anel de fumaça perfeito. — Mais um motivo para eu morrer de inveja de você.

Jennifer deu uma risadinha relutante, e Yvonne continuou:

— Ah, vai ficar tudo bem, querida. Precisa fazer o que aquele médico absurdamente caro mandou e parar de se preocupar. É provável que você tenha um momento *eureca* daqui a algumas semanas e se lembre de tudo: do marido nojento que ronca, da situação econômica, do tamanho monstro da sua conta na Harvey Nichols. Enquanto isso, curta a sua inocência enquanto dura.

— Acho que você tem razão.

— E, dito isso, acho que você deveria usar o vestido rosa. Você tem um colar de quartzo que fica fabuloso com ele. O esmeralda não a favorece em nada, faz seus peitos parecerem dois balões murchos.

— Ah, *isso* é que é amiga! — disse Jennifer, e as duas riram.

A porta batera, e ele largara a pasta no chão do saguão, o ar frio da rua ainda em seu sobretudo e sua pele. Tirou o cachecol, deu um beijo em Yvonne e se desculpou pelo atraso.

— Reunião de contadores. Vocês sabem como esses homens de dinheiro falam.

— Ah, você precisa ver quando eles se juntam, Larry. Quase choro de tédio. Estamos casados há cinco anos e eu ainda não sabia a diferença entre débito e crédito. — Yvonne olhou o relógio. — Ele já vai chegar. Sem dúvida teve que passar a varinha de condão em alguma coluna de números importantíssima.

Ele encarou a esposa.

— Você está muito bonita, Jenny.

— Não está? Sua mulher sempre se produz bem.

— É. É verdade. — Ele passou a mão no queixo. — Se vocês me derem licença, vou tomar um banho rápido antes que os nossos convidados cheguem. Vai nevar de novo. Ouvi a previsão do tempo no rádio.

— Vamos tomar um drinque enquanto esperamos você — gritou Yvonne.

Quando a porta se abriu outra vez, os nervos de Jennifer tinham sido embotados por um coquetel potente. *Vai dar tudo certo*, repetia para si mesma. Yvonne interviria se ela estivesse prestes a fazer papel de boba. Essas eram suas amigas. Não estariam esperando que ela tropeçasse. Eram mais um passo para fazê-la voltar a ser o que era.

— Jenny. Muito obrigada pelo convite.

Violet Fairclough deu-lhe um abraço, o rosto rechonchudo quase submerso em um turbante. Ela soltou o alfinete que prendia o adorno à cabeça e o entregou junto com o casaco. Usava um vestido de seda decotado, que se esticava ao redor das curvas fartas como um paraquedas inflado. A cintura de Violet, como Yvonne comentaria depois, exigia que uma pequena companhia de infantaria juntasse as mãos espalmadas para medir seu contorno.

— Jennifer. O retrato do encanto, como sempre.

Um homem alto e ruivo inclinou-se para beijá-la nas bochechas.

Jennifer estava espantada com a incongruência daquele casal. Não se lembrava do homem, e achou quase engraçado que ele fosse o marido da pequena Violet.

— Faça o favor de entrar — convidou ela, parando de encará-lo e se recompondo. — Meu marido já vai descer. Vou preparar um drinque para vocês enquanto isso.

— "Meu marido", hein? Estamos assim tão formais hoje à noite? — Bill riu.

— Bem... — Jennifer titubeou — como já faz tanto tempo que não vejo vocês todos...

— Besta. Você tem que ser gentil com a Jenny. — Yvonne deu-lhe dois beijinhos. — Ela ainda está muito frágil. Deveria estar recostada lá em cima enquanto a gente escolhe um homem de cada vez para descascar uma uva para ela. Mas fazia questão de martínis...

— *Essa* é a Jenny que a gente conhece e adora.

O sorriso de Bill foi tão demorado que Jennifer olhou duas vezes para Violet para ter certeza de que ela não estava ofendida. Não pareceu se importar: estava mexendo na bolsa.

— Deixei seu telefone com a babá nova — disse ela, erguendo os olhos. — Espero que não se importe. Ela é realmente uma inútil. Estou preparada para que ligue para cá a qualquer momento e diga que não consegue vestir a calça do pijama do Frederick ou algo assim.

Jennifer flagrou Bill revirando os olhos e, com uma pontada de assombro, deu-se conta de que o gesto lhe era familiar.

Eram oito à mesa, com seu marido e Francis nas cabeceiras. Yvonne, Dominic — que tinha um posto bem alto na Horse Guards — e Jennifer ocupavam o lado próximo à janela; Violet, Bill e Anne, a esposa de Dominic, do outro. Anne era um tipo alegre, ria às gargalhadas das piadas dos homens com um brilho bom nos olhos que revelava uma mulher à vontade com sua personalidade.

Jennifer flagrou-se observando-os enquanto comiam, analisando e examinando com detalhes de perícia legal o que diziam uns aos outros, procurando pistas da vida passada deles. Bill, notou ela, raramente olhava para a mulher, muito menos se dirigia a ela. Violet parecia alheia a isso, e Jennifer se perguntava se ela não se dava conta da indiferença dele ou se era simplesmente estoica em esconder seu constrangimento.

Yvonne, apesar das muitas queixas travestidas de brincadeiras em relação a Francis, olhava para ele constantemente. Fazia piadas à custa dele enquanto lhe dirigia um sorriso provocador. É assim que eles são juntos, pensou Jennifer. Ela não quer mostrar quanto ele significa para ela.

— Eu deveria ter investido meu dinheiro em geladeiras — dizia Francis. — Hoje de manhã estava no jornal que devem vender 1 milhão delas na Grã-Bretanha este ano. Um milhão! Há cinco anos foram... 170 mil.

— Nos Estados Unidos deve ser dez vezes isso. Ouvi dizer que as pessoas trocam de geladeira a cada dois anos mais ou menos. — Violet espetou um pedaço de peixe. — E são enormes, o dobro das nossas. Dá para imaginar?

— Tudo nos Estados Unidos é maior. Ou ao menos é o que eles gostam de nos dizer.

— Incluindo os egos, a julgar pelos americanos com que deparei. — Dominic levantou a voz. — Você não viu um sabe-tudo insuportável de verdade até conhecer um general ianque.

Anne ria.

— O pobre Dominic ficou meio irritado quando tentaram ensinar a ele a dirigir o próprio carro.

— "Ei, esses seus alojamentos são bem pequenos. Esses veículos militares são bem pequenos. Suas refeições são bem pequenas..." — arremedou Dominic. — Deviam ter visto como foi na época do racionamento. Claro, não têm ideia...

— Dom quis se divertir um pouco com ele e pediu emprestado o Morris Mini da minha mãe para ir buscar o sujeito. Vocês precisavam ver a cara dele.

— "É típico daqui, meu chapa", falei para ele. "Para visitantes dignitários usamos o Vauxhall Velox. Dá à pessoa mais uns 10 centímetros de espaço para as pernas." Ele praticamente teve que se dobrar em dois para caber lá dentro.

— Eu chorava de tanto rir — disse Anne. — Não sei como Dom não acabou se metendo na maior encrenca.

— Como vão os negócios, Larry? Ouvi dizer que você já vai de novo à África daqui a mais ou menos uma semana.

Jennifer viu o marido se recostar na cadeira.

— Vão bem. Muito bem, na verdade. Acabei de assinar um acordo com uma fabricante de motores de automóveis para produzir revestimentos de freio. — Ele juntou a faca e o garfo no prato.

— O que você faz exatamente? Eu nunca sei direito o que é esse mineral moderno que você está usando.

— Não precisa fingir que está interessada, Violet — disse Bill do outro lado da mesa. — Violet raramente se interessa por alguma coisa que não seja cor-de-rosa ou azul ou que não comece uma frase com "mamãe".

— Talvez, Bill querido, isso signifique simplesmente que não há estímulo suficiente em casa — defendeu Yvonne, e os homens assoviaram com exuberância.

Laurence Stirling tinha se virado para Violet.

— Na verdade não é nem de longe um novo mineral — disse ele. — Existe desde o tempo dos romanos. Você estudou os romanos na escola?

— Claro que sim. Não me lembro de nada sobre eles agora, óbvio. — Sua risada era aguda.

Laurence baixou o tom de voz e a mesa fez silêncio, para melhor ouvi-lo:

— Bem, Plínio, o Velho descreveu ter visto um pedaço de pano ser jogado no fogo de um salão de banquete e ser retirado intacto vinte minutos depois. Algumas pessoas acharam que fosse bruxaria, mas ele sabia que era uma coisa extraordinária. — Ele tirou uma caneta do bolso, inclinou-se e rabiscou no guardanapo de damasco. Empurrou-o para que ela visse melhor. — O nome crisotilo, a forma mais comum, vem das palavras gregas *"chrysos"*, que significa ouro, e *"tilos"*, fibra. Mesmo então eles sabiam que tinha um valor incrível. Tudo o que eu faço, quer dizer, a minha empresa, é minerar o crisotilo e transformá-lo numa fibra de múltiplas aplicações.

— Você apaga incêndios.

— Sim. — Ele olhou pensativo para as próprias mãos. — Ou garanto que eles simplesmente não comecem.

No breve silêncio que se seguiu, o clima da mesa ficou pesado. Ele fitou Jennifer, depois desviou o olhar.

— Então onde está o dinheiro grande, meu velho? Não está em toalhas de mesa resistentes ao fogo.

— Em peças de carro. — Laurence recostou-se, e a sala pareceu relaxar com ele. — Dizem que em dez anos a maioria das casas na Grã-Bretanha terá um carro. É revestimento de freio à beça. E estamos conversando com as ferrovias e as companhias aéreas. Mas os usos do asbesto branco são quase ilimitados. Já ampliamos nossa oferta para calhas, prédios de fazenda, chapas, isolamento. Logo o material estará em toda parte.

— O metal milagroso afinal.

Laurence estava à vontade discutindo seus negócios com os amigos de uma forma que não ficava quando estavam os dois a sós, pensou Jennifer.

Devia ter sido estranho para ele, também, vê-la tão gravemente ferida e, mesmo agora, ainda não de todo recuperada. Pensou na descrição que Yvonne fizera dela naquela tarde: deslumbrante, serena, *sedutora*. Será que ele estava perdendo essa mulher? Talvez por sentir que ela o observava, Larry olhou para ela. Jennifer sorriu e, em seguida, ele sorriu também.

— Eu vi, hein. Que é isso, Larry? Você não está autorizado a devanear com sua mulher. — Bill começou a encher o copo dos amigos.

— Ele certamente *está* autorizado a devanear com a mulher dele — protestou Francis —, depois de tudo o que aconteceu com ela. Como você se sente agora, Jenny? Está maravilhosa.

— Estou bem. Obrigada.

— Acho que ela está muitíssimo bem dando um jantar quando não faz nem... nem uma semana que saiu do hospital.

— Se Jenny não estivesse dando um jantar, algo estaria muito errado, e não só com ela mas também com o mundo todo. — Bill tomou um longo gole de vinho.

— Coisa horrível. É bom ver que está de volta.

— Ficamos preocupadíssimos. Espero que tenha recebido minhas flores — acrescentou Anne.

Dominic pôs o guardanapo na mesa.

— Você se lembra de alguma coisa do acidente propriamente dito, Jenny?

— Ela provavelmente prefere não pensar nisso se você não se importa. — Laurence levantou-se para pegar mais uma garrafa de vinho no aparador.

— Claro que não. — Dominic levantou a mão em sinal de desculpas. — Que falta de tato a minha.

Jennifer começou a retirar os pratos.

— Eu estou bem. Mesmo. Apenas não tenho muita coisa que possa contar. Não me lembro de quase nada do acidente.

— Tudo bem — observou Dominic.

Yvonne estava acendendo um cigarro.

— Bem, quanto antes você se responsabilizar pelos revestimentos de freio de todo mundo, Larry querido, mais seguros estaremos todos.

— E mais rico estará ele. — Francis riu.

— Ah, Francis querido, será que a gente precisa acabar falando sempre de dinheiro?

— Sim — responderam em uníssono ele e Bill.

Jennifer ouviu-os rindo enquanto pegava a pilha de pratos sujos e se encaminhava para a cozinha.

* * *

— Bem, deu tudo certo, não?

Ela estava sentada à penteadeira, tirando cuidadosamente os brincos. Viu o reflexo dele no espelho quando entrou no quarto, afrouxando a gravata. Larry tirou os sapatos e entrou no banheiro, deixando a porta aberta.

— Sim — disse ela. — Acho que sim.

— A comida estava maravilhosa.

— Ah, eu não tenho nenhum mérito — disse ela. — A Sra. Cordoza organizou tudo.

— Mas foi você que definiu o menu.

Era mais fácil não discordar. Ela guardou os brincos com cuidado dentro da caixa. Ouvia a pia se enchendo de água.

— Que bom que você gostou.

Levantou-se e tirou o vestido, pendurou-o e começou a tirar as meias. Já havia tirado uma quando ergueu os olhos e o viu parado no umbral. Olhando para suas pernas.

— Você estava muito bonita hoje — disse ele, baixinho.

Ela piscou com força, tirando a segunda meia. Alcançou o fecho da cinta às costas para desabotoá-la, agora profundamente inibida. Seu braço esquerdo continuava inútil — muito fraco para alcançar lá atrás. Manteve a cabeça baixa, ouvindo-o se aproximar. Ele agora estava de peito nu, mas ainda com a calça do terno. Parou atrás dela, afastou-lhe as mãos e assumiu a tarefa. Estava tão perto que ela podia sentir a respiração dele a suas costas à medida que ele soltava os ganchos.

— Muito bonita — repetiu ele.

Ela fechou os olhos. Esse é o meu marido, disse a si mesma. Ele me adora. Todo mundo diz isso. Somos felizes. Sentiu os dedos dele correndo de leve por seu ombro direito, os lábios encostando na sua nuca.

— Está muito cansada? — murmurou ele.

Ela sabia que essa era a sua chance. Ele era um cavalheiro. Se ela dissesse que estava, ele iria recuar, deixá-la em paz. Mas eles eram casados. *Casados*. Ela teria que enfrentar isso mais cedo ou mais tarde. E quem sabe? Talvez, se ele lhe parecesse menos um estranho, ela pudesse recuperar um pouquinho mais de si mesma.

Virou-se nos braços dele. Não conseguia olhar em seu rosto, não conseguia beijá-lo.

— Não se... se você não estiver — murmurou junto ao peito dele.

Ela sentiu a pele dele contra a sua e fechou os olhos com força, esperando alguma sensação familiar, talvez até algum desejo. Fazia quatro anos que estavam casados. Quantas vezes deviam ter feito isso? E desde que ela voltara ele fora muito paciente.

Sentiu as mãos dele passando por seu corpo, agora mais ousadas, abrindo seu sutiã. Continuou de olhos fechados, um tanto envergonhada.

— Podemos apagar a luz? — pediu. — Não quero... me lembrar do meu braço. No aspecto dele.

— Claro. Eu devia ter pensado nisso.

Ela ouviu o clique da luz do quarto. Mas não era o braço que a incomodava: não queria encará-lo. Não queria estar tão exposta, vulnerável, sob o olhar dele. E então os dois estavam na cama, e ele beijava o pescoço dela, ofegante, as mãos apressadas. Estava em cima dela, prendendo-a à cama, e ela enlaçou o pescoço dele com os braços, sem saber direito o que fazer já que não sentia nada do que poderia esperar. O que aconteceu comigo?, pensou. O que eu fazia?

— Tudo bem? — murmurou ele em seu ouvido. — Não estou machucando você?

— Não — disse ela —, não, de jeito nenhum.

Ele beijou seus seios, deixando escapar um gemido surdo de prazer.

— Tire isso — disse ele, puxando sua calcinha.

Ele aliviou o peso de cima dela para ela poder descer a calcinha até o joelho, depois chutá-la longe. E ela ficou exposta. Talvez se a gente..., ela queria dizer, mas ele já estava afastando suas pernas, tentando canhestramente se conduzir para dentro dela. *Eu não estou pronta* — mas não podia dizer isso: seria errado agora. Ele estava perdido em algum outro lugar, desesperado, querendo.

Ela fez uma careta, puxando os joelhos para cima, tentando não se contrair. Então ele estava dentro dela e ela mordia a parte interna da bochecha no escuro tentando não fazer caso da dor e do fato de não sentir nada senão um desejo desesperado de que aquilo terminasse logo e ele saísse de dentro dela. Os movimentos dele ficavam mais rápidos e mais urgentes, aquele peso esmagando-a, aquele rosto quente e suado contra seu ombro. Então, com um pequeno grito, um vestígio de vulnerabilidade que ele não demonstrava em nenhuma outra parte de sua vida, aquilo acabou, e a coisa não estava mais lá, tendo sido substituída por uma umidade pegajosa entre suas pernas.

Ela mordera a parte interna da bochecha com tanta força que sentia gosto de sangue.

Ele saiu de cima dela, ainda ofegante.

— Obrigado — disse, no escuro.

Ela ficou feliz por ele não poder vê-la deitada ali, olhando para o vazio, as cobertas puxadas até o queixo.

— Tudo bem — disse ela baixinho.

Ela descobrira que as memórias podiam de fato alojar-se em outros lugares que não a mente.

Os Dias Felizes Não são Para ser... Realmente Não É Você, sou Eu.

> Homem a Mulher, por cartão-postal

3

— Um perfil. De um industrial. — A barriga de Don Franklin ameaçava explodir por cima do cós da calça. Os botões prestes a arrebentar revelavam, acima do cinto, um triângulo de pele branca recoberta de pelos. Ele recostou-se na cadeira e puxou os óculos para o alto da cabeça. — É o *must* do editor, O'Hare. Ele quer uma matéria de quatro páginas sobre o mineral milagroso para o anúncio.

— Que diabo eu sei sobre minas e fábricas? Sou um correspondente internacional, pelo amor de Deus.

— Era — corrigiu Don. — Não podemos mandá-lo de novo para fora, Anthony, você sabe disso, e preciso de alguém capaz de fazer um bom trabalho. Você não pode simplesmente ficar aí sentado bagunçando a redação.

Anthony se atirou na cadeira do outro lado da mesa e pegou um cigarro.

Atrás do chefe de reportagem, apenas visível através da parede de vidro de sua sala, Phipps, o repórter júnior, arrancou três laudas da máquina de escrever e, o rosto contraído de frustração, substituiu-as, intercalando com duas folhas de carbono.

— Já vi você fazer esse tipo de coisa. Você sabe dourar a pílula.

— Então, nem mesmo um perfil. Uma propaganda gratuita. Anúncio glorificado.

— Ele está baseado, em parte, no Congo. Você conhece o país.

— Conheço o tipo de homem que possui minas no Congo.

Don estendeu a mão, pedindo um cigarro. Anthony lhe deu um e o acendeu.

— Não é de todo ruim.

— Não?

— Você tem que entrevistar esse cara na casa de veraneio dele no sul da França. Na Riviera. Uns dias no sol, uma ou duas lagostas por conta da casa, talvez um vislumbre da Brigitte Bardot... Você deveria me agradecer.

— Mande Peterson. Ele adora essas coisas.
— Peterson está cobrindo o assassino de crianças de Norwich.
— Murfett. Ele é um puxa-saco.
— Murfett está em Gana para cobrir o tumulto em Ashanti.
— Ele? — Anthony estava incrédulo. — Ele não conseguiria cobrir nem dois menininhos brigando numa cabine telefônica. Que diabo está fazendo em Gana? — Baixou a voz. — Mande-me de volta, Don.
— Não.
— Eu poderia estar meio maluco, alcoólatra, em um maldito asilo, que mesmo assim faria um trabalho melhor do que Murfett, e você sabe disso.
— Seu problema, O'Hare, é não saber quando está numa boa. — Don se inclinou à frente e falou mais baixo: — Ouça, pare de resmungar e ouça. Quando você voltou da África, falaram muito lá em cima — indicou a sala do editor-chefe — sobre se deveriam deixar você ir. O incidente todo... Eles estavam preocupados com você, cara. Enfim, só Deus sabe como, mas você fez um monte de amigos aqui, e alguns bastante importantes. Eles levaram em conta tudo por que você passou e o mantiveram na folha de pagamento. Mesmo enquanto você estava na... — Apontou canhestramente para trás. — Você sabe.

Anthony tinha o olhar sereno.

— Enfim. Eles não querem você fazendo nada sob muita... pressão. Então relaxe, vá para a França e agradeça por ter o tipo de trabalho que às vezes envolve jantar nos contrafortes de Monte Carlo. Quem sabe? Você pode caçar uma estrela de cinema por lá.

Seguiu-se um longo silêncio.

Como Anthony não pareceu impressionado como deveria, Don apagou o cigarro.

— Você não quer mesmo fazer essa matéria.
— Não, Don. Você sabe que eu não quero. Se eu começo com essa, vai ser um pulo para nascimentos, casamentos e óbitos.
— Caramba, você é um filho da mãe do contra, O'Hare. — Esticou o braço e arrancou uma folha datilografada do espeto na mesa. — Tudo bem, então pegue isto. Vivien Leigh está atravessando o Atlântico. Vai acampar na frente do teatro em que Olivier está se apresentando. Parece que ele não quer falar com ela, e ela diz aos colunistas de fofocas que não sabe por quê. Que tal você descobrir se eles vão se divorciar? Quem sabe consegue uma boa descrição do que ela está vestindo enquanto estiver por lá?

Houve outra longa pausa. Fora da sala, Phipps arrancou mais três páginas, bateu na testa e murmurou xingamentos.

Anthony apagou o cigarro e franziu o cenho para o chefe.
— Vou fazer as malas — disse.

Alguma coisa nas pessoas riquíssimas, pensou Anthony enquanto se vestia para o jantar, sempre lhe dava vontade de investigá-las um pouco. Talvez fosse a segurança da qual são imbuídos os homens raramente contestados; o pedantismo daqueles sujeitos cujas opiniões mais prosaicas todos respeitam tanto.

A princípio, ele achou Laurence Stirling menos nocivo do que esperara. O homem fora cortês, suas respostas, pensadas, e suas visões sobre os funcionários, bastante esclarecidas. Mas, no decorrer do dia, Anthony foi vendo que ele era o tipo de homem para quem estar no controle era vital. Em vez de solicitar informações às pessoas, ele falava *para* elas. Tinha pouco interesse em qualquer coisa fora do próprio círculo. Era um chato, só que tão rico e bem-sucedido que não tentava ser nenhuma outra coisa.

Anthony escovou o paletó, perguntando-se por que aceitara ir ao jantar. Stirling o convidara no fim da entrevista, e, pego desprevenido, ele fora obrigado a admitir que não conhecia ninguém em Antibes e que não tinha nenhum plano além de comer qualquer coisa rápida no hotel. Desconfiou, depois, de que a intenção de Stirling ao fazer o convite era aumentar as chances de ele escrever algo lisonjeiro. Mal aceitara, com relutância, e Stirling já instruía o motorista a pegá-lo no Hôtel du Cap às 19h30.

— Você não encontrará a casa — justificara ele. — Não dá para ver da rua.

Aposto que não, pensara Anthony. Stirling não parecia o tipo de homem que aceitava bem interações humanas fortuitas.

O *concierge* despertou perceptivelmente ao ver a limusine esperando em frente. De repente corria para abrir as portas, o sorriso, ausente na chegada de Anthony, agora estampado no rosto.

Anthony o ignorou. Cumprimentou o motorista e instalou-se no banco do carona — o que deixou o chofer um pouco constrangido, percebeu depois, mas no banco traseiro ele teria se sentido um impostor. Abriu a janela para deixar a brisa cálida do Mediterrâneo afagar sua pele enquanto o veículo comprido e baixo seguia pelas estradas da costa perfumadas de alecrim e tomilho. Seu olhar subiu para as colinas arroxeadas além. Acostumara-se com a paisagem mais exótica da África e esquecera como eram lindas certas partes da Europa.

Falou de banalidades — perguntou ao motorista sobre a região, para quem mais ele já trabalhara, como era a vida para um homem comum naquela parte do país. Um hábito mais forte que ele: conhecimento era tudo. Alguns de seus melhores *leads* haviam surgido de conversas com motoristas e outros funcionários de homens poderosos.

— O Sr. Stirling é um bom patrão? — perguntou.

O motorista olhou rapidamente para ele, menos à vontade.

— É — respondeu, de uma forma que sugeria que a conversa estava encerrada.

— Que bom saber disso — retrucou Anthony, e fez questão de dar uma boa gorjeta ao homem quando chegaram à ampla casa branca.

Enquanto olhava o carro desaparecer a caminho do que devia ser a garagem, sentiu-se vagamente nostálgico. Taciturno como era, teria preferido comer um sanduíche e jogar um carteado com o motorista a fazer conversa de salão com os entediados ricos da Riviera.

A casa, do século XVIII, era como a casa de qualquer homem rico: enorme e impecável, a fachada sugerindo que recebia atenção infinita de vários empregados. A entrada de cascalho era larga e bem-tratada, ladeada por caminhos de pedra dos quais nenhuma erva daninha se atreveria a emergir. As janelas elegantes luziam entre venezianas pintadas. Uma ampla escadaria de pedra conduzia os visitantes a um enorme corredor, em que já ecoavam as conversas dos outros convidados e que era pontilhada de pedestais com imensos arranjos florais. Ele subiu os degraus devagar, sentindo a pedra ainda quente do calor violento que fizera naquele dia ensolarado.

Havia outros sete convidados para o jantar: os Moncrieff, amigos dos Stirling de Londres — o olhar da mulher era abertamente de avaliação; o prefeito local, *monsieur* Lafayette, com a mulher e a filha, uma morena ágil com maquiagem pesada nos olhos e um inegável ar travesso; e os mais velhos *monsieur* e madame Demarcier, que aparentemente moravam na mansão vizinha. A esposa de Stirling era uma loura linda e impecável ao estilo Grace Kelly; tais mulheres tendem a ter pouco de interessante a dizer, pois a vida inteira foram admiradas pela aparência. Ele torceu para ser colocado ao lado da Sra. Moncrieff. Não se importava de ser avaliado. Ela seria um desafio.

— E o senhor trabalha em um jornal, Sr. O'Hare? — A francesa idosa olhou para ele.

— Sim. Na Inglaterra. — Um criado apareceu a seu lado com uma bandeja de drinques. — Tem alguma coisa sem álcool? Água tônica, talvez?

O homem confirmou com um gesto de cabeça e desapareceu.

— Que jornal? — perguntou ela.

— *Nation*.

— *Nation* — repetiu ela, aparentemente consternada. — Nunca ouvi falar. Já ouvi falar do *Times*. É o melhor jornal, não?

— Ouvi dizer que é considerado o melhor, sim. — Ai, meu Deus, pensou ele. Faça com que a comida seja boa.

A bandeja de prata apareceu a seu lado com um copo alto de água tônica com gelo. Anthony evitou olhar para o kir borbulhante que os outros estavam bebendo. Em vez disso, experimentou um pouco do francês aprendido no colégio com a filha do prefeito, mas ela respondeu em um inglês perfeito, com um sotaque encantador. Muito jovem, pensou ele, registrando a expressão de censura do prefeito.

Para seu alívio, foi colocado ao lado de Yvonne Moncrieff quando finalmente sentaram-se à mesa. Ela era educada, divertida — e completamente imune a ele. *Malditos sejam os bem casados.* Jennifer Stirling estava à sua esquerda, virada para o outro lado, conversando.

— Passa muito tempo aqui, Sr. O'Hare?

Francis Moncrieff era um homem alto e magro, o equivalente a sua mulher em termos de físico.

— Não.

— Em geral está mais envolvido com a City, em Londres?

— Não. Eu não cubro nada que acontece por lá.

— Não é jornalista econômico?

— Sou correspondente internacional. Cubro... problemas no exterior.

— Enquanto Larry os causa. — Moncrieff riu. — Sobre que tipo de assunto escreve?

— Ah, guerra, fome, doença. Essas alegrias.

— Acho que não são assuntos muito alegres. — A senhora francesa tomou um gole do vinho.

— No último ano, cobri a crise no Congo.

— Lumumba é um encrenqueiro — interveio Stirling —, e os belgas são uns ingênuos covardes se pensam que o país não vai afundar sem eles.

— Acha que não se pode confiar na capacidade dos africanos de administrar os próprios países?

— Não faz nem cinco minutos que Lumumba era um carteiro da selva sem o que calçar. Não há sequer um homem de cor com formação profissional em todo o Congo. — Ele acendeu um charuto e soltou uma baforada de fumaça. — Como vão dirigir os bancos quando os belgas tiverem ido embora, ou os hospitais? O país vai virar uma zona de guerra. Minhas minas são na fronteira do Congo com a Rodésia, e já tive que contratar segurança extra. Rodesiana. Já não se pode mais confiar na segurança congolesa.

Houve um breve silêncio. Um músculo começara a latejar insistentemente na mandíbula de Anthony.

Stirling bateu a cinza do charuto.
— Então, Sr. O'Hare, onde esteve no Congo?
— Em Leopoldville, principalmente. E Brazzaville.
— Então sabe que não se pode controlar o exército congolês.
— Sei que a independência é um momento difícil para qualquer país. E que, se o tenente-general Janssens tivesse sido mais diplomático, muitas vidas poderiam ter sido salvas.

Stirling olhou para ele por cima da fumaça do charuto. Anthony sentiu que era reavaliado.
— Pois então foi sugado para o culto a Lumumba. Outro liberal ingênuo? — Seu sorriso era gelado.
— É difícil acreditar que as condições para muitos africanos poderiam piorar.
— Então você e eu devemos discordar — retrucou Stirling. — Acho que há pessoas para quem a liberdade pode ser um presente perigoso.

A sala ficou em silêncio. Ao longe, uma motocicleta subia uma ladeira. Madame Lafayette levantou o braço ansiosamente para ajeitar o cabelo.
— Bem, não posso dizer que sei algo sobre isso — observou Jennifer Stirling, colocando o guardanapo cuidadosamente no colo.
— Muito triste — concordou Yvonne Moncrieff. — Nem consigo olhar os jornais algumas manhãs. Francis lê as páginas de esportes e de economia, e eu me atenho às minhas revistas. Muitas vezes acabamos nem lendo as notícias.
— Minha mulher não considera notícia de verdade qualquer coisa que não esteja nas páginas da *Vogue* — acrescentou Moncrieff.

A tensão diminuiu. A conversa tornou a fluir, e os garçons tornaram a encher os copos. Os homens discutiam o mercado de ações e projetos imobiliários na Riviera — o influxo dos campistas, o que levou o casal mais velho a reclamar de uma "queda no nível", das obras de construção sem fim, e de que recém-chegados horrorosos haviam ingressado no Bridge Club britânico.
— Eu não deveria me preocupar tanto — disse Moncrieff. — As barracas de praia em Monte Carlo estão custando 50 libras por semana este ano. Acho que poucos campistas vão pagar isso.
— Ouvi dizer que Elsa Maxwell propôs cobrir os seixos com espuma de borracha para que a praia não fosse tão desagradável para os pés das pessoas.
— Sofrimentos terríveis a pessoa enfrenta neste lugar — observou Anthony, baixinho.

Ele queria ir embora, mas isso era impossível naquele estágio do jantar. Sentia-se muito longe de onde estivera — como se tivesse sido largado em um universo paralelo. Como eles podiam ser tão insensíveis à confusão, ao horror da África, quando suas vidas estavam baseadas tão claramente nisso?

Ele hesitou um instante, depois fez sinal para o garçom lhe servir vinho. Ninguém na mesa pareceu notar.

— Então... vai escrever coisas maravilhosas sobre o meu marido?

A Sra. Stirling olhava para o punho da camisa dele. O segundo prato, de frutos do mar frescos, fora colocado diante de Anthony, e ela se virara na direção dele. Ele arrumou o guardanapo.

— Não sei. Deveria? Ele é admirável?

— Ele é um marco da prática comercial saudável, na opinião do nosso querido amigo Sr. Moncrieff. As fábricas dele são construídas segundo os mais altos padrões. O faturamento vem crescendo ano após ano.

— Não foi isso que eu lhe perguntei.

— Não?

— Eu lhe perguntei se ele era admirável.

Ele sabia que estava sendo espinhoso, mas o álcool o despertara, fizera sua pele comichar.

— Acho que não deveria perguntar a *mim*, Sr. O'Hare. As esposas não são muito imparciais nesses assuntos.

— Ah, na minha experiência, não há ninguém mais brutalmente imparcial que uma esposa.

— Continue.

— Quem mais conhece todos os pecados do marido semanas depois de ter se casado com ele e pode identificá-los, regularmente e de cabeça, com precisão científica?

— Sua mulher parece tremendamente cruel. Mas até que me agrada esse jeito dela.

— Na verdade, ela é uma mulher inteligentíssima. — Ele observou Jennifer Stirling botar um camarão na boca.

— É mesmo?

— Sim. Tão inteligente que me deixou há anos.

Ela lhe passou a maionese. E, como ele não pegou a molheira de sua mão, ela serviu uma colherada na beira do prato dele.

— Isso significa que o senhor não era muito admirável, Sr. O'Hare?

— No casamento? Não. Acho que não. Em todos os outros aspectos, sou, naturalmente, incomparável. E, por favor, me chame de Anthony. — Era como se ele tivesse pegado os maneirismos daquelas pessoas, aquele jeito de falar despreocupado e arrogante.

— Pois então, Anthony, tenho certeza de que você e meu marido vão se dar muitíssimo bem. Acho que ele se vê mais ou menos da mesma forma.

Os olhos dela pousaram em Stirling, depois voltaram para Anthony, e se demoraram o suficiente para que ele concluísse que ela talvez não fosse tão cansativa como pensara.

Durante o prato principal — rocambole de carne com creme e cogumelos selvagens — ele descobriu que Jennifer Stirling, nascida Verrinder, estava casada havia quatro anos. Morava a maior parte do tempo em Londres, e seu marido viajava muito para fora do país a fim de visitar suas minas. Eles iam à Riviera nos meses de inverno, em parte do verão e em um ou outro feriado, quando a sociedade londrina estivesse maçante. Era um grupo fechado, dissera ela, fitando a mulher do prefeito, à sua frente. Ninguém iria querer viver ali o tempo todo, no aquário dos peixes dourados.

Foram essas coisas que ela lhe contou, coisas que deveriam tê-la marcado como apenas mais uma mimada esposa de ricaço. Mas ele também observou outros detalhes: que Jennifer Stirling era provavelmente um pouco negligenciada, mais inteligente do que sua posição exigia que fosse, e que ela não se dera conta do efeito que a combinação poderia lhe causar em um ou dois anos. Por ora, só a ponta de tristeza em seu olhar sugeria que ela tinha consciência disso. Ela estava presa num infinito e sem sentido turbilhão social.

Não tinham filhos.

— Ouvi dizer que duas pessoas precisam estar no mesmo país para ter uma criança. — Enquanto ela dizia isso, ele se perguntou se ela estava lhe mandando um recado, mas ela parecia desprovida de malícia, antes se divertindo do que se sentindo desapontada com a situação. — Você tem filhos, Anthony? — indagou.

— Eu... parece que desencaminhei um. Ele mora com a minha ex-mulher, que faz o possível para evitar que eu o corrompa. — Tão logo disse isso, viu que estava bêbado. Sóbrio, nunca teria mencionado Phillip.

Dessa vez ele viu algo sério por trás do sorriso dela, como se estivesse pensando se deveria dizer palavras de solidariedade. *Não faça isso*, desejou ele em silêncio. Para esconder o constrangimento que sentia, voltou a encher a taça de vinho.

— Tudo bem. Ele...

— De que forma o senhor poderia ser considerado uma má influência, Sr. O'Hare? — perguntou Mariette, a filha do prefeito, lá do outro lado da mesa.

— Desconfio, *mademoiselle*, que é mais provável eu *ser corrompido* — disse ele. — Se eu já não tivesse decidido escrever um perfil altamente lisonjeiro do Sr. Stirling, acho que seria conquistado pela comida e pela companhia que estou desfrutando nesta mesa. — Fez uma pausa. — O que seria necessário para corrompê-la, Sra. Moncrieff? — perguntou. Ela parecia a pessoa menos arriscada a quem dirigir essa pergunta.

— Ah, eu seria bem fácil de corromper. Mas ninguém nunca se esforçou muito para isso — disse ela.

— Que bobagem — disse o marido, carinhosamente. — Levei meses para corrompê-la.

— Bem, você teve que me comprar, querido. Diferentemente do Sr. O'Hare aqui, você era desprovido de beleza e charme. — Ela soprou-lhe um beijo. — Já Jenny é totalmente incorruptível. Não acha que ela transmite um ar de bondade que não poderia ser mais terrível?

— Ninguém neste mundo é incorruptível se o preço for o certo — disse Moncrieff. — Nem a doce Jenny.

— Não, Francis. O *monsieur* Lafayette é nosso verdadeiro estandarte de integridade — disse Jennifer, com um sorrisinho malicioso despontando nos cantinhos da boca. Ela começara a parecer meio tonta. — Afinal, não existe corrupção na política francesa.

— Querida, acho que você não tem muita base para discutir política francesa — interveio Laurence Stirling.

Anthony viu o leve rubor que subiu às faces da mulher.

— Eu só estava dizendo...

— Bem, não diga — disse ele, sem constrangimento.

Ela piscou e baixou os olhos para o prato.

Houve um breve rumor.

— Acho que tem razão, madame — disse *monsieur* Lafayette galantemente a Jennifer, pousando sua taça de vinho. — Entretanto, posso muito bem lhe dizer que patife desonesto é o meu rival na prefeitura... a um preço justo, claro.

Foi uma gargalhada geral na mesa. O pé de Mariette estava roçando o de Anthony embaixo da mesa. Do outro lado dele, Jennifer Stirling instruía baixinho os empregados a retirarem os pratos. Os Moncrieff estavam entretidos em suas conversas, um de cada lado do *monsieur* Demarcier.

Nossa, pensou ele. O que estou fazendo com essa gente? Este não é o meu mundo. Laurence Stirling falava enfaticamente com seu vizinho de mesa. Um idiota, pensou Anthony, na mesma hora se dando conta de que, tendo perdido a família, sua carreira indo por água abaixo e não possuindo riqueza alguma, ele talvez se encaixasse melhor nessa definição. A referência ao filho, a humilhação de Jennifer Stirling e a bebida haviam conspirado para baixar seu astral. Só havia uma saída para isso: fez sinal para o garçom lhe servir mais vinho.

* * *

Os Demarcier se foram pouco depois das 23 horas; os Lafayette, logo em seguida — assuntos municipais a tratar de manhã, explicou o prefeito.

— Costumamos começar mais cedo que vocês na Inglaterra. — Ele cumprimentou as pessoas na enorme varanda, aonde haviam ido para tomar café e conhaque. — Terei muito interesse em ler o seu artigo, *monsieur* O'Hare. Foi um prazer.

— O prazer foi meu. Pode acreditar. — Anthony cambaleava mesmo parado. — Nunca fiquei tão fascinado por política municipal.

Estava muito bêbado agora. As palavras lhe saíam da boca quase antes que ele soubesse o que queria dizer, e ele piscava com força, pois sabia que não tinha muito controle sobre como poderiam ser recebidas. Quase não fazia ideia do que falara na última hora. Os olhos do prefeito encontraram os seus por um momento. Então ele soltou-lhe a mão e se afastou.

— Papai, eu vou ficar, se não se importar. Tenho certeza de que um desses gentis cavalheiros me acompanhará até em casa daqui a pouco. — Mariette fitava significativamente Anthony, que assentiu com um exagerado movimento de cabeça.

— Eu posso precisar da *sua* ajuda, *mademoiselle*. Não tenho a menor ideia de onde estou — disse ele.

Jennifer Stirling despedia-se dos Lafayette.

— Eu me encarrego de fazê-la chegar em casa sã e salva — disse ela. — Muito obrigada por terem vindo. — E completou com algo em francês que Anthony não entendeu.

A noite esfriara, mas Anthony mal sentia a temperatura. Tinha consciência das ondas lambendo a praia lá embaixo, do tilintar de copos, de trechos da conversa de Moncrieff e Stirling sobre mercados de ações e oportunidades de investimento no exterior, mas não prestou muita atenção quando bebeu num só gole o excelente conhaque que alguém colocara na sua mão. Estava habituado a viver sozinho numa terra estranha, confortável com a própria companhia, mas naquela noite sentia-se sem equilíbrio, irritável.

Olhou para as três mulheres, as duas morenas e a loura. Jennifer Stirling estendia o braço, talvez para mostrar alguma joia nova. As outras duas murmuravam, as risadas delas permeando a conversa. De tempos em tempos Mariette olhava para ele, e sorria. Será que havia uma conspiração nisso? Dezessete anos, lembrou a si mesmo. Muito nova.

Ouviu grilos, as risadas das mulheres, um jazz vindo de dentro da casa, ao longe. Fechou os olhos, depois voltou a abri-los e consultou o relógio. Uma hora havia se passado, de alguma forma. Tinha a desconfortável sensação de haver cochilado. Bom, era mesmo hora de ir.

— Acho — disse aos homens enquanto tentava levantar da cadeira — que preciso voltar para o meu hotel.

Laurence Stirling se pôs de pé. Ele fumava um charuto descomunal.

— Deixe que eu chamo o meu motorista. — E fez menção de entrar em casa.

— Não, não — protestou Anthony. — O ar fresco vai me fazer bem. Muito obrigado pela... por uma noite muito interessante.

— Telefone para o meu escritório de manhã se precisar de mais informações. Estarei lá até a hora do almoço. Depois, tenho de viajar para a África. A menos que queira ir ver as minas em primeira mão. Sempre é bom ter um velho especialista em África...

— Fica para a próxima — disse Anthony.

Stirling apertou-lhe a mão; um cumprimento breve, firme. Moncrieff fez o mesmo, depois encostou um dedo na cabeça numa despedida muda.

Anthony se afastou do grupo, encaminhando-se para o portão do jardim. O caminho era iluminado por pequenas lanternas decorativas colocadas nos canteiros. À frente ele via as luzes dos navios no vazio negro do mar. A brisa lhe trazia as vozes da varanda em tom mais baixo.

— Sujeito interessante — dizia Moncrieff, com o tipo de voz que sugeria o oposto.

— Melhor que um santinho presunçoso — murmurou Anthony, baixinho.

— Sr. O'Hare? Importa-se que eu caminhe com o senhor?

Ele se virou, sem equilíbrio. Mariette estava atrás dele, segurando uma bolsinha, um cardigã ao redor dos ombros.

— Sei como chegar à cidade. Tem um caminho por uma ladeira que a gente pode pegar. Desconfio que vá se perder se for sozinho.

Ele tropeçou no caminho arenoso. A jovem encaixou a mão morena em seu braço.

— Ainda bem que temos o luar. Ao menos vamos ver os nossos pés — disse ela.

Caminharam um pequeno trecho em silêncio. Anthony ouviu seus sapatos arrastando no chão, deixando escapar um ou outro suspiro quando tropeçava em tufos de lavanda silvestre. Apesar da noite perfumada e da menina de braço dado com ele, sentia uma nostalgia de algo que não conseguia articular.

— Está muito quieto, Sr. O'Hare. Tem certeza de que não está pegando no sono de novo?

Ouviram uma gargalhada vindo da casa.

— Diga uma coisa — disse ele. — Você gosta de eventos assim?

Ela deu de ombros.

— É uma casa simpática.

— *Uma casa simpática*. Este é o seu critério principal para uma noite agradável, *mademoiselle*?

Ela levantou uma sobrancelha, aparentemente sem se perturbar com o sarcasmo na voz dele.

— Mariette — exigiu ela. — Por favor. Devo entender que você não se divertiu?

— Esse tipo de gente — sentenciou ele, consciente de que soava bêbado e implicante — me dá vontade de enfiar uma arma na boca e puxar o gatilho.

Ela riu, e, um pouquinho aliviado com sua aparente cumplicidade, ele continuou, com mais veemência:

— Os homens só falam de quem tem o quê. As mulheres não enxergam nada além das suas malditas joias. Eles têm o dinheiro, e a oportunidade, para fazer qualquer coisa, ver qualquer coisa, no entanto ninguém tem opinião sobre nada fora do seu mundinho estreito. — Ele tornou a tropeçar, e a mão de Mariette apertou seu braço. — Eu preferia ter passado a noite conversando com os pobres que ficam na frente do Hôtel du Cap. Só que, sem dúvida, gente como o Sr. Stirling teria mandado colocá-los em algum lugar menos ofensivo...

— Achei que o senhor tinha gostado de madame Stirling — repreendeu ela. — Metade dos homens da Riviera é apaixonada por ela. Dizem.

— Uma dondoca mimadinha. O tipo de gente que se encontra em qualquer cidade, *mademois*... Mariette. Linda como uma rosa, mas sem nenhuma ideia original na cabeça.

Ele continuara seu discurso por algum tempo até se dar conta de que a moça tinha parado. Sentindo uma mudança no clima, olhou para trás e, quando firmou a vista, viu Jennifer Stirling pouco atrás dele. Ela segurava um paletó de linho, o cabelo louro prateado ao luar.

— O senhor esqueceu isso — disse ela, estendendo-lhe o paletó. Tinha a mandíbula cerrada, os olhos cintilando na luz azulada.

Ele foi até ela e pegou o paletó.

A voz dela cortou o ar parado:

— Lamento que tenhamos sido tamanha decepção para o senhor, que o nosso estilo de vida o tenha incomodado tanto. Talvez tivéssemos conquistado sua aprovação se fôssemos de pele escura e pobres.

— Caramba — disse ele, e engoliu em seco. — Desculpe-me. Eu... estou muito bêbado.

— Percebe-se. Talvez eu possa apenas lhe pedir que, seja qual for a sua opinião pessoal sobre mim e minha vida mimada, não ataque Laurence no jornal.

Ela começou a caminhar de volta para casa.

Enquanto ele fazia uma careta e praguejava em silêncio, o vento lhe trouxe aos ouvidos a última frase dela ao se afastar:

— Da próxima vez que tiver diante de si a perspectiva de ter que suportar a companhia de pessoas tão chatas, talvez seja mais fácil simplesmente dizer "Não, obrigado".

Você não me deixava segurar sua mão, nem mesmo o dedo mindinho, meu pezinho de pêssego.

Homem para Mulher, por carta

4

— Vou começar a passar aspirador se não for incomodar a senhora.

Ela ouvira os passos no patamar e se sentara sobre os calcanhares. A Sra. Cordoza, aspirador de pó em punho, parou no umbral.

— Ah! Suas coisas todas... Eu não sabia que estava organizando este quarto. Quer que eu ajude?

Jennifer enxugou a testa, analisando o conteúdo de seu guarda-roupa, que estava espalhado no chão do quarto, em volta dela.

— Não, obrigada, Sra. Cordoza. Pode continuar. Só estou arrumando as minhas coisas para poder encontrá-las.

A governanta hesitou.

— Se tem certeza... Vou às compras depois que terminar. Botei uns frios na geladeira. A senhora disse que não queria nada muito pesado para o almoço.

— É mais que suficiente. Obrigada.

Então ela ficou sozinha de novo, o ronco constante do aspirador chegando até ela pelo corredor. Jennifer endireitou as costas e abriu a tampa de outra caixa de sapatos. Estava nisso havia dias, fazendo uma faxina de primavera em pleno inverno, e a limpeza dos outros cômodos com a ajuda da Sra. Cordoza. Tirara o conteúdo de prateleiras e armários, examinando, empilhando de novo, arrumando com uma eficiência medonha, estampando-se nos seus objetos pessoais, imprimindo seu jeito de fazer as coisas numa casa que ainda se recusava terminantemente a lhe dar a sensação de ser de fato sua.

Começara como uma distração, uma forma de não pensar muito em como se sentia: como alguém preenchendo um papel que, parecia, todo mundo lhe havia designado. Agora tornara-se uma forma de se ancorar àquela casa, um jeito de descobrir quem era, quem fora. Descobrira cartas, fotografias, álbuns de sua infância que a mostravam como uma criança enfezada de maria-chiquinha em cima de um pônei branco e gordo.

Decifrou as garatujas cuidadosas de seu tempo de colégio, as piadas frívolas de sua correspondência, e viu, com alívio, que conseguia recordar pedaços inteiros disso. Começara a calcular o abismo entre o que ela fora, uma criatura otimista, adorada, talvez até mimada, e a mulher que ela agora habitava.

Sabia quase tudo o que era possível saber sobre si mesma, o que não melhorava sua constante sensação de deslocamento, de ter sido jogada na vida errada.

— Ah, querida, todo mundo se sente assim — dissera Yvonne, com um tapinha de solidariedade em seu ombro, quando ela tocara no assunto, depois de dois martínis, na noite anterior. — Nem sei quantas vezes já acordei, olhei para o encanto absoluto que é o meu marido roncador, fedorento e de ressaca e pensei: *Como* eu vim parar aqui?

Jennifer tentara rir. Ninguém queria ficar ouvindo sua lenga-lenga. Não tinha alternativa senão continuar com aquilo. No dia seguinte ao jantar, nervosa e perturbada, fora sozinha ao hospital e pedira para falar com o Sr. Hargreaves. Ele a fizera entrar imediatamente em seu consultório — menos um sinal de consideração, desconfiava ela, do que uma cortesia profissional à mulher de um cliente extremamente rico. A resposta dele, embora menos frívola que a de Yvonne, era essencialmente a mesma:

— Uma pancada na cabeça pode afetá-la de várias maneiras — disse ele, apagando o cigarro. — Algumas pessoas têm dificuldade de concentração, outras ficam chorosas em momentos inadequados ou descobrem que passam muito tempo irritadas. Já tive pacientes muito cavalheiros que ficaram atipicamente violentos. A depressão não é uma reação inusitada para o que a senhora passou.

— Mas é mais que isso, Sr. Hargreaves. Eu realmente pensei que já estaria me sentindo mais... eu mesma a essa altura.

— E não se sente?

— Tudo parece errado. Fora do lugar. — Ela deu uma risada curta e contida. — Cheguei a pensar algumas vezes que fosse ficar maluca.

Ele assentiu com um aceno de cabeça, como se já tivesse ouvido isso muitas vezes antes.

— O tempo é realmente capaz de curar tudo, Jennifer. Sei que é um terrível clichê, mas é verdade. Não se preocupe em se ajustar a uma maneira correta de sentir. Quando o assunto são lesões na cabeça, realmente não há precedentes. Você pode muito bem se sentir estranha... Deslocada, como disse... Por algum tempo. Enquanto isso, vou lhe dar uns comprimidos que vão ajudar. Tente não insistir nessas coisas.

Ele já estava prescrevendo. Ela esperou um pouco, aceitou a receita, depois se pôs de pé para sair. *Tente não insistir nessas coisas.*
Uma hora após ter voltado para casa, começara a organizar tudo. Possuía um quarto de vestir cheio de roupas. Tinha uma caixa de joias feita de nogueira que continha quatro anéis com pedras preciosas, e uma caixa secundária com uma grande quantidade de bijuterias. Tinha 12 chapéus, 9 pares de luvas e 18 pares de sapatos, anotou, enquanto acrescentava a última caixa à pilha. Colocara uma pequena descrição em cada — *saltos baixos, bordô* e *noite, seda verde*. Segurara cada sapato, tentando extrair dele alguma lembrança de uma ocasião anterior. Algumas vezes, uma imagem fugaz lhe passava pela cabeça: seus pés, calçando o de seda verde, descendo de um táxi — para um teatro? —, mas eram frustrantemente efêmeras e desapareciam antes que ela pudesse fixá-las na mente.
Tente não insistir nessas coisas.
Ela estava colocando o último par de sapatos na caixa quando viu o livro. Era um romance histórico barato, metido entre o papel de seda e a lateral da caixa. Olhou para a capa, perguntando-se por que não se lembrava da história desse livro quando tinha conseguido isso com muitos dos que estavam nas prateleiras.
Talvez eu o tenha comprado e decidido não ler, pensou, folheando as primeiras páginas. Parecia bem escabroso. Ela daria uma olhadinha à noite, e talvez o repassasse à Sra. Cordoza, se não fosse seu gênero. Colocou-o na mesa de cabeceira e bateu a saia para tirar o pó. Agora tinha questões mais urgentes a tratar, tais como arrumar aquela bagunça e descobrir o que usar aquela noite.

Chegaram duas no segundo correio. Eram quase cópias em carbono uma da outra, pensou Moira ao lê-las, os mesmos sintomas, as mesmas queixas. Eram da mesma fábrica, onde cada homem começara a trabalhar havia quase duas décadas. Talvez isso *tivesse* algo a ver com os sindicatos, como lhe dissera seu chefe, mas era meio irritante que essas cartas, esporádicas até pouco tempo, chegassem agora regularmente.
Erguendo os olhos, ela o viu voltando do almoço e se perguntou o que lhe dizer. Ele estava cumprimentando o Sr. Welford com um aperto de mão, ambos com rostos sorridentes, indicando uma reunião bem-sucedida. Após a menor das hesitações, ela varreu rapidamente as duas cartas para a gaveta superior da mesa. Iria guardá-las com as outras. Não havia por que preocupá-lo. Afinal, ela já sabia o que ele diria.
Fixou os olhos nele um instante enquanto ele acompanhava o Sr. Welford da sala do conselho até os elevadores, recordando a conversa que haviam tido

aquela manhã. Estavam só os dois na sala. As outras secretárias raramente apareciam antes das 9 horas, mas ela chegava sempre uma hora antes para ligar a máquina de café, colocar os jornais dele na mesa, verificar se haviam chegado telegramas durante a noite e assegurar-se de que a sala estivesse perfeita quando ele entrasse. Este era o trabalho dela. Além disso, ela preferia tomar o café da manhã ali no escritório: era, de alguma forma, menos solitário do que em casa, agora que a mãe morrera.

Ele fizera sinal para que ela fosse à sua sala, parando e semierguendo a mão. Sabia que ela captaria o gesto: Moira estava sempre atenta para o caso de ele precisar de algo. Ela alisara a saia e entrara rapidamente, esperando um ditado, uma solicitação de números, mas, em vez disso, ele atravessara a sala e fechara a porta devagarzinho às suas costas. Ela tentara ocultar um arrepio de excitação. Ele nunca fechara a porta às suas costas antes, em cinco anos. Ela automaticamente levara a mão ao cabelo.

Ele deu um passo em sua direção, baixando o tom de voz:

— Moira, o assunto que discutimos há algumas semanas.

Ela olhara para ele, petrificada com sua proximidade, com a reviravolta inesperada dos acontecimentos. Balançou a cabeça — de forma meio tola, desconfiou depois.

— O assunto que discutimos — havia uma ponta de impaciência na voz dele — após o acidente da minha mulher. Achei necessário verificar. Nunca houve nada...

Ela se recuperou, abanando o pescoço com a mão.

— Ah. Ah não, senhor. Fui duas vezes, como pediu. E não. Não havia nada. — Esperou um pouco, e então acrescentou: — Absolutamente nada. Tenho certeza.

Ele assentiu com um gesto de cabeça, como se tranquilizado. Então sorriu para ela, um de seus raros sorrisos gentis.

— Obrigado, Moira. Sabe como dou valor a você, não sabe?

Ela sentiu um formigamento de prazer.

Ele se encaminhou para a porta e a abriu.

— A discrição sempre foi uma das suas qualidades mais admiráveis.

Ela teve que engolir em seco antes de falar:

— Eu... O senhor pode sempre confiar em mim. Sabe disso.

Mais tarde naquele dia, uma das datilógrafas lhe perguntara, no banheiro feminino:

— O que há com você, Moira?

Ela então se dera conta de que estava cantarolando. Retocara o batom cuidadosamente e acrescentara uma gotinha de perfume.

— Está com cara de quem se deu bem.

— Quem sabe o Mario, da correspondência, encostou nas pernas dela finalmente.

Uma risada desagradável veio, em seguida, de dentro do cubículo.

— Se prestasse tanta atenção no seu trabalho quanto presta em fofoquinhas bobas, Phyllis, você poderia ser mais do que uma datilógrafa iniciante — disse ela, ao sair.

Mas nem os risos e as vaias que ouvira enquanto entrava na sala conseguiram apagar seu prazer.

Havia luzes de Natal em volta de toda a praça, grandes lâmpadas brancas em forma de tulipas. Estavam penduradas entre os postes vitorianos e enroladas nas árvores que ladeavam os jardins.

— Cada ano mais cedo — observou a Sra. Cordoza, virando-se da grande janela do salão quando Jennifer entrou. Ela fora fechar as cortinas. — Ainda nem é dezembro.

— Mas são muito bonitas. — Jenny colocava um brinco. — Sra. Cordoza, se importaria de abotoar aqui atrás? Eu não alcanço.

Seu braço estava melhor, mas ainda lhe faltava a flexibilidade que a permitiria se vestir sem ajuda.

A governanta colocou o botão azul-marinho forrado de seda na casa e recuou, esperando Jennifer se virar.

— Esse vestido sempre ficou lindo na senhora — comentou.

Jennifer acostumara-se com esses momentos, as horas em que tinha que se controlar para não perguntar: "É? Quando?" Tornara-se perita em escondê-los, em convencer o mundo ao redor dela de que tinha certeza de seu papel ali.

— Não consigo lembrar quando foi a última vez que o usei — comentou, um instante depois.

— Foi no seu jantar de aniversário. A senhora ia a um restaurante em Chelsea.

Jennifer torceu para que isso ativasse uma recordação. Mas nada.

— É verdade — disse ela, abrindo rapidamente um sorriso —, e foi uma ótima noite.

— Hoje é uma ocasião especial, senhora?

Ela se olhou no espelho que havia sobre a lareira. Seu cabelo estava penteado em ondas louras e macias, seus olhos delineados com lápis habilmente esfumaçado.

— Ah, não, acho que não. Os Moncrieff nos convidaram para sair. Jantar e dançar. O grupo de sempre.

— Vou ficar uma hora a mais, se não se importa. Há umas roupas de cama que precisam ser engomadas.

— Nós lhe pagamos todas as suas horas extras? — perguntou, sem pensar.

— Ah, sim — respondeu a Sra. Cordoza. — A senhora e seu marido sempre são muito generosos.

Laurence — ela ainda não conseguia pensar nele como Larry, por mais que todas as pessoas o chamassem assim — avisara que não conseguiria sair cedo do trabalho, então ela iria de táxi encontrá-lo para seguirem juntos. Ele parecera meio relutante, mas ela insistira. Nas últimas semanas, ela obrigara-se a sair de casa um pouco mais para recuperar a independência. Fizera compras, uma vez com a Sra. Cordoza e outra sozinha, subindo e descendo a pé, lentamente, a Kensington High Street, tentando não se deixar perturbar pela quantidade de gente e barulho e pelo empurra-empurra constante. Comprara um xale numa loja de departamentos dois dias antes, não porque quisesse ou precisasse particularmente daquilo, mas para poder voltar para casa com uma missão cumprida.

— Posso ajudá-la com isso, senhora?

A governanta segurava um casaco de brocado cor de safira. Segurava-o pela parte dos ombros, permitindo que Jennifer enfiasse um braço de cada vez. O forro era de seda, o brocado tinha um peso agradável. Ela se virou enquanto o vestia, endireitando a gola no pescoço.

— O que a senhora faz? Depois que sai daqui?

A governanta piscou, um pouco desconcertada.

— O que eu faço?

— Quero dizer... aonde vai?

— Vou para casa — respondeu a Sra. Cordoza.

— Encontrar... sua família? — Passo tanto tempo com essa mulher, pensou, e não sei nada sobre ela.

— Minha família está na África do Sul. Minhas filhas já são crescidas. Tenho dois netos.

— Claro. Desculpe-me, mas ainda não consigo me lembrar das coisas tão bem quanto deveria. Não me lembro de ouvi-la mencionar o seu marido.

A mulher baixou os olhos.

— Ele faleceu há quase oito anos, senhora. — Quando Jennifer ficou quieta, ela acrescentou: — Era gerente da mina no Transvaal. Seu marido me deu este emprego para que eu pudesse continuar a sustentar a minha família.

Jennifer sentiu-se como se tivesse sido flagrada bisbilhotando.

— Sinto muito. Como eu disse, minha memória ainda não é muito confiável. Por favor, não pense que isso reflete...

A Sra. Cordoza fez um gesto negativo de cabeça.
Jennifer ficara muito vermelha.
— Tenho certeza de que, em circunstâncias normais, eu teria...
— Por favor, madame. Eu entendo... — disse a governanta, com cuidado — ... que a senhora ainda não voltou a ser como era.

Elas ficaram ali paradas, cara a cara, a governanta aparentemente mortificada com aquela familiaridade exagerada.

Mas Jennifer não via dessa maneira.
— Sra. Cordoza, acha que mudei muito depois do acidente? — Ela viu os olhos da mulher procurarem rapidamente seu rosto antes de responder. — Sra. Cordoza?
— Talvez um pouco.
— Pode me dizer de que maneira?

A governanta ficou sem jeito, e Jennifer viu que ela temia dizer a verdade. Mas não podia parar agora.
— Por favor. Não existe resposta certa ou errada, eu lhe garanto. Eu só... As coisas estão meio estranhas desde... Eu gostaria de ter uma ideia melhor de como tudo era antes.

A mulher apertava as mãos com força diante de si.
— Talvez a senhora fosse mais reservada. Um pouquinho menos... sociável.
— Diria que eu era mais feliz antes?
— Madame, por favor... — A governanta brincava com o colar. — Eu não... Eu preciso mesmo ir. Talvez eu deixe a roupa de cama para amanhã, se não se importar.

Antes que Jennifer pudesse falar de novo, a mulher havia desaparecido.

O restaurante Beachcomber, no hotel Mayfair, era um dos melhores estabelecimentos para se comer das redondezas. Quando Jennifer entrou, acompanhada pelo marido, viu por quê: a poucos metros da rua gelada de Londres, viu-se num paraíso tropical. O bar, circular, era revestido de bambu, assim como o teto. O piso era de algas marinhas, enquanto redes e boias salva-vidas pendiam das vigas. Dos alto-falantes montados em penhascos de pedra artificiais saía uma hula-hula, que mal era possível ouvir, por causa do barulho de uma noite de sexta-feira lotada. Um mural de céus azuis e areias brancas sem fim tomava uma parede quase inteira, e o busto ampliado de uma mulher, tirado da proa de um navio, projetava-se na área do bar. Foi ali, tentando pendurar o chapéu em um dos seios entalhados, que eles viram Bill.

— Ah, Jennifer... Yvonne... já conhecem Ethel Merman? — Ele pegou o chapéu e acenou com ele para as duas.

— Cuidado — murmurou Yvonne, levantando-se para cumprimentá-los. — Violet está presa em casa, e Bill já está calibrado.

Laurence soltou o braço de Jennifer enquanto eles eram conduzidos a seus lugares. Yvonne sentou-se em frente a ela, depois fez um gesto elegante com a mão chamando Anne e Dominic, que haviam acabado de chegar. Bill, na outra ponta da mesa, agarrara a mão de Jennifer e a beijara quando passara por ele.

— Ah, você não presta, Bill, de verdade. — Francis balançou a cabeça. — Vou mandar um carro buscar Violet se você não tomar cuidado.

— Por que Violet está em casa? — Jennifer deixou o garçom puxar a cadeira para ela.

— Uma das crianças está doente, e ela não quis deixar a babá sozinha com eles. — Yvonne conseguiu transmitir tudo o que pensava sobre essa decisão arqueando lindamente uma sobrancelha.

— Porque as crianças *sempre devem vir em primeiro lugar* — disse solenemente Bill. Piscou para Jennifer. — Melhor ficar assim como estão, senhoras. A necessidade que nós homens temos de sermos cercados de atenção é surpreendente.

— Vamos beber algo? O que tem de bom aqui?

— Vou tomar um Mai Tai — disse Anne.

— Eu vou de Abacaxi Real — disse Yvonne, olhando o cardápio, que trazia a imagem de uma mulher com uma saia havaiana e dizia "Drinques Alcoólicos".

— O que vai tomar, Larry? Deixe-me adivinhar. Um "Escorpião Bali Hai". Algo com um ferrão no rabo? — Bill pegara a carta de bebidas.

— Parece repugnante. Vou tomar um uísque.

— Então permita que eu escolha para a linda Jenny. Jenny querida, que tal uma Pérola Oculta? Ou uma Perdição da Havaiana? Pode imaginar isso?

Jennifer riu.

— Já que você diz, Bill...

— E eu vou tomar um Filho da Mãe Sofredor porque é o que sou — disse ele alegremente. — Certo. Quando começamos a dançar?

Vários drinques depois, os pratos chegaram: carne de porco polinésia, almôndega de camarão e filé apimentado. Jennifer, que ficou rapidamente alta devido aos fortes coquetéis, viu que mal conseguia beliscar a comida. À sua volta, o ambiente ficara mais barulhento. Uma banda começou a tocar num canto, casais se encaminhavam para a pista de dança e as pessoas às mesas competiam em volume para serem ouvidas. As luzes diminuíram, uma claridade vermelha e dourada emanava em volutas dos abajures de vidro colorido. Ela deixou o olhar vagar por seus amigos. Bill continuava lhe lançando olhares, como se quisesse muito sua aprovação. Yvonne tinha o braço pendurado no ombro de Francis enquanto lhe contava uma história. Anne parou de sugar o canudo da bebida multicolorida que tomava para dar uma gargalhada escandalosa. A sensação insinuava-se novamente, implacável como uma maré: a de que deveria estar em outro lugar. Sentia-se numa bolha de vidro, afastada das pessoas ao redor — e com saudades de casa, percebeu com um sobressalto. Já bebi muito, censurou-se. Burra. Encontrou os olhos do marido e sorriu para ele, torcendo para não parecer tão desconfortável quanto se sentia. Ele não retribuiu o sorriso. Sou transparente demais, pensou ela lugubremente.

— Então o que é isso? — perguntou Laurence, virando-se para Francis. — O que exatamente estamos comemorando?

— Precisamos de uma desculpa para nos divertir? — retrucou Bill, que agora bebia do abacaxi de Yvonne por um comprido canudo listrado. Ela não parecia notar.

— Temos uma novidade, não, querida? — disse Francis.

Yvonne recostou-se na cadeira, meteu a mão na bolsa e acendeu um cigarro.

— Temos mesmo.

— Queríamos reunir vocês, nossos melhores amigos, para lhes contar em primeira mão que — Francis olhou para a esposa —, daqui a uns seis meses, vamos ter um pequeno Moncrieff.

Houve um breve silêncio. Anne arregalou os olhos.

— Vocês vão ter um filho?

— Bem, certamente não vamos comprar um. — A boca emplastrada de batom de Yvonne contraiu-se numa expressão de bom humor.

Anne já tinha se levantado, e dava a volta na mesa para abraçar a amiga.

— Ah, é uma notícia maravilhosa. Sua espertinha.

Francis riu.

— Pode confiar em mim. Não foi nada.

— Naturalmente não pareceu nada — disse Yvonne, e ele a cutucou.

Jennifer sentiu-se levantar, dar a volta na mesa, como se lançada por um impulso automático. Inclinou-se para beijar Yvonne.

— É uma notícia simplesmente maravilhosa — disse, sem saber direito por que se sentiu de repente ainda mais sem equilíbrio. — Parabéns.

— Eu teria lhe contado antes — a mão de Yvonne segurava a dela —, mas pensei que deveria esperar até você se sentir um pouco mais...

— Eu mesma. Sim. — Jennifer endireitou-se. — Mas é mesmo maravilhoso, estou muito feliz por você.

— Vocês são os próximos. — Bill apontou com uma deliberação exagerada para Laurence e ela. Tinha o colarinho aberto e a gravata afrouxada. — Só fica faltando vocês. Vamos lá, Larry, manda ver. Não pode deixar a gente ficar mal.

Jennifer, voltando ao seu lugar, sentiu-se corar, e torceu para que a iluminação do local disfarçasse seu embaraço.

— Tudo em sua hora, Bill — interrompeu Francis delicadamente. — A gente levou anos. É melhor esperar acabar a diversão.

— O quê? Isso era para ser *engraçado*? — reclamou Yvonne.

Houve uma gargalhada geral.

— Mais ou menos. Não tem pressa.

Jennifer observou o marido sacar um charuto do bolso interno do paletó e cortar a ponta com cuidado.

— Não tem pressa mesmo — ecoou ela.

Eles estavam num táxi, a caminho de casa. Da calçada gelada, Yvonne acenava, o braço de Francis envolvendo seus ombros de forma protetora. Dominic e Anne haviam partido minutos antes, e Bill parecia fazer serenata para algumas passantes.

— Essa novidade da Yvonne é maravilhosa, não? — disse Jennifer.

— Você acha?

— Ora, eu acho. Você não?

Ele olhava pela janela. As ruas da cidade estavam quase às escuras, exceto por um ou outro poste de luz.

— Sim — disse ele. — Um filho é uma novidade maravilhosa.

— Bill estava muito bêbado, não?

Ela pegou da bolsa o pó compacto e se olhou no espelho. Finalmente seu rosto deixara de surpreendê-la.

— Bill — disse seu marido, ainda olhando para a rua — é um idiota.

Um sinal de alarme tocava ao longe. Ela fechou a bolsa e cruzou as mãos no colo, tentando descobrir o que mais poderia dizer.

— Você... O que achou quando soube?

Ele virou-se para ela. Tinha um lado do rosto iluminado pela luz da rua, o outro no escuro.

— Sobre a Yvonne, quero dizer. Você não comentou muito. No restaurante.

— Eu pensei... — Ela detectou uma tristeza infinita em sua voz. — Que filho da mãe sortudo é Francis Moncrieff.

Não disseram mais nada na curta viagem para casa. Ao chegarem, ele pagou o táxi enquanto ela subia cuidadosamente os degraus de pedra. As luzes estavam acesas, lançando uma claridade amarelo-pálida no pavimento coberto de neve. Era a única casa ainda acesa na praça silenciosa. Ele estava bêbado, ela percebeu, observando a maneira pesada e irregular com que seus pés pisavam os degraus. Ela tentou, rapidamente, se lembrar de quantos uísques ele consumira, mas não conseguiu. Estivera imersa nos próprios pensamentos, perguntando-se como as demais pessoas a viam. Seu cérebro borbulhava com o esforço de parecer *normal*.

— Quer que eu prepare alguma coisa para você beber? — disse ela, ao entrar. Os passos dos dois ecoavam no saguão. — Posso fazer um chá, se você quiser.

— Não — disse ele, largando o casaco na cadeira do saguão. — Quero me deitar.

— Bem, acho que vou...

— E quero que você venha comigo.

E assim foi. Ela pendurou o casaco com cuidado no armário do saguão e subiu a escada para o quarto atrás dele. Desejou, de repente, ter bebido mais. Gostaria que eles fossem mais descontraídos, como Dominic e Anne, caindo nos braços um do outro com risadinhas na rua. Mas seu marido, ela sabia agora, não era do tipo que dava risadinhas.

O despertador dizia que era 1h45. Ele se despiu, deixando as roupas amontoadas no chão. De repente ele lhe pareceu cansadíssimo, e ela teve a tênue esperança de que ele poderia simplesmente adormecer. Ela tirou os sapatos e se deu conta de que não conseguiria desabotoar o vestido atrás.

— Laurence?

— O quê?

— Você se importaria de desabotoar...?

Virou as costas para ele e tentou não fazer careta à medida que sentia seus dedos atacarem o tecido. Seu hálito recendia a uísque e charuto. Ele puxava, pegando várias vezes cabelos de sua nuca, fazendo-a estremecer.

— Idiota — disse em certo momento. — Arranquei o botão.

Ela despiu a roupa dos ombros, e ele pôs o botão forrado de seda na palma da mão dela.

— Tudo bem — disse ela, tentando não se importar. — Tenho certeza de que a Sra. Cordoza vai conseguir consertar.

Ela estava prestes a pendurar o vestido quando ele pegou seu braço.

— Deixe isso — disse ele.

Olhava para ela, a cabeça balançando ligeiramente, as pálpebras semicerradas sobre os olhos fundos. Ele abaixou a cabeça, pegou a dela entre as mãos e começou a beijá-la. Ela fechou os olhos enquanto as mãos dele desciam pelo seu pescoço, seus ombros, os dois tropeçando quando ele se desequilibrou. Então ele a puxou para a cama, suas mãos grandes lhe cobrindo os seios, seu peso já se transferindo para cima dela. Ela recebia os beijos educadamente, tentando disfarçar a repulsa que sentia ao hálito dele.

— Jenny — murmurava ele, a respiração já mais acelerada. — Jenny...

Talvez não demorasse muito, ao menos.

Ela deu-se conta de que ele havia parado. Ao abrir os olhos, viu que a olhava.

— O que houve? — perguntou ele, ríspido.

— Nada.

— Pela sua cara, é como se eu estivesse fazendo uma coisa repugnante com você. É assim que se sente?

Ele estava bêbado, mas havia outra coisa em sua expressão, uma amargura que ela não conseguia explicar.

— Desculpe-me, querido. Eu não tive a intenção de dar essa impressão. — Ela se apoiou nos cotovelos. — Só estou cansada, acho. — Estendeu a mão para ele.

— Ah. Cansada.

Eles ficaram sentados na cama um ao lado do outro. Ele passou a mão no cabelo, exalando desapontamento. Ela sentia uma culpa esmagadora, mas também, para sua vergonha, alívio. Quando o silêncio se tornou insuportável, ela pegou a mão dele.

— Laurence... você acha que eu estou bem?

— Bem? O que isso significa?

Ela sentiu um nó na garganta. Ele era seu marido: certamente ela deveria ser capaz de confiar nele. Pensou por um momento em Yvonne pendurada em Francis, os olhares constantes que trocavam a respeito de cem outras conversas das quais ninguém mais participava. Pensou em Dominic e Anne, rindo enquanto entravam no táxi.

— Laurence...

— Larry! — explodiu ele. — Você me chama de Larry. Não entendo por que não consegue se lembrar disso.

Ela levou as mãos ao rosto.

— Larry, me desculpe. É só que eu... ainda me sinto muito estranha.

— Estranha?

Ela franziu o rosto.

— Como se faltasse algo. Tenho a sensação de que há um quebra-cabeça e que eu não tenho todas as peças. Será que isso parece muita bobagem?

Por favor, tranquilize-me, implorou ela. Abrace-me. Diga que *estou* sendo boba, que tudo vai voltar. Diga que Hargreaves estava certo e que essa sensação horrível vai passar. Goste de mim um pouquinho. Fique pertinho de mim, até eu achar que é a coisa certa para você fazer. Apenas *me entenda*.

Mas, quando ela ergueu os olhos, ele fitava os próprios sapatos, que estavam no tapete a poucos passos dele. O silêncio dele, ela entendeu aos poucos, não era inquisitivo. Não falava de coisas que estava tentando entender. Seu terrível mutismo falava de algo mais sinistro: uma raiva que ele mal conseguia conter.

Foi com uma voz calma e deliberadamente glacial que ele perguntou:

— O que acha que está faltando na sua vida, Jennifer?

— Nada — disse ela, depressa. — Absolutamente nada. Estou plenamente feliz. Eu... — Levantou-se e se encaminhou para o banheiro. — Não é nada. Como disse o Sr. Hargreaves, isso já vai passar. Logo vou voltar a ser exatamente como era antes.

Quando Jennifer acordou, ele já partira, e a Sra. Cordoza batia de leve na porta. Ela abriu os olhos, sentindo uma dor horrenda ao mexer a cabeça.

— Senhora? Quer que eu lhe traga uma xícara de café?

— Seria muita gentileza. Obrigada — grunhiu ela.

Levantou-se devagar, franzindo os olhos para a claridade forte. Eram 9h45. Ela ouvia o motor de um carro lá fora, o atrito monótono de uma pá limpando a neve da calçada e pardais chilreando nas árvores. As roupas que na véspera estavam espalhadas pelo quarto tinham sido de alguma forma guardadas. Ela estava deitada, deixando os acontecimentos da noite penetrarem em sua consciência.

Laurence se afastara dela quando ela voltara para a cama; suas costas largas e fortes eram uma barreira intransponível. Ela sentira alívio, e algo mais chocante também. Agora um cansaço melancólico a invadia. Tenho que melhorar, pensou. Vou parar de falar sobre meus sentimentos. Vou ser mais simpática com ele. Vou ser generosa. Eu o magoei ontem à noite, e foi isso que causou tudo.

Tente não insistir nessas coisas.

A Sra. Cordoza bateu à porta. Trouxera o café e duas finas torradas numa bandeja.

— Achei que poderia estar com fome.

— Ah, a senhora é muito gentil. Desculpe-me. Eu deveria estar de pé há horas.

— Vou colocar aqui.

Pôs a bandeja cuidadosamente em cima da cama, depois pegou a xícara de café e colocou-a na mesa de cabeceira.

— Vou ficar lá embaixo por enquanto, para não incomodá-la.

A governanta olhou rapidamente para o braço de Jennifer, a cicatriz sobressaindo na claridade, e evitou seu olhar.

Quando a Sra. Cordoza estava saindo do quarto, Jennifer viu o livro, o romance que tivera a intenção de ler ou dar. Primeiro tomaria seu café, pensou, e depois levaria o livro lá para baixo. Seria bom consertar as coisas entre ela e a Sra. Cordoza depois do estranho diálogo que tiveram na noite anterior.

Jennifer tomou um gole do café e pegou o livro, folheando-o. Nessa manhã, ela mal conseguia enxergar direito para ler. Uma folha de papel caiu de dentro do livro. Jennifer pousou-o na mesa de cabeceira e pegou a folha. Abriu-a devagar, e começou a ler.

Minha querida,

Não consegui fazê-la me ouvir, quando você foi embora com tanta pressa, mas eu não a estava rejeitando. Você estava tão longe da verdade que eu mal consigo suportar.

Eis a verdade: você não é a primeira mulher casada com quem fiz amor. Você conhece a minha situação, e, para ser franco, essas relações, tais como elas são, me serviram. Eu não queria intimidade com ninguém. Quando nos conhecemos, optei por pensar que com você não seria diferente.

Mas, ao chegar ao meu quarto no sábado, você estava maravilhosa naquele vestido. E aí você me pediu para desabotoar aquele botão nas suas costas. E, quando meus dedos encostaram na sua pele, percebi naquele momento que fazer amor com você seria um desastre para nós dois. Você, minha querida menina, não tem ideia de como se sentiria ao ser tão falsa. Você é honesta, encantadora. Mesmo que não sinta isso agora, ser uma pessoa decente pode ser prazeroso. Não quero ser o responsável por torná-la menos que isso.

E eu? Eu soube no momento em que você olhou para mim que, se fôssemos para a cama, eu estaria perdido. Eu não conseguiria afastá-la, como fiz com as outras. Não conseguiria cumprimentar Laurence direito com um aceno de cabeça quando nos cruzássemos num restaurante. Nunca me daria por satisfeito só com uma parte sua. Andei me enganando para pensar o contrário. Foi por essa razão, querida, que tornei a fechar aquele maldito botão nas suas costas. E por essa razão passei as duas últimas noites em claro, me odiando pela única coisa decente que já fiz.

Perdoe-me.

B.

Jennifer ficou sentada na cama, olhando para a única palavra que era óbvia para ela. Laurence.
Laurence.
O que só podia significar uma coisa.
A carta era endereçada a ela.

Não quero que você se sinta mal, mas estou muito envergonhado com que aconteceu entre nós. Não devia ter acontecido. Por consideração a todos os envolvidos, acho que não devemos mais nos ver.

> Homem (casado) para Mulher, por e-mail

5

Anthony O'Hare acordou em Brazzaville. Olhou o ventilador que girava preguiçosamente acima de sua cabeça, com uma vaga consciência da claridade atravessando as venezianas, e se perguntou, por um instante, se dessa vez ele iria morrer. Sua cabeça estava presa num torno, e flechas eram disparadas de uma têmpora à outra. Os rins pareciam ter sido socados com entusiasmo por alguém a noite toda. Tinha a boca seca e com um gosto ruim, e estava ligeiramente enjoado. Uma ligeira sensação de pânico o assaltou. Será que levara um tiro? Ou fora espancado? Fechou os olhos, aguardando os ruídos da rua lá fora, os vendedores de comida, o constante zumbido do rádio enquanto as pessoas se reuniam, acocoradas, tentando saber de onde surgiria o problema seguinte. Não era bala. Era febre amarela. Dessa vez com certeza acabaria com ele. Mas mesmo enquanto pensava isso, percebia que não havia ruídos congoleses: ninguém gritando de uma janela aberta, nenhuma música de bar, nada de aromas de *kwanga* cozinhando em folhas de bananeira. Nada de tiro. Ninguém berrando em lingala ou swahili. Silêncio. Guinchos de gaivotas ao longe.

Ali não era o Congo. França. Ele estava na França.

Por um instante, até distinguir bem a dor, sentiu-se aliviado. O médico lhe avisara que o mal-estar seria mais forte se ele tornasse a beber. Ele prestou atenção com uma parte distante e ainda analítica da mente. O Sr. Robertson ficaria realizado se soubesse que sua previsão fora tão precisa.

Quando se sentiu seguro para se levantar sem destruir a si mesmo, ergueu o tronco. Passou as pernas para o chão e caminhou vacilante até a janela, consciente do ranço de suor e das garrafas vazias na mesa que indicavam a longa noite. Abriu uma frestinha da cortina e viu a baía luminosa lá embaixo, banhada numa pálida luz dourada. Os telhados vermelhos nas encostas eram de terracota, não o marrom pintado dos bangalôs congoleses, seus habitantes, gente saudável e feliz circulando pelo calçadão, conversando, caminhando, correndo. Gente branca. Gente rica.

Ele apertou os olhos. Era uma cena perfeita, idílica. Deixou a cortina cair, foi trôpego até o banheiro e vomitou, abraçando o vaso, cuspindo e sentindo-se péssimo. Quando conseguiu se levantar de novo, entrou cambaleante no chuveiro, encostou-se na parede e ficou vinte minutos embaixo da água morna, desejando que ela pudesse lavar o que corria dentro dele.

Vamos, controle-se.

Vestiu-se, ligou pedindo café e, sentindo-se um pouco mais firme, sentou-se à mesa. Eram quase 10h45. Precisava mandar o artigo, o perfil no qual trabalhara na tarde anterior. Olhou as anotações que rabiscara, recordando o fim da noite. A lembrança lhe voltou entrecortada: Mariette, o rosto virado para ele na frente do hotel, pedindo para ser beijada. A recusa determinada da parte dele, mesmo enquanto resmungava como era um idiota: a garota era atraente e já era sua. Mas ele queria se sentir minimamente satisfeito com uma única coisa que tivesse feito naquela noite.

Ai, meu Deus. Jennifer Stirling, irritada e magoada, entregando-lhe seu paletó. Ela o entreouvira esbravejando indelicadamente sem pensar nas consequências sobre todos eles. O que ele dissera sobre ela? *Uma dondoca mimadinha... sem nenhuma ideia original na cabeça.* Fechou os olhos. As zonas de guerra, pensou, eram mais fáceis. Mais seguras. Nas zonas de guerra, você sempre sabia quem era o inimigo.

O café chegou. Ele respirou fundo, depois serviu-se de uma xícara. Pegou o telefone e, exausto, pediu à telefonista uma ligação para Londres.

> Sra. Stirling,
>
> Sou um porco indelicado. Gostaria de poder alegar exaustão ou uma reação atípica a crustáceos, mas receio que tenha sido uma combinação do álcool, que não devo tomar, com a irritabilidade dos socialmente ineptos. Não há muito que a senhora possa dizer a meu respeito que eu já não tenha deduzido sobre mim em minhas horas mais sóbrias.
>
> Por favor permita-me desculpar-me. Se eu pudesse convidá-la e ao Sr. Stirling para almoçar antes do meu regresso a Londres, ficaria muito feliz de lhes oferecer uma compensação.
>
> Sentindo-me envergonhado,
> Anthony O'Hare
>
> P.S.: Anexo uma cópia do artigo que enviei a Londres para lhe assegurar que, pelo menos nesse aspecto, agi honradamente.

Anthony pôs a carta num envelope, selou-a e virou-a. Era possível que ainda estivesse meio bêbado: não se lembrava de ter sido tão honesto em uma carta.

Foi então que se deu conta de que não tinha o endereço para o qual enviá-la. Maldisse baixinho a própria burrice. Na noite anterior, o motorista de Stirling o pegara, e ele pouco se recordava da volta para casa, que dirá de suas várias humilhações.

A recepção do hotel não ajudou muito. *Stirling?* O *concierge* balançou a cabeça.

— Você o conhece? Homem rico. Importante — disse. Sua boca ainda estava seca.

— *Monsieur* — disse o *concierge* com um ar cansado —, todo mundo aqui é rico e importante.

A tarde estava cálida, o ar, claro, quase fosforescente sob o céu límpido. Ele começou a andar, refez o caminho que o carro tomara na véspera. Fora um percurso de menos de dez minutos: quão difícil seria encontrar a casa de novo? Ele deixaria a carta na porta e iria embora. Não queria pensar no que faria quando voltasse para a cidade: desde aquela manhã, a lembrança da longa relação de seu organismo com o álcool despertou nele um desejo surdo e perverso. Cerveja, pedia seu corpo com urgência. Vinho. Uísque. Seus rins doíam, e ele ainda tremia um pouco. A caminhada, pensou, cumprimentando com um aceno de cabeça duas mulheres sorridentes e bronzeadas, lhe faria bem.

O céu sobre Antibes estava de um azul pungente, as praias pontilhadas de turistas desfrutando a areia branca. Ele se lembrava de ter virado à esquerda naquela rotunda e viu que a rua, pontilhada de mansões telhadas, levava-o para as colinas. Era o caminho por onde ele voltara. O sol batia com força em sua nuca e atravessava seu chapéu. Tirou o paletó, pendurando-o no ombro enquanto andava.

Foi nas colinas atrás da cidade que as coisas começaram a dar errado. Ele virara à esquerda numa igreja que lhe parecera vagamente familiar e começara a subir uma ladeira. Os pinheiros e as palmeiras rarearam, depois desapareceram de todo, deixando-o sem nenhuma sombra para se proteger, as rochas brancas e o asfalto reverberando o calor. Sentiu a pele exposta se contrair, e soube que, à noite, estaria todo ardido.

De vez em quando passava um carro, lançando nuvens de sílex no precipício cada vez mais fundo. Parecera uma viagem tão rápida na véspera, com a ajuda do perfume das ervas silvestres, das brisas frescas do crepúsculo. Agora os marcos da estrada se estendiam a sua frente, e sua confiança diminuía à medida que ele era obrigado a contemplar a possibilidade de estar perdido.

Don Franklin adoraria isso, pensou, parando para enxugar a cabeça com o lenço. Anthony era capaz de atravessar a África de ponta a ponta, brigar ao cruzar fronteiras, e no entanto ali estava ele, perdido no que deveria ser uma viagem de dez minutos por um *playground* de milionários. Recuou para deixar outro carro passar, depois semicerrou os olhos contra o sol enquanto com um chiado de freios ele parava. Com um barulho agudo, o automóvel deu marcha a ré até ele.

Yvonne Moncrieff, óculos escuros na cabeça, debruçou-se na janela de um Daimler SP250.

— Está maluco? — disse ela alegremente. — Vai fritar aqui.

Ele espiou dentro do carro e viu Jennifer Stirling ao volante. Ela olhou para ele por trás de enormes óculos escuros, o cabelo preso, a expressão insondável.

— Boa tarde — cumprimentou ele, tirando o chapéu. De repente se deu conta do suor empapando sua camisa e do rosto que brilhava.

— O que está fazendo tão longe da cidade, Sr. O'Hare? — perguntou Jennifer. — Atrás de algum furo?

Ele tirou o paletó de linho dos ombros, meteu a mão no bolso e estendeu a carta para ela.

— Eu... eu queria lhe dar isso.

— O que é?

— Um pedido de desculpas.

— Um pedido de desculpas?

— Por minha indelicadeza ontem à noite.

Ela não fez nenhuma menção de se esticar por cima da amiga para pegar a carta.

— Jennifer, posso? — Yvonne Moncrieff olhou para ela, aparentemente incomodada.

— Não. Pode ler em voz alta, Sr. O'Hare? — disse ela.

— Jennifer!

— Se ele a escreveu, garanto que é perfeitamente capaz de lê-la. — Atrás dos óculos, seu rosto era impassível.

Anthony ficou ali parado um momento, olhou para a estrada deserta às suas costas e para a cidade ensolarada lá embaixo.

— Eu realmente preferiria...

— Então não é bem um pedido de desculpas, é, Sr. O'Hare? — disse ela amavelmente. — Qualquer um pode rabiscar umas palavras.

Yvonne Moncrieff olhava para as próprias mãos, balançando a cabeça. Os óculos inexpressivos de Jennifer continuavam focados nele, cuja silhueta se refletia nas lentes escuras.

Ele abriu o envelope, tirou a folha de papel, e, após um instante, leu o conteúdo para ela, o tom de voz artificialmente alto na colina. Ao terminar, tornou a guardá-la no bolso. Sentia-se estranhamente constrangido no silêncio, quebrado apenas pelo zumbido baixinho do motor.

— Meu marido — disse Jennifer finalmente — foi para a África. Viajou hoje de manhã.

— Então eu ficaria encantado se me deixasse convidar a senhora e a Sra. Moncrieff para almoçar. — Olhou para o relógio. — Obviamente, para um almoço bem tardio.

— Eu não, querido. Francis quer que eu veja um iate hoje à tarde. Eu disse a ele que a gente pode ao menos sonhar.

— Vamos lhe dar uma carona para a cidade, Sr. O'Hare — disse Jenny, fazendo um aceno de cabeça para que ele entrasse no pequeno banco traseiro. — Não quero ser responsável pela insolação do mais *honrado* correspondente do *Nation*, nem pelo seu envenenamento por álcool.

Ela aguardou enquanto Yvonne saltava e inclinava o banco para Anthony entrar, depois procurou algo no porta-luvas.

— Aqui — disse, jogando um lenço para ele. — Você sabe que estava indo numa direção totalmente errada? Moramos do outro lado. — Apontou para uma colina arborizada ao longe. Tinha os cantos da boca repuxados, o suficiente para ele pensar que poderia ser perdoado, e as duas caíram na gargalhada. Profundamente aliviado, Anthony O'Hare enfiou o chapéu na cabeça, e eles partiram, acelerando ladeira abaixo rumo à cidade.

O carro ficou preso no tráfego tão logo deixaram Yvonne no Hôtel St. Georges.

— Comportem-se — disse a mulher mais velha ao acenar, despedindo-se deles.

Yvonne falava, Anthony notou, com a displicência alegre de quem sabe que a alternativa está fora de questão.

Quando os dois ficaram sozinhos, o clima já era outro. Jennifer Stirling ficou mais silenciosa, aparentemente preocupada com a rua à frente, de um jeito que não estava quinze minutos antes. Ele observou sub-repticiamente seus braços ligeiramente bronzeados, seu perfil, enquanto ela olhava à frente para a longa fila de luzes traseiras. Ele se perguntou, por um instante, se ela estava mais zangada com ele do que estava preparada para admitir.

— Então, quanto tempo seu marido vai passar na África? — perguntou ele, para quebrar o silêncio.

— Uma semana, provavelmente. Ele poucas vezes fica mais que isso. — Ela espiou depressa por cima da lateral da porta, aparentemente para avaliar o que causava a retenção.

— Uma viagem e tanto para uma estada tão curta.

— O senhor deve saber como é.

— Eu?

Ela ergueu uma sobrancelha.

— O senhor sabe tudo sobre a África. Disse isso ontem à noite.

— "Tudo"?

— O senhor sabia que quase todos os homens que fazem negócios lá são calhordas.

— Eu disse isso?

— Ao *monsieur* Lafayette.

Anthony afundou um pouco mais no assento.

— Sra. Stirling... — começou ele.

— Ah, não se preocupe. Laurence não ouviu. Francis, sim, mas como ele faz poucos negócios lá, não se ofendeu *muito*.

Os carros começaram a andar.

— Deixe-me convidá-la para almoçar — disse ele. — Por favor. Eu gostaria de ter a oportunidade de lhe mostrar, ainda que só por meia hora, que não sou um idiota completo.

— Acha que pode me fazer mudar de ideia tão depressa? — Aquele sorriso de novo. — Eu topo se você topar. Mostre-me aonde devemos ir.

O garçom trouxe para ela um longo copo de limonada. Ela deu um gole, depois se recostou na cadeira e examinou a beira-mar.

— Bela vista — disse ele.

— É — concordou ela.

Seu cabelo escorria de sua cabeça como tinta caindo de um vidro, em ondulações louras e sedosas que terminavam justo acima dos ombros. Não era o tipo dele. Ele gostava de mulheres de beleza menos convencional, com um quê de sombrio, cujos encantos fossem menos óbvios.

— Não está bebendo?

Ele olhou para o copo.

— Eu realmente não devo.

— Ordens da esposa?

— Ex-esposa — corrigiu ele. — E não, são do médico.

— Então achou *mesmo* a noite de ontem insuportável.

Ele deu de ombros.

— Eu não tenho vida social.
— Um turista acidental.
— Admito que sim. Acho o conflito armado uma perspectiva menos intimidante.

O sorriso dela, quando veio desta vez, foi lento e malicioso.

— Então você é William Boot — disse. — Um peixe fora d'água na zona de guerra da sociedade da Riviera.

— Boot... — À menção da infeliz personagem ficcional de Waugh, Anthony se viu sorrindo de verdade pela primeira vez naquele dia. — Acho que você poderia, e com razão, ter sugerido alguém muito pior.

Uma mulher entrou no restaurante, segurando junto ao farto busto um cachorro de olhinhos redondos. Passou pelas mesas com uma espécie de determinação cansada, como se não se permitisse focar em nada senão no lugar para o qual se encaminhava. Ao sentar-se a uma mesa vazia a poucas cadeiras de onde eles estavam suspirou aliviada. Botou o cachorro no chão, onde ele ficou parado, o rabo entre as pernas, tremendo.

— Então, Sra. Stirling...
— Jennifer.
— Jennifer. Fale sobre você — disse ele, debruçando-se sobre a mesa.
— Você é quem deveria falar. Mostrar, na verdade.
— O quê?
— Que não é um idiota completo. Você disse que precisava de meia hora, acredito eu.
— Ah. Quanto tempo me sobra?

Ela olhou o relógio.

— Uns nove minutos.
— E como estou me saindo até agora?
— Não pode esperar que eu revele algo tão depressa.

Ficaram calados então. Ele, por não saber o que dizer, o que lhe era atípico, e ela, talvez, por lamentar sua escolha de palavras. Anthony O'Hare pensou na última mulher com quem tinha se envolvido, a esposa do seu dentista, uma ruiva de pele tão translúcida que ele evitava olhar muito pois tinha medo de enxergar o que havia por baixo. Ela estava farta da prolongada indiferença do marido. Anthony meio que desconfiara que a receptividade aos avanços dele era mais um ato de vingança do que qualquer outra coisa.

— O que faz do seu tempo, Jennifer?
— Tenho medo de lhe contar.

Ele ergueu uma sobrancelha.

— Faço tão pouca coisa útil que tenho medo de que você me condene sem piedade.

O modo como ela falou isso lhe dizia que ela não tinha medo nenhum.

— Você administra duas casas.

— Não. Há empregados de meio expediente. E, em Londres, a Sra. Cordoza é muito mais hábil que eu nas tarefas domésticas.

— Então, o que você faz?

— Ofereço coquetéis, jantares. Enfeito as coisas. Sou decorativa.

— É muito boa nisso.

— Ah, especialista. É uma habilidade qualificada, sabe.

Ele poderia ficar o dia inteiro olhando para ela. Era qualquer coisa no modo como seu lábio superior virava um pouco para cima ao encontrar com a pele macia de sob o nariz. Essa parte do rosto tinha um nome especial, e ele estava certo de que, se olhasse bastante para ela, acabaria se lembrando.

— Fiz o que fui criada para fazer. Arranjei um marido rico e o mantenho feliz.

O sorriso não veio. Talvez um homem sem a experiência dele não tivesse percebido aquilo, uma ligeira elasticidade em volta dos olhos, uma suspeita de algo mais complexo que a superfície poderia sugerir.

— Na verdade, vou beber alguma coisa — disse ela. — Você se importaria?

— Você deveria mesmo beber alguma coisa. E eu vou desfrutar da bebida vicariamente.

— *Vicariamente* — repetiu ela, fazendo um sinal para o garçom. Pediu um martíni, com muito gelo.

Uma bebida social, pensou Anthony: ela não estava tentando esconder nada, nem queria se perder no álcool. Ele ficou meio desapontado.

— Se isso faz com que se sinta melhor — disse ele num tom leve —, não sei fazer nada a não ser trabalhar.

— Ah, acho que sabe — retrucou ela. — Os homens acham mais fácil trabalhar do que lidar com qualquer outra coisa.

— Qualquer outra coisa?

— A confusão do dia a dia. O fato de as pessoas não se comportarem como você gostaria e você sentir coisas que preferiria não sentir. No trabalho você pode atingir resultados, ser o chefe do pedaço. As pessoas lhe obedecem.

— Não no meu mundo. — Ele riu.

— Mas você pode escrever uma reportagem e vê-la nas bancas de jornal no dia seguinte do mesmo jeito que a escreveu. Isso não o deixa bastante orgulhoso?

— Antes deixava. Mas passa depois de algum tempo. Acho que faz um tempo que eu não faço nada de que possa me orgulhar. Tudo o que escrevo é efêmero. Embrulha peixe na feira no dia seguinte.

— Não? Então por que trabalhar tanto?

Ele engoliu em seco, tirando a imagem do filho da cabeça. De repente, queria muito uma bebida. Deu um sorriso amarelo.

— Por todas as razões que você diz. É muito mais fácil do que lidar com qualquer outra coisa.

Seus olhos se encontraram e, nesse momento de distração, o sorriso dela desapareceu. Ela corou um pouco e mexeu o martíni, lentamente, com o bastãozinho.

— "Vicariamente" — disse ela devagar. — Vai ter que me dizer o que significa isso, Anthony.

A forma como ela disse o nome dele induzia a uma espécie de intimidade. Prometia algo, uma repetição em alguma outra hora.

— Significa... — Anthony ficara com a boca seca — significa um prazer obtido através do prazer de outra pessoa.

Depois que ela o deixara no hotel, ele passou quase uma hora deitado na cama olhando para o teto. Então desceu até a recepção, pediu um cartão-postal e escreveu um bilhete para o filho, perguntando-se se Clarissa se daria o trabalho de entregá-lo.

Quando voltou para o quarto, um bilhete fora passado por baixo da porta:

> *Caro Boot,*
>
> *Mesmo ainda não convencida de que você não é um idiota, estou disposta a lhe dar mais uma chance de me provar isso. Meus planos para esta noite foram por água abaixo. Vou jantar no Hôtel des Calypsos, na rue St. Jacques e gostaria de companhia. Às 20h.*

Ele leu o bilhete duas vezes, depois correu até lá embaixo para mandar um telegrama a Don:

> IGNORE ÚLTIMO TELEGRAMA PT FICO PARA TRABALHAR SÉRIE SOBRE ALTA SOCIEDADE RIVIERA PT INCLUIREI DICAS MODA PT

Sorriu, dobrou a folha e entregou-a, imaginando a cara do editor quando lesse aquilo, depois se perguntou como faria para ter o terno limpo para o jantar.

Naquela noite, Anthony O'Hare estava absolutamente encantador. Foi a pessoa que deveria ter sido na noite anterior. Foi a pessoa que talvez devesse ter sido quando casado. Foi espirituoso, cortês, cavalheiro. Jennifer nunca tinha ido ao Congo — seu marido dissera que "não era para ela" —, e, talvez porque agora tivesse uma necessidade interna de contradizer Stirling, Anthony resolveu fazê-la adorar o país. Falou-lhe das ruas elegantes e arborizadas de Leopoldville, dos colonizadores belgas que preferiam importar toda a comida que consumiam, tudo enlatado e congelado, a um preço proibitivo, a comer numa das fontes de produtos agrícolas mais gloriosas do mundo. Contou-lhe do choque dos europeus da cidade quando, após um levante na guarnição de Leopoldville, foram perseguidos e acabaram fugindo para a segurança relativa de Stanleyville.

Anthony quis que ela o visse em sua melhor forma, que olhasse para ele com admiração e não com aquele ar de piedade e irritação. E algo estranho aconteceu: ao se comportar como o estranho encantador e otimista, descobriu que por um instante esse era ele. Lembrou-se de sua mãe: "Sorria", dizia-lhe quando ele era menino, pois isso o deixaria mais feliz. Ele não acreditava naquilo.

Jennifer, por sua vez, estava alegre. Ouviu mais do que falou, como as mulheres socialmente inteligentes costumavam fazer, e, quando ria de algo que ele dizia, ele se via falando mais, com muita vontade de fazê-la rir de novo. Percebeu, contente, que eles atraíam olhares de admiração das pessoas em volta — *aquele casal feliz da mesa 16*. O curioso é que ela não sentia vergonha de ser vista com um homem que não era seu marido. Talvez a sociedade da Riviera funcionasse assim, pensou ele, um dueto social interminável com os maridos e as mulheres dos outros. Não gostou de pensar na outra possibilidade: que um homem da estatura dele, de sua classe, não poderia ser visto como uma ameaça.

Pouco antes do prato principal, um homem alto com um terno de corte impecável apareceu à mesa deles. Deu dois beijos em Jennifer e esperou, após trocarem amenidades, ser apresentado.

— Richard, querido, este é o Sr. Boot — disse ela, séria. — Ele está fazendo um perfil de Larry para um jornal inglês. Estou dando os detalhes, e tentando mostrar a ele que os industriais e suas mulheres não são de todo sem graça.

— Acho que ninguém poderia acusar você de ser sem graça, Jenny. — Ele estendeu a mão para Anthony. — Richard Case.

— Anthony... hã... Boot. Não há nada de sem graça na sociedade da Riviera, pelo que posso ver. O Sr. e a Sra. Stirling foram anfitriões maravilhosos — disse ele. Estava decidido a ser simpático.

— Talvez o Sr. Boot escreva alguma coisa sobre você também. Richard é dono do hotel que fica no alto do morro. O que tem uma vista maravilhosa. Ele é o epicentro da sociedade da Riviera.

— Talvez possamos hospedá-lo na sua próxima visita, Sr. Boot — disse o homem.

— Eu gostaria muito, mas vou esperar e ver se o Sr. Stirling gosta do que escrevi para saber se estarei autorizado a voltar — disse ele.

Ambos tiveram o cuidado de mencionar Laurence várias vezes, pensou ele depois, de mantê-lo, invisivelmente, entre eles.

Naquela noite, ela resplandecia. Transmitia uma vibração que ele desconfiava ser o único capaz de detectar. Será que sou eu que faço isso com você?, perguntou-se, vendo-a comer. Ou será apenas o alívio de sair de sob o olhar severo daquele seu marido? Lembrando-se de como Stirling a humilhara na noite anterior, ele perguntou a opinião dela sobre os mercados, sobre o Sr. Macmillan e sobre o casamento real, não permitindo que ela aceitasse seus julgamentos. Ela não tinha muita consciência do mundo além do seu, mas era perspicaz quanto à natureza humana e interessada o suficiente no que ele tinha a dizer para ser uma companhia agradável. Ele pensou por um instante em Clarissa, em suas declarações azedas sobre as pessoas que a cercavam, sua presteza em ver afrontas nos gestos mais corriqueiros. Fazia anos que não aproveitava tanto uma noite.

— Preciso ir daqui a pouco — disse ela, após olhar o relógio. O café chegara, com um pratinho de prata com *petits fours* arrumados com esmero.

Ele pôs o guardanapo na mesa, sentindo o peso do desapontamento.

— Não pode ir — disse ele, e acrescentou depressa: — Ainda não sei bem se mudei sua antiga opinião a meu respeito.

— É mesmo? Ah, é mesmo.

Ela virou a cabeça e viu Richard Case no bar com amigos. Ele desviou o olhar rapidamente, como se disfarçando que os vigiava.

Jennifer examinou o rosto de Anthony. Se fosse um teste, ele teria passado. Ela se inclinou e baixou a voz:

— Sabe remar?

— Se eu sei *remar*?

Eles desceram para o cais. De lá, ela olhou para a água como se não tivesse segurança de reconhecer o barco sem conferir seu nome e finalmente apontou para um pequeno bote. Ele subiu, depois deu-lhe a mão para que ela pudesse sentar-se no banco em frente a ele. A brisa era cálida, as luzes dos barcos de pesca de lagosta piscando pacificamente na escuridão fechada.

— Para onde vamos? — Anthony tirou o paletó, colocou-o a seu lado no banco e pegou os remos.

— Ah, é só remar para lá. Eu mostro quando chegarmos.

Ele remou devagar, ouvindo as ondas batendo no costado do pequeno bote. Jennifer ia sentada à sua frente, o casaco jogado nos ombros. Estava virada para o outro lado, a fim de ver melhor para onde o guiava.

Anthony sofrera um bloqueio mental. Em circunstâncias normais, estaria pensando estrategicamente, imaginando quando daria o passo decisivo, empolgado com a perspectiva da noite que vinha pela frente. Mas, embora estivesse sozinho com aquela mulher, embora ela o tivesse convidado para ir a um barco no meio de um mar escuro, ele não tinha muita certeza de que sabia o rumo que aquela noite tomaria.

— Ali — disse ela, apontando. — É aquele.

— Você disse um barco. — Ele olhou para o vasto e elegante iate branco.

— Um barco grandinho — admitiu ela. — Não sou muito de iates. Só vou a bordo umas duas vezes por ano.

Eles amarraram o bote e subiram a bordo do iate. Ela lhe disse para se sentar num banco almofadado e, minutos depois, saiu da cabine. Tirara os sapatos, ele notou, tentando não olhar para aqueles pés incrivelmente pequenos.

— Fiz um coquetel sem álcool para você — disse ela, estendendo o copo para ele. — Eu não sabia se você aguentaria outra água tônica.

Estava quente, mesmo tão longe do cais, e as ondas eram tão suaves que o iate mal se mexia sob eles. Atrás dela, Anthony via as luzes do porto, um ou outro carro subindo a estrada litorânea. Pensou no Congo e sentiu-se como alguém que tivesse saído do inferno e ido direto para um paraíso que só existia em sua imaginação.

Ela fizera para si mais um martíni e se sentara sobre os próprios pés no banco em frente ao dele.

— Então — disse ele —, como você e seu marido se conheceram?

— Meu marido? Ainda estamos trabalhando na reportagem?

— Não. Estou intrigado.

— Com o quê?

— Pensando em como ele... — Mas se conteve. — Estou interessado em como as pessoas acabam juntas.

— Nós nos conhecemos numa festa. Ele fazia uma doação para os militares feridos. Estava na mesma mesa que eu, me convidou para jantar e foi só isso.

— Só isso?

— Foi muito rápido. Uns dois meses depois ele me pediu em casamento e eu aceitei.

— Você era muito jovem.

— Tinha 22 anos. Meus pais ficaram em êxtase.

— Porque ele era rico?
— Porque o acharam um bom partido. Ele era uma pessoa estabelecida, tinha boa reputação.
— E essas coisas são importantes para você?
— São para todo mundo, não? — Ela brincou com a bainha da saia, ajeitando-a e alisando-a. — Agora eu faço as perguntas. Quanto tempo você ficou casado, Boot?
— Três anos.
— Não foi muito.
— Vi logo que tínhamos cometido um erro.
— E ela não se importou de você pedir o divórcio?
— Foi ela que pediu. — Jennifer olhou para ele, e ele percebia que ela avaliava todos os motivos pelos quais ele poderia ter merecido aquilo. — Eu não era um marido fiel — acrescentou, sem saber ao certo, enquanto falava, por que devia lhe contar esse detalhe.
— Você deve sentir saudade do seu filho.
— Sim — disse ele. — Às vezes me pergunto se teria feito o que fiz se soubesse o quanto sentiria falta dele.
— É por isso que você bebe?
Ele deu um sorriso irônico.
— Não tente me consertar, Sra. Stirling. — Já fui o *hobby* de muitas mulheres bem-intencionadas.
Ela olhou para a bebida.
— Quem disse que eu queria consertar você?
— Você está com um... ar caridoso. Isso me deixa nervoso.
— Você não sabe disfarçar a tristeza.
— E você saberia?
— Não sou boba. Ninguém consegue tudo. Sei disso tão bem quanto você.
— Seu marido conseguiu.
— É gentil da sua parte dizer isso.
— Não estou dizendo de forma gentil.
Seus olhares se encontraram, e então ele desviou o olhar para a praia. O clima se tornara quase belicoso, como se estivessem furiosos um com o outro em silêncio. Longe das restrições da vida real em terra, algo surgira entre eles. *Eu a quero*, pensou ele. E quase se tranquilizou por ser capaz de sentir algo tão comum.
— Com quantas mulheres casadas você já dormiu? — A voz dela cortou o ar parado.
Ele quase engasgou com a bebida.

— Talvez seja mais fácil dizer que poucas não eram casadas.

Ela ponderou sobre isso.

— Oferecemos menos riscos?

— Sim.

— E por que essas mulheres dormem com você?

— Sei lá. Talvez porque sejam infelizes.

— E você as faz felizes.

— Por um tempo, eu acho.

— Isso faz de você um gigolô? — Aquele sorriso de novo, brincando nas comissuras da boca.

— Não, sou só alguém que gosta de fazer amor com mulheres casadas.

Dessa vez o silêncio pareceu penetrar nos ossos dele. Ele o teria quebrado se tivesse ao menos uma vaga ideia do que dizer.

— Não vou fazer amor com você, Sr. O'Hare.

Ele repetiu mentalmente as palavras duas vezes antes de poder ter certeza do que ela dissera. Deu mais um gole na bebida, recuperando-se.

— Tudo bem.

— Mesmo?

— Não. — Ele deu um sorriso forçado. — Mas vai ter que ser.

— Não sou infeliz o suficiente a ponto de ir para a cama com você.

Nossa, quando ela o olhava, era como se conseguisse enxergar tudo. Ele não sabia ao certo se gostava disso.

— Nunca nem beijei outro homem desde que me casei. Nenhum.

— Isso é admirável.

— Você não acredita.

— Acredito sim. É raro.

— Agora você me acha mesmo muito sem graça. — Ela se levantou e andou em volta da borda do iate, virando-se para ele quando chegou no passadiço. — As suas mulheres casadas se apaixonam por você?

— Um pouquinho.

— E ficam tristes quando você as deixa?

— Como sabe que não são elas que me deixam?

Ela aguardou.

— Quanto a saber se elas se apaixonam — acrescentou ele após uns instantes —, em geral não falo com elas depois.

— Você as ignora?

— Não. Em geral estou fora do país. Costumo não passar muito tempo num lugar. E, além disso, elas têm seus maridos, suas vidas... Não acredito que alguma delas tenha tido a intenção de largar o marido. Eu sou só... uma diversão.

— Você amou alguma delas?
— Não.
— Amou a sua mulher?
— Achei que sim. Agora não tenho certeza.
— Já amou alguém?
— Meu filho.
— Quantos anos ele tem?
— Oito. Você daria uma boa jornalista.
— Você realmente não consegue suportar o fato de eu não fazer nada de útil, não é? — Ela desatou a rir.
— Acho que talvez esteja se desperdiçando na vida que leva.
— É? E o que me diria para fazer em vez disso? — Ela se aproximou mais dele. Ele via a lua refletida em sua pele clara, a sombra azulada na base de sua nuca. Ela deu mais um passo, e falou, dessa vez mais baixo, embora não houvesse ninguém por perto: — O que você me disse, Anthony? "Não tente me consertar."
— E por que eu deveria? Você disse que não é infeliz.
Ele tinha a respiração presa na garganta. Ela estava muito perto agora, os olhos buscando os dele. Ele sentiu-se embriagado, os sentidos aguçados, como se cada parte dela estivesse se imprimindo de forma implacável em sua consciência. Ele inalou o perfume dela, uma fragrância floral, oriental.
— Acho — disse ela lentamente — que tudo o que você me disse hoje à noite é o que deve dizer para qualquer das suas mulheres casadas.
— Você está enganada.
Mas sabia que ela estava completamente certa. Era tudo o que ele podia fazer para não esmagar aquela boca, escondê-la embaixo da sua. Não se lembrava de algum dia ter ficado tão excitado na vida.
— Acho — disse ela — que você e eu poderíamos nos fazer tremendamente infelizes.
À medida que ela falava, algo dentro dele afundava um pouco, como se derrotado.
— Acho — respondeu ele lentamente — que eu iria gostar muito disso.

Vou ficar na Grécia, não volto a Londres, porque você me assusta, mas de um jeito bom.

Homem a Mulher, por cartão-postal

6

As mulheres estavam fazendo aquilo de novo. Ela conseguia vê-las da janela do quarto: uma morena, outra com um cabelo inacreditavelmente vermelho, sentadas na janela do apartamento do primeiro andar na esquina. Quando qualquer homem passava, elas batiam no vidro, acenavam e sorriam se ele fosse imprudente de olhar.

Elas enfureciam Laurence. Houvera um caso na justiça, naquele ano, em que o juiz as alertara a não fazer isso. Laurence disse que a prostituição, por mais discreta que fosse, degradava a região. Ele não conseguia entender por que, uma vez que elas estavam infringindo a lei, ninguém fazia nada a respeito.

Jennifer não se importava com elas. Achava que pareciam aprisionadas atrás da vidraça. Uma vez até acenara para as duas, que ficaram olhando para ela sem expressão, e Jennifer então apertara o passo.

Afora isso, seus dias haviam entrado numa nova rotina. Ela se levantava com Laurence, fazia-lhe café e torradas e buscava o jornal no corredor enquanto ele se barbeava e se vestia. Muitas vezes ela se levantava antes dele, arrumava o cabelo e se maquiava na intenção de ficar bonita e arrumada enquanto andava pela cozinha de roupão, para as poucas ocasiões em que ele erguia os olhos do jornal. Era de certa forma mais fácil começar o dia sem o marido suspirando irritado.

Ele saía da mesa, deixava-a ajudá-lo com o casaco e, em geral pouco depois das 8 horas, o motorista batia discretamente à porta da casa. Ela ficava acenando até o carro dobrar a esquina.

Uns dez minutos depois ela recebia a Sra. Cordoza e enquanto esta fazia um chá para ambas, talvez comentando sobre o frio, ela lhe passava a lista de coisas a serem feitas naquele dia. Além das tarefas normais, de aspirar a casa, tirar o pó e lavar a roupa, sempre havia uma coisinha para costurar:

poderia ter caído um botão do punho de Laurence, ou haver alguns sapatos para engraxar. A Sra. Cordoza poderia ser solicitada a arrumar o armário da roupa de cama — conferir e dobrar novamente os lençóis — ou a polir o faqueiro de prata, sentada à mesa da cozinha, que estaria forrada de jornal enquanto ela fazia o serviço escutando rádio.

Jennifer, enquanto isso, tomava banho e se vestia. Podia dar um pulinho na casa ao lado para tomar café com Yvonne, levar a mãe para um almoço leve, ou chamar um táxi para ir ao centro da cidade fazer compras de Natal. Fazia questão de sempre voltar no início da tarde. Era nessa altura que normalmente encontrava alguma outra tarefa para a Sra. Cordoza: ir de ônibus a uma loja que vendesse tecido para cortinas; encontrar um tipo determinado de peixe do qual Laurence dissera que talvez fosse gostar. Uma vez deu folga à governanta à tarde — qualquer coisa para garantir uma ou duas horas sozinha na casa, arranjar tempo para procurar mais cartas.

Nas duas semanas que haviam se passado desde que descobrira a primeira, Jennifer encontrara mais duas. Também estavam endereçadas a uma caixa postal, mas eram nitidamente para ela. A mesma caligrafia, a mesma maneira de falar apaixonada e direta. As palavras pareciam ecoar um som lá do fundo. Descreviam acontecimentos que, mesmo sem que ela conseguisse lembrar, tinham uma ressonância profunda, como as vibrações de um enorme sino muito depois de ele ter parado de tocar.

Todas estavam assinadas com nada mais que "B.". Ela as lera, depois relera até as palavras ficarem gravadas em sua alma.

> Caríssima menina,
>
> São 4 da manhã. Não consigo dormir, sabendo que ele vai voltar para você hoje à noite. Sei que isso me levará à loucura, mas fico aqui deitado imaginando-o deitado a seu lado, tendo licença para tocar em você, abraçá-la, e eu faria qualquer coisa para tornar minha esta liberdade.
>
> Você ficou muito zangada comigo quando me viu bebendo no Alberto's. Disse que era um capricho, e receio que minha reação tenha sido imperdoável. Os homens magoam a si mesmos quando agridem alguém, e, por mais cruéis e idiotas que minhas palavras possam ter sido, acho que você sabe que as suas me magoaram mais. Quando você foi embora, Felipe me disse que eu era um idiota, e ele tinha razão.
>
> Estou lhe dizendo isso porque preciso que saiba que vou ser um homem melhor. Ha! Mal posso acreditar que eu esteja escrevendo tamanho clichê. Mas é verdade. Você me faz querer ser uma versão melhorada de

mim mesmo. Passei horas aqui, olhando para a garrafa de uísque, e então, há menos de cinco minutos, finalmente me levantei e entornei aquela droga toda na pia. Serei uma pessoa melhor para você, querida. Quero viver bem, desejo que você se orgulhe de mim. Se tudo o que nos é permitido são horas, minutos, quero ser capaz de gravar cada um deles na memória com perfeita clareza para poder recordá-los em momentos como este, quando minha alma está sombria.

Goste dele, se precisar, meu amor, mas não o ame. Por favor não o ame.

Egoisticamente seu,
B.

Seus olhos ficaram cheios d'água ao ler essas últimas linhas. *Não o ame. Por favor não o ame.* Tudo ficara um pouquinho mais claro agora: ela não imaginara a distância que sentia entre ela e Laurence. Era o resultado de ter se apaixonado por outro homem. Aquelas eram cartas apaixonadas: aquele homem se abrira para ela de um jeito que Laurence nunca conseguiria. Quando lia os bilhetes dele, Jennifer sentia a pele formigando, o coração disparado. *Ela reconhecia aquelas palavras.* Mas, apesar de tudo o que sabia, ainda havia um grande vazio em seu coração.

Perguntas fervilhavam em sua mente. Seria um caso de muito tempo? Seria recente? Teria ela ido para a cama com esse homem? Seria por isso que as coisas pareciam fisicamente tão forçadas com seu marido?

E, o mais incompreensível de tudo: quem era esse amante?

Ela examinara as três cartas nos mínimos detalhes, procurando pistas. Não conseguia pensar em nenhum conhecido cujo nome começasse com B., a não ser Bill, o contador de seu marido, cujo nome era Bernard. Sabia sem sombra de dúvida que jamais fora apaixonada por ele. Será que B. a visitara no hospital, quando sua mente ainda não voltara ao normal, quando ela não reconhecia as pessoas à sua volta? Será que ele agora a observava de longe? Esperando que ela entrasse em contato? Ele existia em algum lugar. Tinha a chave de tudo.

Dia após dia, ela tentava imaginar o caminho de volta para seu antigo eu: essa mulher de segredos. Onde a Jennifer de antigamente esconderia cartas? Onde estavam as pistas de sua outra existência, a secreta? Duas das cartas ela descobrira dentro de livros; a outra, bem dobradinha dentro de uma meia embolada. Eram lugares que seu marido jamais pensaria em olhar. Fui esperta, pensou. E depois, um pouco menos confortavelmente: fui falsa.

* * *

— Mãe — perguntou ela um dia ao almoço, comendo um sanduíche no último andar do John Lewis —, quem estava dirigindo quando eu sofri o acidente?

Sua mãe erguera os olhos bruscamente. Estavam num restaurante lotado, carregadas de sacolas de compras e casacos pesados, em meio ao burburinho das conversas e das louças tilintando.

Olhou em volta antes de virar-se de novo para Jennifer, como se a pergunta fosse quase subversiva.

— Querida, a gente tem mesmo que voltar a falar nisso?

Jennifer tomou um gole de chá.

— É que eu sei tão pouco sobre o que aconteceu... Poderia ajudar se eu conseguisse juntar as peças.

— Você quase morreu. Eu realmente não quero pensar nesse assunto.

— Mas o que aconteceu? Eu estava dirigindo?

Sua mãe baixou os olhos para o prato.

— Não me lembro.

— E se não era eu quem estava dirigindo, o que aconteceu com o motorista? Se eu me feri, ele deve ter se ferido também.

— Não sei. Como eu iria saber? Laurence sempre cuida dos empregados, não? Imagino que ele não tenha se machucado muito. Se precisasse de tratamento, ouso dizer que Laurence pagaria tudo.

Jennifer pensou no motorista que os buscara quando ela havia deixado o hospital: um sessentão de olhar cansado, careca e com um bigode bem-cuidado. Não parecia ter sofrido nenhum grande trauma... nem parecia ser seu amante.

Sua mãe afastou os restos do sanduíche.

— Por que não pergunta a ele?

— Vou perguntar. — Mas ela sabia que não o faria. — Ele não quer que eu me preocupe com essas coisas.

— Bem, com certeza ele tem razão, querida. Talvez você devesse seguir o conselho dele.

— Você sabe aonde eu estava indo?

Sua mãe agora estava nervosa, um tanto exasperada com o interrogatório.

— Não tenho ideia. Fazer compras, provavelmente. Olhe, foi perto da Marylebone Road. Acho que seu carro bateu num ônibus. Ou um ônibus bateu em seu carro. Foi tudo tão terrível, Jenny querida, que a gente só conseguia pensar na sua recuperação.

Ela apertou os lábios formando uma linha fina, e Jennifer percebeu que a conversa estava encerrada.

Num canto do salão, uma mulher de casaco verde-escuro olhava nos olhos de um homem que traçava seu perfil com um dedo. Enquanto Jennifer olhava, a moça pegou a ponta do dedo dele entre os dentes. A intimidade espontânea do gesto provocou um pequeno choque em Jennifer. Mais ninguém parecia ter reparado no casal.

A Sra. Verrinder limpou a boca com o guardanapo.

— Que importância tem isso, querida? Acidentes de carro acontecem. Quanto mais carros circulando, mais perigoso parece ser. Acho que metade das pessoas nas ruas não sabe dirigir. Não como seu pai. Ele era cuidadoso.

Jennifer não estava ouvindo.

— Enfim, você agora já ficou boa, não? Está melhor?

— Estou bem. — Jennifer deu um sorriso alegre para a mãe. — Ótima.

Agora, quando ela e Laurence saíam à noite, para jantar ou beber alguma coisa, Jennifer se pegava olhando para o círculo maior de amigos e conhecidos com novos olhos. Quando o olhar de um homem se detinha nela um pouquinho mais do que deveria, ela não conseguia desviar a vista. Seria *ele*? Será que havia algum significado por trás daquele cumprimento simpático? Seria um sorriso cúmplice?

Havia três homens possíveis, se B. fosse de fato um apelido: Jack Amory, o dono de uma companhia de autopeças, um homem solteiro que beijava sua mão ostensivamente sempre que se encontravam. Mas fazia isso quase com uma piscadela para Laurence, e ela não conseguia identificar se o gesto era um duplo blefe.

Havia também Reginald Carpenter, primo de Yvonne, que às vezes completava a mesa num jantar. Tinha cabelo escuro, olhos cansados e cômicos e era mais jovem do que ela imaginava que seria o seu missivista, mas era charmoso e engraçado, e parecia fazer questão de sentar-se sempre a seu lado quando Laurence não estava.

E havia ainda Bill, claro. Bill, que contava piadas como se o fizesse apenas para a aprovação dela; que em meio a risos declarava adorá-la, mesmo na frente de Violet. Ele definitivamente sentia algo por ela. Mas será que ela poderia ter sentido alguma coisa por ele?

Começou a prestar mais atenção à própria aparência. Ia sempre ao cabeleireiro, comprou vestidos novos, ficou mais falante, "mais a Jennifer de antigamente", como disse Yvonne, em aprovação. Nas semanas após o acidente, ela se escondera por trás das amigas; agora, porém, fazia perguntas, interrogava-as educadamente, mas com alguma determinação, procurando a brecha na armadura que poderia levar a algumas respostas. De vez em quando lançava indiretas nas conversas, indagando onde alguém poderia gostar de tomar um uísque, depois examinando o rosto dos homens à procura de uma expressão de reconhecimento. Mas Laurence nunca estava longe, portanto ela desconfiava que, mesmo que mordessem a isca, o que diriam não a levaria muito adiante.

Se seu marido notou uma maior intensidade nela ao conversar com os amigos dos dois, não comentou nada. Ele não fazia muitos comentários. Não a procurara fisicamente nem uma vez sequer desde a noite em que haviam discutido. Era educado mas distante. Trabalhava até tarde no escritório da casa deles, e muitas vezes estava de pé antes dela. Várias vezes Jennifer passava pelo quarto de hóspedes e via a colcha amassada, sinal de que ele passara mais uma noite sozinho. Uma reprimenda silenciosa. Ela sabia que deveria se sentir pior com isso do que de fato se sentia, porém cada vez mais queria a liberdade para se retirar em seu mundo paralelo particular, onde podia reconstruir seu romance mítico e apaixonado, se enxergar através dos olhos do homem que a adorava.

Em algum lugar, dizia a si mesma, estava B. Esperando.

— Estas são para assinar, e no arquivo há vários presentes que chegaram hoje de manhã. Há uma caixa de champanhe da Citroën, uma cesta do pessoal do cimento em Peterborough e uma caixa de chocolates dos seus contadores. Como sei que não gosta de bombons, pensei em distribuí-los no escritório. Sei que Elsie Machzynski é louca por fondants.

Ele mal ergueu os olhos.

— Tudo bem.

Moira notou que Sr. Stirling estava com a mente longe do assunto "presentes de Natal".

— E espero que não se importe, mas me adiantei e organizei os detalhes para a festa de Natal. O senhor decidiu que seria melhor fazer aqui em vez de num restaurante, agora que a empresa está bem maior, então contratei o serviço de um bufê.

— Ótimo. Quando será?

— No dia 23. Depois do expediente. É a sexta-feira antes do recesso.

— Ok.

Por que ele tinha que parecer tão preocupado? Tão infeliz? Os negócios nunca tinham estado melhores. Havia demanda pelos seus produtos. Mesmo com o aperto no crédito previsto pelos jornais, a Acme Mineral and Mining tivera um dos melhores balanços do país. Não haviam chegado outras cartas perturbadoras, e as que ela recebera no mês anterior continuavam na gaveta de sua mesa, ainda não lidas por seu chefe.

— Também pensei que o senhor poderia gostar de...

Ele ergueu os olhos de repente ao ouvir um ruído lá fora, e Moira se virou, sobressaltada, para ver o que ele olhava. Lá estava ela, atravessando o escritório, o cabelo penteado em ondas impecáveis, um chapeuzinho vermelho sem aba encarapitado na cabeça, do mesmo tom dos sapatos. O que ela estava fazendo ali? A Sra. Stirling olhou em volta, como se procurasse alguém, e então o Sr. Stevens, da Contabilidade, foi até ela, estendendo a mão. Ela o cumprimentou e eles conversaram rapidamente, depois olharam para o outro lado da sala, para onde Moira e o Sr. Stirling estavam. A Sra. Stirling levantou a mão em saudação.

Moira levou a mão ao cabelo. Algumas mulheres conseguiam parecer que tinham acabado de sair das páginas de uma revista de moda, e Jennifer Stirling era uma delas. Moira não se importava: sempre preferira focar suas energias no trabalho, em realizações mais substanciais. Mas era difícil, quando uma mulher dessas entrava no escritório, a pele brilhando por conta do frio da rua, dois diamantes faiscando nas orelhas, não se sentir um tiquinho sem graça em comparação. Aquela mulher parecia um embrulho de Natal impecável, um enfeite reluzente.

— Sra. Stirling — disse Moira educadamente.

— Olá — respondeu Jennifer.

— Que ótima surpresa.

O Sr. Stirling levantou-se para cumprimentá-la, um tanto sem jeito mas talvez satisfeito em seu íntimo. Como um menino mal-amado ao ser procurado pela colega de classe por quem está apaixonado.

— Gostaria que eu me retirasse? — Moira sentia-se constrangida, ali parada entre eles. — Tenho que arquivar umas...

— Ah, não, não por minha causa. Só vou ficar um minuto. — Ela se virou para o marido. — Eu estava passando e pensei em ver se você chegaria tarde hoje à noite. Se for, talvez eu dê um pulo na casa dos Harrison, eles estão fazendo um ponche.

— Eu... Sim, faça isso. Posso encontrar você lá se eu acabar cedo.

— Seria ótimo — disse ela.

Exalava um leve perfume de Nina Ricci. Moira o experimentara na semana anterior, na D. H. Evans, mas achara meio caro. Agora arrependia-se de não ter comprado.

— Vou tentar não chegar muito tarde.

A Sra. Stirling não parecia com muita pressa de sair dali. Ficou parada diante do marido, mas parecia mais interessada em ver o escritório, os homens em suas mesas. Examinou tudo com alguma concentração. Era como se nunca tivesse visto aquele lugar antes.

— Já faz algum tempo que você não vem aqui — disse ele.
— Sim — disse ela. — Acho que sim.
Houve um silêncio.
— Ah — disse ela bruscamente —, como se chamam seus motoristas?
Ele franziu o cenho.
— Meus motoristas?
Ela deu de ombros.
— Achei que você fosse gostar que eu providenciasse um presente de Natal para cada um deles.
Ele pareceu perplexo.
— Um presente de Natal? Bem, Eric é quem está comigo há mais tempo. Normalmente compro uma garrafa de conhaque para ele. Faço isso há vinte anos, acho. Simon o substitui de vez em quando. Ele é abstêmio, então botei um dinheirinho a mais junto com o último salário dele. Acho que *você* não tem com que se preocupar.
A Sra. Stirling pareceu estranhamente desapontada.
— Bem, eu gostaria de ajudar. Vou comprar o conhaque — disse afinal, segurando a bolsa na frente do corpo.
— É muito... atencioso da sua parte — disse ele.
Ela deixou os olhos passearem pelo escritório, depois tornou a olhar para Moira e para o Sr. Stirling.
— Enfim, imagino que vocês estejam muito ocupados. Como eu disse, só pensei em fazer uma visitinha. Prazer em vê-la, Srta... hã... — Seu sorriso vacilou.
Moira ficou magoada com a despedida displicente da mulher. Quantas vezes elas haviam se encontrado nos últimos cinco anos? E ela nem se lembrava do seu nome.
— Moira — ajudou o Sr. Stirling quando o silêncio ficou desconfortável.
— Isso. Moira. Claro. Prazer em vê-la de novo.
— Eu já volto.
O Sr. Stirling conduziu a esposa à porta. Moira viu-os trocarem mais alguns comentários, e então, dando um tchauzinho com a mão enluvada, a Sra. Stirling se retirou.
A secretária respirou fundo, tentando não se importar. O Sr. Stirling permaneceu imóvel enquanto sua mulher deixava o prédio.
Quase antes de perceber o que fazia, Moira tinha saído da sala e ido depressa para sua mesa. Tirou uma chave do bolso e abriu a gaveta, catando em meio a várias correspondências até encontrar. Estava de volta à sala do Sr. Stirling antes dele.

Ele fechou a porta às suas costas, olhando pela parede de vidro, quase como se esperasse que a esposa voltasse. Parecia menos rígido, um pouquinho mais à vontade.

— Então — disse ele, sentando-se —, você estava falando da festa do escritório. Andou planejando alguma coisa. — Um sorrisinho brincava em seus lábios.

O ar lhe faltou. Ela teve que engolir antes de poder falar normalmente.

— Na verdade, Sr. Stirling, tem outra coisa.

Ele puxara uma carta, pronto para assinar.

— Certo. O que é?

— Essa chegou há dois dias. — Entregou-lhe o envelope com o endereço escrito à mão. — Na caixa postal que o senhor mencionou. — Como ele não disse nada, ela acrescentou: — Tenho andado de olho nessa caixa postal, como o senhor pediu.

Ele olhou para o envelope, depois tornou a olhar para a secretária, a cor lhe fugindo do rosto tão depressa que ela pensou que ele poderia desmaiar.

— Tem certeza? Não pode ser.

— Mas...

— Você deve ter anotado o número errado.

— Posso lhe garantir que era a caixa postal certa. Número 13. Usei o nome da Sra. Stirling, como o senhor... sugeriu.

Ele abriu a carta e debruçou-se sobre a mesa para ler as primeiras linhas. Ela estava parada do outro lado, sem querer parecer curiosa, consciente de que o clima na sala ficara carregado. Já estava arrependida do que havia feito.

Quando ergueu os olhos, ele parecia ter envelhecido vários anos. Pigarreou, depois amassou a folha de papel com uma das mãos e atirou-a com certa força na lixeira que havia embaixo da mesa. Tinha uma expressão feroz.

— Deve ter se extraviado no correio. Ninguém precisa saber disso. Entendeu?

Ela deu um passo para trás.

— Sim, Sr. Stirling. Claro.

— Encerre a caixa postal.

— Agora? Ainda tenho o relatório da auditoria para...

— Hoje à tarde. Faça o que for preciso. Apenas encerre-a. Entendeu?

— Sim, Sr. Stirling.

Ela colocou o arquivo debaixo do braço e retirou-se da sala. Pegou a bolsa e o casaco e se preparou para ir ao correio.

Jennifer planejara ir para casa. Estava cansada, a ida ao escritório fora infrutífera e começara a chover, fazendo os pedestres correrem na calçada, colarinhos levantados e cabeças baixas. Mas, parada na escadaria do prédio do escritório do marido, soube que não podia voltar para aquela casa silenciosa.

Foi para a calçada e fez sinal para um táxi, acenando até ver a luz amarela dar uma guinada em sua direção. Entrou no carro, espanando as gotas de chuva do casaco vermelho.

— Conhece um lugar chamado Alberto's? — perguntou ela, enquanto o motorista se aproximava da janela divisória.

— Em que parte de Londres fica?

— Desculpe-me, não tenho ideia. Achei que o senhor pudesse saber.

Ele franziu o cenho.

— Tem uma boate chamada Alberto's em Mayfair. Posso levá-la até lá, mas não sei se estará aberta.

— Ótimo — disse ela, e recostou-se no banco.

Levaram apenas 15 minutos para chegar ao local. O táxi parou e o motorista apontou para o outro lado da rua.

— É o único Alberto's que conheço — disse. — Não sei bem se é o seu tipo de ambiente, senhora.

Ela limpou a janela com a manga do casaco e espiou o local. Barreiras de aço cercavam uma entrada de porão, os degraus sumindo de vista. Havia uma placa gasta com o nome, e dois teixos encharcados em grandes vasos de cada lado da porta.

— É aqui?

— Acha que é o lugar certo?

Ela deu um sorriso amarelo.

— Bem, já vou descobrir.

Pagou-lhe e ficou ali em pé na calçada debaixo da chuva fina. A porta estava entreaberta, escorada com uma lata de lixo. Ao entrar, ela foi bombardeada pelo cheiro de álcool, de fumaça rançosa de cigarro, de suor e perfume. Deixou a vista adaptar-se à penumbra. À sua esquerda havia uma chapelaria vazia e sem nenhum responsável, uma garrafa de cerveja e uma penca de chaves no balcão. Passou pelo *hall* estreito, empurrou uma porta dupla e se viu numa enorme sala vazia, cadeiras empilhadas sobre mesas redondas diante de um pequeno palco. Ziguezagueando entre as mesas, uma velha arrastava um aspirador de pó, resmungando consigo mesma de vez em quando, com um visível ar de desaprovação. Havia um bar ao longo de uma parede. Atrás dele, uma mulher fumava e conversava com um homem que arrumava garrafas nas prateleiras iluminadas.

— Aguenta aí — disse a mulher a ele ao avistá-la. — Posso ajudá-la, amor?

Jennifer sentiu o olhar da mulher avaliando-a. Não era de todo amigável.

— Vocês estão abertos?

— Parece que está aberto?
Ela segurou a bolsa junto do corpo, de repente inibida.
— Desculpe-me. Volto outra hora.
— Quem a senhora procura? — perguntou o homem, endireitando-se.
Tinha o cabelo escuro penteado para trás com gomalina e o tipo de pele pálida e inchada que era sinal de muito álcool e pouco ar puro.
Ela olhou para ele, tentando ver se o que sentia era um vislumbre de reconhecimento.
— O senhor já... já me viu antes? — perguntou.
Ele pareceu achar certa graça.
— Não, se a senhora disser que não.
A mulher pôs a cabeça de lado.
— Nós aqui somos péssimos fisionomistas.
Jennifer deu mais uns passos em direção ao bar.
— Conhece alguém chamado Felipe?
— Quem é você? — perguntou a mulher.
— Eu... não importa quem eu sou.
— Por que quer encontrar o Felipe?
As expressões deles haviam ficado rígidas.
— Temos um amigo em comum — explicou ela.
— Então o seu amigo deveria ter lhe contado que vai ser meio difícil encontrar o Felipe.
Ela mordeu o lábio se perguntando quanto poderia razoavelmente explicar.
— Não é uma pessoa com quem eu tenha muito contato...
— Ele morreu, senhora.
— O quê?
— Felipe. Morreu. A casa está sob nova administração. Já veio todo tipo de gente aqui dizendo que ele estava devendo isso e aquilo, e é melhor eu dizer à senhora que não vai conseguir nada de mim.
— Eu não vim aqui para...
— A menos que me mostre a assinatura do Felipe numa promissória, não vai receber nada. — Agora a mulher olhava bem para suas roupas, suas joias, rindo, como se tivesse entendido por que Jennifer poderia estar lá. — A família vai ficar com os bens dele. O que sobrou. Isso incluiria a *mulher* dele — disse com impertinência.
— Eu não tinha nada a ver com o Sr. Felipe pessoalmente. Sinto muito pela sua perda — disse Jennifer com cuidado. E saiu dali o mais depressa que pôde, subindo as escadas de volta para o dia cinzento.

* * *

Moira vasculhou as caixas de objetos de decoração até encontrar o que queria, depois separou e estendeu o que havia lá dentro. Espetou dois festões metalizados em torno de cada porta. Sentou-se à mesa por quase meia hora e refez as correntes de papel que haviam desmontado durante o ano, depois colou-as formando guirlandas acima das mesas. Na parede, prendeu vários pedaços de fio e neles pendurou os cartões de boas festas que haviam sido enviados por parceiros comerciais. Acima das luminárias, pendurou fios de papel laminado tremeluzentes, assegurando-se de que não estivessem muito perto das lâmpadas, para eliminar qualquer risco de incêndio.

Lá fora o céu havia escurecido, as lâmpadas de vapor de sódio estavam se acendendo na rua toda. Gradualmente, mais ou menos na mesma ordem de sempre, os funcionários do escritório em Londres da Acme Mineral and Mining deixavam o prédio. Primeiro Phyllis e Elsie, as datilógrafas, que sempre saíam às 17 horas, embora não parecessem ter essa noção rigorosa de pontualidade quando se tratava de bater o ponto na chegada. Depois David Moreton, da Contabilidade, e logo depois Stevens, que ia para o bar da esquina tomar várias doses revigorantes de uísque puro antes de ir para casa. O resto do pessoal saía em pequenos grupos, agasalhando-se com echarpes e casacos, os homens pegando os deles nos cabides no canto, alguns dando adeus a Moira ao passar pela sala do Sr. Stirling. Felicity Harewood, encarregada da folha de pagamentos, morava a apenas uma estação de Moira, em Streatham, mas nunca, nem uma vez sequer, sugerira que pegassem o ônibus juntas. Quando Felicity entrara para a empresa, em maio, Moira tinha pensado que seria muito bom ter alguém com quem conversar na viagem para casa, uma mulher com quem poderia trocar receitas ou comentar um pouco os acontecimentos do dia nos confins abafados do 274. Mas Felicity saía toda noite sem nem olhar para trás. Na única vez que haviam pegado o mesmo ônibus, ela passara a viagem toda com a cara enfiada num livro, embora Moira tivesse quase certeza de que ela notara sua presença apenas dois bancos atrás.

O Sr. Stirling saiu às 18h45. Ele passou boa parte da tarde distraído e impaciente, telefonando para o gerente da fábrica a fim de repreendê-lo por causa dos índices de doença e cancelar uma reunião que marcara para as 16 horas. Quando ela voltou do correio, ele a olhou, como se para confirmar que ela havia feito o que ele pedira, depois voltou para seu trabalho.

Moira puxou as duas mesas desocupadas para o canto da sala ao lado da Contabilidade. Cobriu-as com toalhas festivas e espetou uns festões prateados nas pontas. Dali a dez dias, isso seria a base do bufê. Nesse meio-tempo, seria útil ter algum lugar para colocar os presentes que chegavam de fornecedores, e a caixa de correio de Natal por meio da qual os funcionários enviariam uns aos outros seus votos de boas festas.

Quase às 20 horas, estava tudo pronto. Moira examinou o escritório vazio, todo enfeitado e festivo graças aos seus esforços, ajeitou a saia e se permitiu imaginar as expressões de prazer das pessoas quando elas entrassem ali na manhã seguinte.

Ela não receberia nada por isso, mas eram os pequenos gestos, os extras, que faziam toda a diferença. As outras secretárias não tinham ideia de que o trabalho de assistente pessoal não era só datilografar a correspondência e cuidar para que o arquivo estivesse em ordem. Era muito mais que isso. Envolvia ter certeza de que o escritório não só funcionasse perfeitamente como também que as pessoas ali se sentissem parte de... bem, uma família. Uma caixa de correio de Natal e algumas decorações alegres eram o que em última instância unia os funcionários e tornava aquele um local aonde se teria vontade de ir.

A pequena árvore de Natal que ela montara no canto parecia ficar melhor ali. Não havia muito sentido tê-la em casa, agora que não havia mais ninguém senão ela para vê-la. Ali, poderia ser apreciada por muita gente. E, se calhasse de alguém comentar sobre o anjo tão bonitinho no topo, ou sobre as lindas bolas cobertas com cristais de gelo, ela poderia dizer displicentemente, como se acabasse de se lembrar, que aqueles eram os enfeites preferidos de sua mãe.

Moira vestiu o casaco. Pegou seus pertences, amarrou o cachecol e colocou a caneta e o lápis na sua mesa, prontos para o dia seguinte. Foi até a sala do Sr. Stirling, chaves em punho, para trancar a porta, e então, dando uma olhada para a porta, entrou depressa na sala e foi até a cesta de lixo embaixo da mesa dele.

Só levou um segundo para localizar a carta manuscrita. Nem hesitou antes de pegá-la e, depois de tornar a olhar pelo vidro para ter certeza de que ainda estava sozinha, alisou os vincos do papel sobre a mesa e começou a ler.

Ficou parada, muito parada.

Então releu.

O sino lá fora bateu 20 horas. Sobressaltada com o barulho, Moira saiu da sala do Sr. Stirling, colocou a cesta do lado de fora para os faxineiros esvaziarem e trancou a porta. Guardou a carta no fundo da gaveta de sua mesa, trancou-a e botou a chave no bolso.

Pela primeira vez a viagem de ônibus para Streatham pareceu passar num instante. Moira Parker tinha muito em que pensar.

Fico grato pelo que você disse. Mas espero que ao ler esta carta você se dê conta da magnanimidade [sic] do meu remorso e arrependimento pela maneira como tratei você e pelo caminho que escolhi seguir... Minha relação com M. está condenada como sempre esteve. Queria eu não ter levado três anos para perceber que o que começou como um romance de férias não deveria ter passado disso.

Homem a Mulher, por carta

7

Eles se encontravam todos os dias, sentavam-se às mesas de calçada de cafés, ao sol, ou iam às colinas crestadas no pequeno Daimler dela, para comer em lugares que escolhiam aleatoriamente, na hora. Ela lhe contou sobre sua educação em Hampshire e Eaton Place, sobre os pôneis, o internato, o mundinho estreito e confortável que constituíra sua vida até o casamento. Contou-lhe como, mesmo aos 12 anos, ela se sentira reprimida, sabendo que precisava de uma tela maior, e como jamais desconfiara que a vastidão da Riviera podia conter um círculo social tão estrito e monitorado como o que deixara para trás.

Contou-lhe de um menino da vila por quem se apaixonara aos 15 anos, e como seu pai, ao descobrir a relação, levara-a para um galpão e lhe dera uma surra com os suspensórios.

— Por se apaixonar?

Ela contara a história num tom leve, e ele tentara disfarçar quão perturbado ficou ao ouvi-la.

— Por me apaixonar pelo tipo errado de garoto. Ah, acho que eu era um tanto difícil. Eles me disseram que eu tinha envergonhado a família inteira. Disseram que eu não tinha senso moral, que, se eu não tomasse cuidado, nenhum homem decente ia querer se casar comigo. — Ela riu sem achar graça. — Claro, o fato de o meu pai ter uma amante havia anos era uma questão *bem* diferente.

— E então Laurence apareceu.

Ela sorriu para ele com malícia.

— É. Que *sorte* a minha, não?

Ele falava com ela como alguém que conta segredos da vida inteira à pessoa que está a seu lado no trem: uma intimidade liberada, baseada no entendimento tácito de que era improvável tornarem a se encontrar.

Contou-lhe sobre os três anos em que trabalhara como correspondente do *Nation* na África Central, como a princípio adorara a oportunidade de fugir de seu casamento falido, mas que não vestira a armadura pessoal necessária para lidar com as atrocidades que presenciara: os passos do Congo rumo à independência significaram a morte de milhares. Ele se vira passando noite após noite no Clube dos Correspondentes Estrangeiros de Leopoldville, anestesiando-se com uísque ou, pior, vinho de palma, até que a combinação terrível do que vira com um ataque de febre amarela quase acabara com ele.

— Tive algo como um colapso — disse, tentando emular o tom leve de Jennifer —, embora ninguém seja mal-educado o bastante para dizer isso, claro. Botam a culpa na febre amarela e insistem em que eu não volte.

— Pobre Boot.

— É. Pobre de mim. Ainda mais porque isso deu à minha ex-mulher mais uma razão para não me deixar ver meu filho.

— E eu pensando que o problema era a clássica infidelidade em série. — Ela pousou a mão sobre a dele. — Desculpe. Estou brincando. Não quis parecer vulgar.

— Estou cansando você?

— Pelo contrário. Não é sempre que passo momentos com um homem que realmente quer falar comigo.

Ele não bebia na companhia dela e já não sentia falta. Ela era um desafio que substituía bem o álcool, e, além disso, ele gostava de ter o controle de quem era quando estava com ela. Tendo falado pouco desde seus últimos meses na África, temendo o que pudesse revelar, as fraquezas que poderia expor, ele agora descobria que queria conversar. Gostava do jeito como ela o observava quando ele falava, como se nada que pudesse dizer fosse mudar sua opinião fundamental a seu respeito, como se nenhuma confidência sua fosse mais tarde ser usada como prova contra ele.

— O que acontece com ex-correspondentes de guerra quando eles se cansam de conflitos? — perguntou ela.

— São afastados para cantos escuros da redação e enchem o saco de todo mundo com histórias dos seus dias de glória — disse ele. — Ou ficam em campo até serem mortos.

— E de que tipo você é?

— Não sei. — Ele ergueu os olhos para ela. — Ainda não me cansei dos conflitos.

Ele entrou facilmente nos ritmos suaves da Riviera: os longos almoços, o tempo passado ao ar livre, as conversas intermináveis com gente praticamente desconhecida. Começara a fazer longas caminhadas de manhã cedo — momento do dia em que, tempos antes, estaria morto para o mundo —, curtindo a brisa do mar, as saudações simpáticas trocadas por pessoas que não estavam mal-humoradas devido à ressaca ou à falta de sono. Sentia-se à vontade, como havia muitos anos não se sentia. Rebatia os telegramas de Don, com ameaças de que haveria consequências sinistras se ele não enviasse algo útil em breve.

— Não gostou do perfil? — perguntara ele.

— Ficou bom, mas saiu na seção de economia quinta-feira passada e a Contabilidade quer saber por que você continua apresentando despesas quatro dias depois de tê-lo escrito.

Ela o levou a Monte Carlo, dirigindo pelas curvas vertiginosas das estradas da serra enquanto ele observava suas mãos esguias e firmes no volante e imaginava colocar todos aqueles dedos reverentemente na boca. Levou-o também a um cassino, e o fez se sentir um deus quando ele converteu suas poucas libras num ganho considerável na roleta. Ela comeu mexilhões num café da orla, arrancando-os delicada mas implacavelmente das conchas, e ele perdeu a capacidade de falar. Ela se infiltrara tanto em sua consciência, absorvendo todos os pensamentos lúcidos, que não só ele não conseguia pensar em mais nada como também já não se importava com isso. Quando estava sozinho, pensava em um milhão de desfechos possíveis, e se admirava ao constatar quanto tempo fazia que não pensava tanto numa mulher.

Porque ela era aquela coisa rara, genuinamente inatingível. Ele deveria ter desistido dias antes. Mas sua pulsação acelerava quando outro bilhete era passado por baixo da sua porta, querendo saber se ele gostaria de encontrá-la para tomar alguma coisa na Piazza, ou talvez dar um pulinho em Menton.

Que mal havia? Ele estava com 30 anos e não conseguia se lembrar da última vez que rira tanto. Por que não poderia desfrutar, por um breve momento, do tipo de alegria que os outros achavam natural? Era tudo tão distante da sua vida habitual que parecia irreal.

Foi na sexta-feira à noite que ele recebeu o telegrama dizendo o que vinha aguardando fazia dias: seu trem de volta fora reservado para o dia seguinte, e ele era esperado na redação do *Nation* na segunda-feira de manhã. Ao ler o telegrama, sentiu uma espécie de alívio: aquela convivência com Jennifer Stirling se tornara desnorteante. Normalmente, ele jamais teria gastado tanto tempo e tanta energia com uma mulher cuja paixão não fosse um resultado certo. A ideia de não tornar a vê-la era perturbadora, mas algo nele queria voltar à antiga rotina, redescobrir quem ele era.

Pegou a mala e colocou-a em cima da cama. Guardaria tudo e depois enviaria um bilhete, agradecendo-lhe pelo seu tempo e sugerindo que lhe telefonasse caso algum dia quisesse almoçar com ele em Londres. Se ela escolhesse entrar em contato com ele lá, longe da magia da Riviera, talvez ela se igualasse a todas as outras: uma diversão física agradável.

Enquanto ele colocava os sapatos na caixa veio a ligação do *concierge*: havia uma mulher esperando por ele na recepção.

— Loira?

— Sim, senhor.

— Pode chamá-la ao telefone?

Ele ouviu uma explosão de francês, depois a voz dela, um pouco ofegante, insegura:

— É Jennifer. Eu estava pensando... se a gente podia tomar um drinque rápido.

— Acho ótimo, mas ainda não estou pronto. Quer subir e esperar?

Ele arrumou rapidamente o quarto, chutando objetos para debaixo da cama. Repôs a folha de papel na máquina de escrever, como se estivesse escrevendo o artigo que já transmitira uma hora antes. Vestiu uma camisa limpa, embora ainda não tivesse tido tempo de abotoá-la quando ouviu uma batida leve na porta.

— Que surpresa agradável — disse ele. — Estava justamente terminando um artigo, mas entre.

Ela estava parada sem jeito no corredor. Quando viu seu peito nu, desviou o olhar.

— Não seria melhor eu esperar lá embaixo?

— Não. Por favor. Demoro só um instante.

Ela foi entrando no quarto. Usava um vestido sem manga de um tom claro de dourado com gola japonesa. Tinha os ombros ligeiramente rosados do sol que pegara no carro, o cabelo solto em volta dos ombros, meio despenteado, como se tivesse corrido até lá.

Viu a cama coberta de blocos de anotações, a mala por terminar. Aquela proximidade deixou os dois mudos por um instante. Ela se recuperou primeiro:

— Não vai me oferecer uma bebida?

— Desculpe. Que falta de educação a minha. — Ele telefonou pedindo um gim-tônica, que chegou em minutos. — Aonde vamos?

— Vamos?

— Será que dá tempo de fazer a barba? — Entrou no banheiro.

— Claro. Vá em frente.

Ele fizera isso de propósito, pensou depois, tornara-a cúmplice da intimidade forçada. Estava com um aspecto melhor: sua pele já não tinha a palidez amarelada e doentia, seus olhos não tinham mais aquelas rugas de tensão. Abriu a água quente e observou-a pelo espelho do banheiro enquanto ensaboava o queixo.

Ela estava distraída, tensa. Enquanto ele se barbeava, via-a andar de um lado para outro, como um animal acuado.

— Você está bem? — perguntou, enxaguando a lâmina na água.

— Estou ótima.

Ela já bebera metade do gim-tônica e se servira de outro.

Ele terminou de se barbear, secou o rosto na toalha e passou um pouco da loção pós-barba que comprara na *pharmacie*. Era pungente, com notas cítricas e de alecrim. Abotoou a camisa e endireitou o colarinho no espelho. Adorava esse momento, a convergência de apetite e possibilidade. Sentiu-se estranhamente triunfante. Saiu do banheiro e encontrou-a parada ao lado do balcão. O céu estava escurecendo, as luzes da beira-mar brilhando ao cair da tarde. Segurava a bebida com uma das mãos, o outro braço posicionado de forma ligeiramente defensiva na cintura. Ele se aproximou.

— Esqueci de dizer como você está linda — disse. — Gosto dessa cor em você. É...

— Larry volta amanhã.

Ela se afastou do balcão e encarou-o.

— Recebi um telegrama hoje à tarde. Vamos para Londres quinta-feira.

— Entendi — disse ele.

Havia uma penugem loura no braço dela. A brisa do mar a fazia levantar e abaixar.

Quando ele ergueu o rosto, seus olhos encontraram os dele.

— Eu não sou infeliz — disse ela.

— Sei disso.

Ela o analisava, uma expressão séria na linda boca. Mordeu o lábio, depois deu as costas para ele. Estava imóvel.

— O primeiro botão — disse ela.

— Como?

— Não consigo abri-lo.

Algo se acendeu dentro dele. Experimentava aquilo quase como um alívio, iria acontecer, a mulher com quem ele sonhara, que evocara à noite na cama, seria sua afinal. A distância e a resistência dela o haviam quase perturbado. Ele queria o alívio que vem com a liberação, queria sentir-se esgotado, sentir aliviada a dor do desejo nunca saciado.

Pegou a bebida da mão dela, e ela levou a mão ao cabelo, afastando-o da nuca. Ele obedeceu à instrução silenciosa, levando as mãos à pele dela.

Normalmente muito seguros, seus dedos se atrapalhavam, estavam lentos e canhestros. Ele os observava como se de longe, lutando com o botão forrado de seda, e, ao soltá-lo, viu que suas mãos tremiam. Acalmou-se e olhou para o pescoço dela: exposto agora, estava ligeiramente inclinado à frente, como se numa atitude de súplica. Queria encostar a boca ali, já sentia o gosto daquela pele clara, ligeiramente sardenta. Seu polegar estava pousado ali, terno, deleitando-se com a perspectiva do que estava por vir. O toque a fez dar um pequeno suspiro, tão sutil que ele mais sentiu do que ouviu. E algo dentro dele se bloqueou.

Ele olhou para a penugem na região onde a pele encontrava o cabelo dela, para os dedos esguios ainda o suspendendo. E compreendeu, com uma certeza horrível, o que ia acontecer.

Anthony O'Hare fechou bem os olhos e depois, com profunda determinação, tornou a abotoar o vestido dela. Recuou alguns passos.

Ela hesitou, como se tentasse entender o que ele fizera, talvez registrando a ausência da pele dele sobre a dela.

Então se virou, a mão na nuca, confirmando o que se passara. Olhou para ele, e seu rosto, primeiro com um ar interrogativo, corou.

— Desculpe-me — começou ele —, mas eu... eu não posso.

— Ah... — Ela estremeceu. Levou a mão à boca e seu colo ficou rubro. — Ai, meu Deus.

— Não. Você não entende, Jennifer. Não é nada que...

Ela o empurrou e pegou a bolsa. Então, antes que ele pudesse dizer qualquer outra coisa, ela estava lutando com a maçaneta da porta e correndo pelo corredor.

— Jennifer! — gritou ele. — Jennifer! Deixe-me explicar!

Quando chegou à entrada do hotel, ela já se fora.

O trem francês atravessava o interior crestado rumo a Lyon como se estivesse determinado a lhe conceder muito tempo para pensar em tudo o que ele entendera errado e tudo o que não poderia ter modificado mesmo se quisesse. Várias vezes pensou em pedir um uísque reforçado no vagão-restaurante. Ele via o pessoal de bordo andar habilmente para lá e para cá pelo vagão, carregando copos em bandejas de prata, um balé coreografado de inclinar-se e andar, e sabia que bastaria levantar um dedo para ter esse consolo para si mesmo. Depois, não soube ao certo o que o impedira de fazê-lo.

À noite deitou-se no leito, instalado com desdém e indiferença pelo atendente. Enquanto o trem rugia pela escuridão, ele acendeu a lâmpada de cabeceira e pegou um livro que encontrara no hotel, deixado por algum hóspede anterior. Leu a mesma página várias vezes, não absorveu nada e acabou largando-o, desgostoso. Tinha consigo um jornal francês, mas o espaço era muito apertado para abrir direito as páginas, e a letra muito pequena para aquela luz fraca. Cochilava e acordava, e, à medida que a Inglaterra se aproximava, o futuro pairou sobre ele como uma grande nuvem negra.

Finalmente, ao raiar do dia, pegou caneta e papel. Nunca havia escrito uma carta para uma mulher, nada além de breves bilhetes de agradecimento para a mãe por algum presentinho que ela lhe tivesse enviado, e para Clarissa, sobre questões financeiras, e aquele lacônico pedido de desculpas a Jennifer na primeira noite. Agora, consumido por uma melancolia doída, assombrado pela expressão mortificada nos olhos de Jennifer e sentindo-se libertado pela perspectiva de talvez nunca mais voltar a vê-la, escreveu abertamente, querendo apenas se explicar.

> Minha querida,
> Não consegui fazê-la me ouvir, quando você foi embora com tanta pressa, mas eu não a estava rejeitando. Você estava tão longe da verdade que eu mal consigo suportar.
> Eis a verdade: você não é a primeira mulher casada com quem fiz amor. Você conhece a minha situação, e, para ser franco, essas relações, tais como elas são, me serviram. Eu não queria intimidade com ninguém. Quando nos conhecemos, optei por pensar que com você não seria diferente.
> Mas, ao chegar ao meu quarto no sábado, você estava maravilhosa naquele vestido. E aí você me pediu para desabotoar aquele botão nas suas costas. E, quando meus dedos encostaram na sua pele, percebi naquele momento que fazer amor com você seria um desastre para nós dois. Você, minha querida menina, não tem ideia de como se sentiria ao ser tão falsa. Você é honesta, encantadora. Mesmo que não sinta isso agora, ser uma pessoa decente pode ser prazeroso. Não quero ser o responsável por torná-la menos que isso.
> E eu? Eu soube no momento em que você olhou para mim que, se fôssemos para a cama, eu estaria perdido. Eu não conseguiria afastá-la, como fiz com as outras. Não conseguiria cumprimentar Laurence direito com um aceno de cabeça quando nos cruzássemos num restaurante. Nunca me daria por satisfeito só com uma parte sua. Andei me enganando para pensar o contrário. Foi por essa razão, querida, que

tornei a fechar aquele maldito botão nas suas costas. E por essa razão passei as duas últimas noites em claro, me odiando pela única coisa decente que já fiz.
 Perdoe-me.
 B.

 Colocou cuidadosamente a carta no bolso do peito e então, afinal, dormiu.

Don apagou o cigarro e analisou a folha datilografada enquanto o jovem parado sem jeito ao lado de sua mesa transferia o peso do corpo de uma perna para outra.
 — Você não sabe escrever bigamizar. É com *z*, não *s*. — Passou o lápis agressivamente por três linhas, riscando-as. — E essa introdução está um horror. Você cita um homem que se casou com três mulheres, todas elas chamadas Hilda, e todas morando a menos de 4 quilômetros uma das outras. Essa história é um presente. Mas, do jeito como você escreveu, eu preferia um relatório sobre a rede de esgoto municipal.
 — Lamento, Sr. Franklin.
 — Lamenta o cacete. Faça isso direito. A matéria era para sair em uma das primeiras páginas e já são 3h40. Qual o seu problema? "Bigamisar"! Quer ter uma aula com O'Hare aqui? Ele passa tanto tempo na África que não dá para saber se o raio da ortografia está certa ou errada.
 Don jogou a folha de papel no jovem, que a pegou e saiu depressa da sala.
 — E então — disse Don com um muxoxo —, cadê o raio da minha matéria, hein? "Os segredos da Riviera dos ricos e famosos"?
 — Já vai sair — mentiu Anthony.
 — É melhor que saia logo. Tenho meia página reservada para ela no sábado. Você se divertiu?
 — Foi bom.
 Don inclinou a cabeça.
 — É. Parece que sim. Pois bem. Enfim. Tenho boas notícias.
 As janelas da sala eram tão cobertas de nicotina que quem encostasse inocentemente nelas ficaria com as mangas da camisa manchadas de amarelo. Anthony olhava para a redação através daquele bafo dourado. Já fazia dois dias que andava com a carta no bolso, tentando descobrir como faria com que chegasse às mãos dela. Ainda via seu rosto, a expressão horrorizada quando ela se dera conta do que pensara ter sido erro seu.
 — Tony?
 — Sim?

— Tenho uma boa notícia para você.
— Sim?
— Falei com a editoria de Internacional e eles querem que alguém vá para Bagdá. Dar uma conferida naquele homem da embaixada polonesa que diz ser uma espécie de superespião. Notícia pra valer, filho. Sua cara. Você vai ficar fora da redação por uma ou duas semanas.
— Não posso ir agora.
— Precisa de uns dois dias?
— Tenho um assunto pessoal para resolver.
— Será que devo dizer aos argelinos para adiarem o cessar-fogo também? Vai que atrapalha os seus planos, não é? Está brincando comigo, O'Hare?
— Então mande outra pessoa. Desculpe-me, Don.
Os cliques metronômicos que Don fazia com a esferográfica tornaram-se cada vez mais irregulares.
— Não entendo. Quando está na redação, você passa o tempo todo reclamando que precisa ficar fora fazendo notícia "de verdade", então ofereço a você uma matéria pela qual Peterson daria o braço direito e de repente você quer ficar sentado aqui.
— Como eu disse, desculpe-me.
Don ficou de queixo caído. Fechou a boca, levantou-se pesadamente, atravessou a sala e trancou a porta. Então voltou para sua cadeira.
— Tony, esta é uma matéria boa. Você deveria agarrá-la com unhas e dentes. Mais que isso, você *precisa* dessa matéria. Precisa mostrar a eles que podem confiar em você. — Olhou para Anthony. — Perdeu o interesse? Está me dizendo que agora quer só coisas leves?
— Não. Só estou... Preciso de um ou dois dias.
Don recostou-se, acendeu um cigarro e tragou ruidosamente.
— Minha nossa — disse. — É uma mulher.
Anthony não falou nada.
— É isso. Você conheceu uma mulher. O que há? Não pode ir a lugar nenhum antes de traçá-la?
— Ela é casada.
— Desde quando isso o impede?
— Ela é... É a mulher dele. De Stirling.
— E?
— E ela é muito boa.
— Para ele? Não me diga.
— Para mim. Não sei o que fazer.

Don olhou para o teto.

— Crise de consciência, hã? Eu me perguntava por que você estava com uma cara tão ruim. — Balançou a cabeça e falou como se houvesse outra pessoa na pequena sala: — Não acredito nisso. Logo O'Hare. — Botou a caneta na mesa com a mão rechonchuda. — Tudo bem. Preste atenção pois é isso que você vai fazer: vai vê-la, fazer o que tiver que fazer, tirar essa mulher da cabeça. Então esteja no voo que sai amanhã na hora do almoço. Vou dizer ao departamento que você viajou hoje à noite. Que tal? E me escreva reportagens decentes.

— "Tirar essa mulher da cabeça"? Seu velho romântico.

— Tem uma expressão mais bonita?

Anthony sentiu a carta no bolso.

— Fico devendo essa — disse.

— Já são 83, isso sim — resmungou Don.

Não foi difícil achar o endereço de Stirling. Bastou procurar no exemplar da *Who's Who* que havia na redação e lá estava, ao final da descrição dele e embaixo de "c.: Jennifer Louisa Verrinder, n. 1934". Naquela noite, depois do trabalho, ele fora a Fitzrovia e estacionara na praça, a algumas residências de distância da casa branca de estuque.

Era uma mansão no estilo das obras de John Nash, com colunas que flanqueavam o pórtico da frente, e tinha o aspecto de um caro escritório da Harley Street. Ele ficou sentado no carro e se perguntou o que ela estaria fazendo atrás daquelas cortinas de renda. Imaginou-a sentada com uma revista, talvez com o olhar vagando pela sala e pensando num momento perdido num quarto de hotel na França. Às 18h30, uma mulher de meia-idade deixou a casa, apertando o casaco contra o corpo e olhando para o alto, como se analisasse se iria chover. Amarrou uma touca impermeável no cabelo e seguiu depressa pela rua. As cortinas foram fechadas por uma mão invisível e a tarde úmida deu lugar à noite, mas ele continuava sentado no seu Hillman, olhando para o número 32.

Começara a cochilar quando finalmente a porta se abriu. Enquanto ele se endireitava no banco, ela saiu de casa. Eram quase 21 horas. Ela usava um vestido branco sem manga, um xale nos ombros, e desceu os degraus com cuidado, como se não confiasse muito nos próprios pés. Então surgiu Stirling atrás dela, dizendo algo que Anthony não conseguiu escutar, e ela acenou com a cabeça. Entraram num grande carro preto. Quando o veículo arrancou, Anthony ligou o motor. Entrou no tráfego, a uma curta distância deles, e os seguiu.

Eles não foram longe. O motorista parou à porta de um cassino de Mayfair para deixá-los. Ela ajeitou o vestido e depois entrou, tirando o xale dos ombros no caminho.

Anthony esperou até ter certeza de que Stirling tinha entrado, depois parou seu Hillman na vaga atrás do carro preto.

— Estacione para mim, por favor — gritou para o porteiro incrédulo, atirando-lhe as chaves e botando-lhe uma nota de 10 xelins na mão.

— Senhor? Posso ver seu cartão de sócio?

Ele ia atravessando depressa o saguão quando um homem com o uniforme da casa o parou.

— Senhor? Seu cartão?

Os Stirling estavam quase entrando no elevador. Ele mal a via no meio de tanta gente.

— Preciso falar com uma pessoa. Dois minutos.

— Senhor, infelizmente não posso deixá-lo entrar sem...

Anthony meteu a mão no bolso, tirou tudo o que tinha dentro — carteira, chaves de casa, passaporte — e jogou na mão do homem.

— Tome, pegue tudo. Prometo que só vou demorar dois minutos.

E, enquanto o homem olhava, embasbacado, ele foi abrindo caminho por entre as pessoas e entrou no elevador quando as portas se fechavam.

Stirling estava à direita; Anthony abaixou a aba do chapéu para esconder o rosto, passou por ele e, acreditando que o outro não o havia visto, recuou até encostar no fundo do elevador.

Todo mundo estava de frente para a porta. Stirling, à sua frente, falava com alguém que parecia conhecer. Anthony ouviu-o murmurar algo sobre mercados, uma crise de crédito, e o murmúrio do outro concordando. Sua pulsação retumbava em seus ouvidos e o suor lhe escorria pelas costas. Ela segurava a bolsa na frente do corpo com as mãos enluvadas, a expressão séria, só uma mecha loura saindo do coque para confirmar que era humana, não uma aparição celestial.

— Segundo andar.

As portas se abriram, deixando as pessoas saírem e um homem entrar. Os ocupantes remanescentes se deslocaram gentilmente, dando lugar para o recém-chegado. Stirling continuava falando, sua voz grave e sonora. Era uma noite cálida, e ali dentro do elevador Anthony estava agudamente ciente dos corpos a sua volta, dos cheiros de perfume, de fixador e de Brylcreem que impregnavam o ar, da leve brisa quando as portas se fechavam.

Levantou um pouco a cabeça e olhou para Jennifer. Ela estava a menos de um palmo de distância, tão perto que ele distinguia seu perfume e cada sarda dos seus ombros. Continuou olhando, até ela virar a cabeça um pouco — e vê-lo. Seus olhos se arregalaram, sua face corou. Seu marido continuava entretido na conversa.

Ela olhou para o chão, depois seus olhos voltaram a fitar os de Anthony, o subir e descer do seu peito revelando quanto ele a deixara chocada. Seus olhos se encontraram, e, naqueles poucos instantes silenciosos, ele lhe disse tudo. Disse que ela era a mulher mais incrível que ele já havia conhecido. Disse que ela assombrava suas horas de vigília, e que cada sentimento, cada experiência que ele tivera na vida até aquela altura tinham sido sem graça e sem importância diante da enormidade daquilo.

Disse que a amava.

— Terceiro andar.

Ela piscou e eles se afastaram, pois um homem nos fundos que pedira licença passou entre eles e saiu do elevador. Quando a lacuna se fechou atrás dele, Anthony pôs a mão no bolso e pegou a carta. Chegou para a direita e estendeu-a para Jennifer por trás do paletó de um homem que tossiu, sobressaltando-os um pouco. Seu marido fazia um gesto negativo com a cabeça para algo que o outro dissera. Ambos os homens riam sem vontade. Por um momento Anthony pensou que ela não pegaria a carta, mas então, sub-repticiamente, a mão enluvada foi estendida, e enquanto ele estava ali parado o envelope sumiu na bolsa dela.

— Quarto andar — disse o ascensorista. — Restaurante.

Todos menos Anthony se adiantaram. Stirling olhou para o lado, aparentemente se lembrando da presença da mulher, e estendeu a mão, não num gesto de afeto, observou Anthony, mas para trazê-la à frente. As portas se fecharam às costas de Jennifer e ele se viu sozinho. Com o ascensorista anunciando "térreo", o elevador começou a descer.

Anthony não esperava uma resposta. Nem se dera o trabalho de verificar sua correspondência até sair de casa, atrasado, e encontrar duas cartas no capacho. Andava e corria ao mesmo tempo pela calçada lotada e ressecada, desviando das enfermeiras e dos pacientes que deixavam o enorme hospital St. Bartholomew, a mala batendo nas pernas. Deveria estar no Heathrow às 14h30, e mesmo agora não sabia direito como chegaria a tempo. Ao ver a letra dela, entrou em uma espécie de estado de choque, que virou pânico quando se deu conta de que já eram 11h50 e que ele estava do lado errado de Londres.

Postman's Park. Meio-dia.

Naturalmente, não passaram táxis. Ele fez metade do percurso de metrô e a outra metade correndo. Sua camisa, cuidadosamente passada, agora lhe colava na pele. Seu cabelo lhe caía na testa suada.

— Com licença — murmurou quando uma mulher de salto alto deu um muxoxo, obrigada a sair da frente dele. — Com licença!

Um ônibus parou, expelindo gases arroxeados, e ele ouviu o motorista tocar a campainha anunciando que partiria de novo. Anthony hesitou enquanto os passageiros saltaram em massa no ponto, tentando recobrar o fôlego, e olhou o relógio: 12h15 já. Era totalmente possível que ela já tivesse desistido dele.

Que diabo ele estava fazendo? Se perdesse esse voo, Don iria pessoalmente providenciar para que ele ficasse na seção de Bodas de Ouro e Outros Aniversários pelos dez anos seguintes. Veriam isso como mais um exemplo da inabilidade dele para enfrentar o trabalho, um motivo para dar a próxima boa reportagem a Murfett ou Phipps.

Seguiu se esquivando pela King Edward Street, arfando, e então se viu num pequeno oásis de paz no meio da City. O Postman's Park era um jardim pequeno criado por um filantropo vitoriano para marcar a vida de heróis comuns. Foi entrando ofegante para o centro.

Era azul, um delicado enxame azul em movimento. Quando sua visão se ajustou, ele viu carteiros em seus uniformes azuis, uns andando, outros deitados na relva, alguns enfileirados ao longo do banco em frente às tabuletas de porcelana Doulton que comemoravam cada ato de bravura. Os carteiros de Londres, liberados de suas rondas e malotes, estavam curtindo o sol do meio-dia, em mangas de camisa com seus sanduíches, conversando, trocando alimentos, relaxando na relva à sombra das árvores.

Sua respiração se estabilizou. Ele largou a mala e pegou um lenço, enxugou a testa e depois, lentamente, deu uma volta, tentando ver por trás das grandes samambaias e do muro da igreja, nas áreas sombrias entre os prédios. Examinou o parque à procura de um vestido verde-esmeralda, o lampejo de um cabelo dourado que a destacaria na paisagem.

Ela não estava ali.

Ele olhou o relógio: 12h20. Ela viera e fora embora. Talvez tivesse mudado de ideia. Talvez Stirling tivesse encontrado a maldita carta. Foi então que se lembrou do segundo envelope, o de Clarissa, que ele metera no bolso ao sair de casa. Pegou-o e leu-o rapidamente. Nunca conseguia ver a letra dela sem ouvir sua voz tensa e desapontada, ou suas blusas bem-cuidadas, sempre abotoadas até o pescoço quando ela o via, como se ele pudesse obter alguma vantagem ao vislumbrar sua pele.

> Caro Anthony,
> Esta carta é para informá-lo, por uma questão de educação, que vou me casar.

Ele sentiu um vago choque de ciúme diante da ideia de que Clarissa pudesse encontrar a felicidade com outra pessoa. Achava que ela fosse incapaz de ser feliz com quem quer que fosse.

> Conheci um homem decente que é dono de uma cadeia de lojas de cortinas e que está disposto a assumir a mim e ao Phillip. É uma pessoa boa, e diz que vai tratá-lo como a um filho. O casamento será em setembro. É difícil para mim abordar este assunto, mas talvez você queira pensar até que ponto deseja manter contato com o menino. Eu gostaria que ele pudesse viver em uma família normal, e é bem possível que o persistente contato errático com você atrapalhe a adaptação dele.
> Por favor, pense nisso, e me diga o que acha.
> Não será mais preciso ajuda financeira de sua parte, pois Edgar pode nos sustentar. Envio nosso endereço abaixo.
> Um abraço,
> Clarissa.

Ele leu duas vezes a carta, mas só na terceira entendeu o que ela propunha: Phillip, seu filho, deveria ser criado por um honrado vendedor de cortinas, livre do "persistente contato errático" com o pai. O dia se abateu sobre ele. Sentiu um desejo súbito e urgente de álcool, e viu um bar do outro lado da rua, em frente à praça.

— Meu Deus — disse em voz alta, deixando as mãos caírem ao longo do corpo, abaixando a cabeça.

Ficou ali, curvado, tentando pôr as ideias em ordem, esperando que sua pulsação voltasse ao normal. Então, com um suspiro, endireitou-se.

Ela estava diante dele. Usava um vestido branco, estampado com enormes rosas vermelhas, e óculos escuros gigantescos. Empurrou-os para o alto da cabeça. Um suspiro saiu involuntariamente de dentro de seu peito quando ele a viu.

— Não posso ficar — começou ele quando conseguiu falar. — Tenho que ir para Bagdá. Meu avião sai em... não tenho ideia de como...

Ela estava tão bonita, eclipsando as flores da praça em seus canteiros cuidados, deslumbrando os carteiros, que pararam de falar para olhá-la.

— Eu não... — Ele balançou a cabeça. — Eu conseguiria dizer tudo por escrito. Mas, quando vejo você, eu...

— Anthony — disse ela, como se o estivesse confirmando para si mesma.

— Volto em mais ou menos uma semana — disse ele. — Se você me encontrar então, vou poder explicar. Tem tanta...

Mas ela se aproximara e, pegando o rosto dele nas duas mãos enluvadas, puxou-o para si. Houve uma breve hesitação, e então seus lábios encontraram os dele, sua boca quente cedendo e, no entanto, surpreendentemente exigindo. Anthony esqueceu o voo. Esqueceu a praça e o filho perdido e a ex-mulher. Esqueceu a reportagem em que o chefe achava que ele deveria se concentrar. Esqueceu que emoções, pelo que aprendera com a experiência, eram mais perigosas que munições. Permitiu-se fazer o que Jennifer exigia: se entregar a ela, e fazer isso livremente.

— Anthony — dissera ela, e, com essa única palavra, dera a ele não só a si mesma mas também uma versão nova e mais bem editada do futuro dele.

Nós câmbio e desligo

Mulher para Jeanette Winterson, por mensagem de texto

8

Mais uma vez, ele não estava falando com ela. Para um homem tão fechado, os episódios de mau humor de Laurence Stirling podiam ser perversamente imprevisíveis. Jennifer olhava calada para o marido durante o café da manhã enquanto ele lia o jornal. Embora ela tivesse descido antes dele e colocado o café na mesa como ele gostava, desde que pusera os olhos nela, havia meia hora, ele não dera uma palavra.

Ela conferiu a roupa de dormir, o cabelo. Nada fora do lugar. A cicatriz, que ela sabia que o repugnava, estava coberta pela manga. *O que ela havia feito?* Será que deveria tê-lo esperado acordada? Ele voltara para casa tão tarde na noite anterior que ela só despertara rapidamente ao ouvir a porta de casa bater. Será que dissera alguma coisa dormindo?

O relógio seguia tiquetaqueando melancolicamente rumo às 8 horas, e o ruído só era interrompido pelo farfalhar intermitente do jornal de Laurence abrindo e fechando. Lá fora, ela ouviu passos nos degraus da frente, o breve chacoalhar quando o carteiro meteu a correspondência na caixa de correio, depois uma criança choramingando ao passar pela janela.

Tentou fazer algum comentário sobre a neve, sobre a manchete indicando o aumento no preço do combustível, mas Laurence simplesmente suspirava, como se irritado, e ela não disse mais nada.

Meu amante não me trataria assim, ela lhe disse em silêncio, passando manteiga na torrada. Ele sorriria, tocaria na minha cintura ao passar por mim na cozinha. Na verdade, eles provavelmente nem tomariam café na cozinha: ele levaria uma bandeja de delícias para a cama, passando-lhe o café quando ela acordasse, e trocariam beijos alegres cheios de migalhas. Em uma das cartas, ele escrevera:

Quando está comendo você se dá inteiramente a essa experiência. Eu a observei naquela primeira vez, no jantar, e desejei que você se concentrasse igualmente em mim.

A voz de Laurence invadiu seu devaneio:

— Hoje há drinques na casa dos Moncrieff, antes da festa de Natal da empresa. Está lembrada?

— Estou. — Ela não ergueu o olhar.

— Estarei de volta por volta de 18h30. Francis estará nos esperando.

Jennifer sentiu os olhos dele se deterem nela, como se ele estivesse esperando mais alguma coisa em resposta, mas a teimosia a impedia de tentar. Então ele se foi, deixando-a com uma casa silenciosa e com seus sonhos de um café da manhã imaginário, muito melhor que aquele.

> *Lembra-se daquele primeiro jantar? Fui tão idiota, e você percebeu isso. Você estava tão, tão encantadora, querida J., mesmo quando se deparou com meu comportamento desagradável.*
>
> *Eu estava muito zangado aquela noite. Desconfio que já estivesse apaixonado por você, mas nós homens somos totalmente incapazes de enxergar o que está na nossa frente. Foi mais fácil fazer meu desconforto passar por algo inteiramente diferente.*

Ela agora já desencavara sete cartas de seus esconderijos pela casa. Sete cartas que expunham diante dela o tipo de amor que ela conhecera, o tipo de pessoa que se tornara em decorrência disso. Naquelas palavras manuscritas, ela se via refletida de várias maneiras: impulsiva, apaixonada, alguém que se irritava com facilidade, mas que também perdoava rapidamente.

Ele parecia seu extremo oposto. Desafiava, proclamava, prometia. Era um observador perspicaz — dela, das coisas que o cercavam. Não escondia nada. Ela parecia ser a primeira mulher que ele realmente já amara. Ela se perguntava, quando lia as cartas dele de novo, se também ele tinha sido o primeiro homem que ela amara.

> *Quando você me olhava com aqueles seus olhos ilimitados, deliquescentes, eu me perguntava o que você podia ver em mim. Agora sei que isso é uma visão tola do amor. Você e eu não podíamos deixar de nos amar, assim como a Terra não pode parar de girar em torno do Sol.*

Embora as cartas nem sempre fossem datadas, era possível colocá-las numa espécie de ordem cronológica: esta chegara pouco depois de eles terem se conhecido; outra, depois de alguma espécie de discussão; uma terceira, após um reencontro apaixonado. Ele quisera que ela deixasse Laurence. Várias das cartas lhe pediam isso. Ela aparentemente resistira. Por quê? Agora pensava naquele homem frio na cozinha, no silêncio opressivo de sua casa. Por que não fui embora?

Lia as sete cartas obsessivamente, procurando pistas, tentando descobrir a identidade do homem. A última era de setembro, apenas semanas antes do acidente. Por que ele não entrara em contato? Eles simplesmente nunca se telefonavam nem tinham qualquer lugar específico de encontro. Quando observou que algumas das cartas tinham o número de uma caixa postal, fora ao correio ver se havia mais alguma. Mas a caixa fora realocada, e não havia nada para ela.

Jennifer se convenceu de que ele iria procurá-la. Como o homem que havia escrito aquelas cartas, o homem cujas emoções eram imbuídas de urgência, podia se limitar a esperar sentado? Ela já não acreditava que pudesse ser Bill. Não que não pudesse acreditar que tivesse sentido algo por ele, mas a ideia de enganar Violet parecia impossível para ela se não para ele. Assim, sobravam Jack Amory e Reggie Carpenter. E Jack Amory acabara de anunciar seu noivado com uma tal Srta. Victoria Nelson, de Camberley, Surrey.

A Sra. Cordoza entrou na sala quando Jennifer terminava de se pentear.

— Quer passar o meu vestido de seda azul-escuro para hoje à noite, por favor? — disse Jennifer à governanta.

Tinha um fio de brilhantes colado ao pescoço alvo. Ele adorava seu pescoço.

Ainda não consegui olhá-lo sem sentir vontade de beijá-lo.

— Já o deixei ali em cima da cama.
A Sra. Cordoza passou por ela para pegar o vestido.
— Vou passar agora, Sra. Stirling — disse.

Reggie Carpenter era namorador. Não havia outra palavra para ele. O primo de Yvonne estava encostado na cadeira de Jenny, olhando fixamente para sua boca, que se contraía de modo brejeiro como se tivessem uma piada só deles dois.

Yvonne observava-os enquanto passava uma bebida para Francis, sentado não muito longe. Ela se abaixou para murmurar no ouvido do marido:

— Não dá para você fazer o Reggie se juntar aos homens? Ele está praticamente sentado no colo da Jennifer desde que ela chegou aqui.

— Eu tentei, querida, mas não tinha muito que eu pudesse fazer, a menos que eu o arrastasse.

— Então vá socorrer a Maureen. Ela parece prestes a chorar.

Desde o momento em que abrira a porta para os Stirling — Jennifer de casaco de visom e aparentemente já calibrada, Laurence, carrancudo —, ela sentira a pele formigar, como se prevendo algo horrível. Havia tensão entre eles, e então Jennifer e Reggie haviam grudado um no outro de um jeito que era francamente exasperante.

— Eu realmente queria que as pessoas deixassem seus desentendimentos em casa — murmurou.

— Vou dar ao Larry uma dose generosa de uísque. Ele vai acabar se animando. Deve ter tido um dia ruim no trabalho.

Francis levantou-se, tocou de modo cúmplice o cotovelo dela e se foi.

As salsichas de aperitivo mal haviam sido tocadas. Com um suspiro, Yvonne pegou um prato de tira-gostos e começou a fazê-lo circular.

— Pegue um, Maureen.

A namorada de Reggie, uma garota de 21 anos, mal registrou que alguém falara com ela. Impecável em seu vestido de lã cor de ferrugem, estava sentada toda empertigada numa cadeira da sala de jantar, lançando olhares sombrios para as duas pessoas à sua direita, que pareciam alheias a ela. Jennifer estava recostada na poltrona, Reggie, empoleirado no braço. Ele sussurrou algo e os dois se escangalharam de rir.

— Reggie? — disse Maureen. — Você não disse que íamos à cidade encontrar os outros?

— Ah, eles podem esperar — respondeu ele com desdém.

— Eles iam nos encontrar no Green Rooms, Bebê. Sete e meia, você disse.

— Bebê? — Jenny, interrompendo a risada, olhava para Reggie.

— O apelido dele — disse Yvonne, oferecendo-lhe o prato.

— Bebê — repetiu Jenny.

— É. Sou irresistível. Macio. E fico muito feliz quando me colocam na cama...

Ele ergueu uma sobrancelha e chegou mais perto dela.

— Reggie, posso falar com você?

— Não com essa cara, querida prima. Yvonne acha que estou dando em cima de você, Jenny.

— Não só acha — disse Maureen friamente.

— Ah, espera aí, Mo. Não seja chata. — Sua voz, embora ainda brincalhona, guardava um tom de irritação. — Faz muito tempo que não tenho uma chance de falar com Jenny! Estamos só colocando o papo em dia.

— Já faz tanto tempo assim? — disse Jenny inocentemente.

— Ah, um século... — disse ele com entusiasmo.

Yvonne viu a moça amarrar a cara.

— Maureen, querida, quer vir me ajudar a fazer mais uns drinques? Só Deus sabe aonde foi o imprestável do meu marido.
— Ele está bem ali. Francis...
— Venha, Maureen. Por aqui.

A moça a seguiu até a sala de jantar e pegou a garrafa de *crème de menthe* que Yvonne lhe entregou. Irradiava uma fúria impotente.

— O que essa mulher pensa que está fazendo? Ela é casada, não é?
— Jennifer só... Ah, ela não tem segundas intenções.
— Ela está se jogando em cima dele! Olha só! O que ela ia achar se eu ficasse me engraçando com o marido dela assim?

Yvonne olhou para o salão, onde Larry, com uma expressão contida de desaprovação, estava sentado, escutando só metade do que Francis dizia. Ela provavelmente não notaria, pensou.

— Sei que ela é sua amiga, Yvonne, mas, para mim, é uma vaca.
— Maureen, sei que Reggie está agindo mal, mas você não pode falar assim da minha amiga. Você não tem ideia do que ela enfrentou recentemente. Agora, quer me passar essa garrafa?
— E o que ela está me fazendo passar? É humilhante. Todo mundo sabe que eu estou com o Reggie, e ela está fazendo o que quer com ele.
— Jennifer sofreu um acidente de carro horroroso. Não faz muito tempo que saiu do hospital. Como eu disse, ela só está abrindo um pouco o coração.
— E as pernas.
— Mo...
— Ela está bêbada. E é *velha*. Que idade deve ter? Vinte e sete? Vinte e oito? O meu Reggie é pelo menos três anos mais novo que ela.

Yvonne respirou fundo. Acendeu um cigarro, entregou outro a Maureen e fechou as portas duplas às suas costas.

— Mo...
— Ela é uma ladra. Está tentando roubá-lo de mim. Eu posso ver isso, mesmo que você não veja.

Yvonne baixou o tom de voz.

— Você tem que entender, Mo, querida, que há flertes e flertes. Reggie e Jenny estão relembrando os velhos tempos, mas nenhum dos dois jamais pensaria em traição. Estão flertando, sim, mas estão fazendo isso numa sala cheia de gente, sem tentar esconder. Se houvesse segundas intenções nisso, acha que ela faria isso na frente de Larry? — Isso soou convincente até para ela mesma. — Meu amor, você vai descobrir, com o tempo, que um pouco de jogo de cintura para conversar faz parte da vida. — Meteu uma castanha de caju na boca. — É um dos grandes consolos por ter que passar anos e anos casada com o mesmo homem.

A moça franziu o cenho, mas se acalmou um pouco.

— Imagino que você tenha razão — disse. — Mas continuo achando que este não é um comportamento decente para uma dama.

Ela abriu as portas e voltou para a sala. Yvonne respirou fundo e foi atrás dela.

Os coquetéis iam saindo à medida que a conversa ficava mais alta e mais animada. Francis voltou para a sala de jantar e fez mais *snowballs* enquanto Yvonne habilmente enfiava cerejas em bastões de coquetel para decorar os copos. Ela descobria, agora, que se sentia péssima se tomasse mais que dois drinques fortes, então fez um de curaçau azul, e depois se limitou a suco de laranja. O champanhe rolava livremente, como se não houvesse amanhã. Francis desligou a música, na esperança de que as pessoas entendessem a indireta e fossem embora, mas Bill e Reggie tornaram a ligá-la e tentaram fazer todos dançarem. A certa altura, os dois seguravam a mão de Jennifer e dançavam em volta dela. Enquanto Francis estava ocupado com as bebidas, Yvonne foi até onde Laurence estava sentado e se plantou ao lado dele. Tinha jurado a si mesma que iria arrancar dele um sorriso.

Ele não disse nada, mas deu um longo gole na bebida, olhou para sua esposa e tornou a desviar o olhar. O desgosto irradiava dele.

— Ela está fazendo papel de boba — murmurou quando o silêncio entre eles pesou.

Está fazendo *você* de bobo, pensou Yvonne.

— Ela só está alegre. Tem sido uma experiência estranha para Jennifer, Larry. Ela está... está tentando se divertir.

Quando ela o fitou, viu que ele olhava atentamente para ela. Yvonne sentiu-se meio sem jeito.

— Você não me falou que, segundo o médico, ela poderia ficar diferente do que costumava ser? — acrescentou. Ele lhe dissera isso quando Jennifer estava no hospital: na época em que ele ainda falava com as pessoas.

Laurence deu outro gole na bebida, sem tirar os olhos dos dela.

— Você sabia, não?

— Sabia o quê?

Os olhos dele fuzilavam os dela atrás de pistas.

— Sabia o quê, Larry?

Francis pusera para tocar uma rumba. Atrás deles, Bill implorava a Jennifer para dançar com ele, e ela lhe pedia que parasse.

Laurence esvaziou o copo.

— Nada.

Ela se inclinou e segurou a mão dele.

— Tem sido difícil para vocês dois. Tenho certeza de que precisam de um pouco de tempo para...

Foi interrompida por outra gargalhada de Jennifer. Reggie pusera uma flor entre os dentes e a tirava para dançar um tango improvisado.

Laurence deu de ombros com delicadeza, justo quando Bill, ofegante, veio sentar-se pesadamente ao lado deles.

— Esse Reggie está exagerando um pouco, não acham? Yvonne, não seria bom você dizer alguma coisa?

Ela não se atreveu a olhar para Laurence, mas a voz dele, quando veio, era firme.

— Não se preocupe, Yvonne — disse ele, fitando o vazio. — Vou resolver isso.

Ela encontrou Jennifer no banheiro pouco antes das 20h30. Estava debruçada na pia de mármore, retocando a maquiagem. Deslizou os olhos para Yvonne quando a amiga entrou, depois voltou a se concentrar no próprio reflexo. Estava corada, Yvonne notou. Tonta, quase.

— Quer um café? — ofereceu Yvonne.

— Café?

— Antes de ir para o escritório de Larry, tome.

— Acho que... — disse Jennifer, delineando os lábios com a mão inusitadamente calma — para aquela festinha vou precisar é de mais uma bebida forte.

— O que está fazendo?

— Passando batom. O que parece que estou...

— Com meu primo. Você está passando dos limites.

O tom saíra mais incisivo do que ela pretendera, mas Jennifer pareceu não ter notado.

— Quando foi a última vez que saímos com Reggie?

— O quê?

— Quando foi a última vez que saímos com ele?

— Não tenho ideia. Talvez quando ele foi à França com a gente no verão.

— O que ele bebe além de coquetéis?

Yvonne respirou fundo, equilibrando-se.

— Jenny, querida, não acha que você deveria moderar um pouco o seu comportamento?

— O quê?

— Essa coisa com o Reggie. Você está chateando Larry.

— Ah, ele não dá a mínima para o que eu faço — disse ela com desdém. — O que Reggie bebe? Você precisa me dizer. É importantíssimo.

— Sei lá. Uísque. Jenny, está tudo bem em casa? Entre você e Larry?

— Não sei o que você quer dizer.

— Provavelmente estou me metendo onde não deveria, mas Larry realmente parece muito infeliz.

— É mesmo?

— É. Não é legal menosprezar assim os sentimentos dele, querida.

Jenny virou-se para ela.

— Os sentimentos dele? Acha que alguém se importa com tudo o que passei?

— Jenny, eu...

— Ninguém está nem aí. Esperam que eu simplesmente continue com isso, fique de bico calado e banque a esposa cheia de amor. Desde que Larry não fique chateado.

— Mas, se quiser a minha opinião...

— Não. Não quero. Não se meta, Yvonne. É sério.

As duas estavam imóveis. O ar vibrava em volta delas, como se alguém tivesse desferido um golpe.

Yvonne sentiu um aperto no peito.

— Sabe, Jennifer, só porque você pode ter qualquer homem presente nesta casa, não quer dizer que você precise tê-los.

Sua voz era firme.

— O quê?

Yvonne arrumou as toalhas penduradas.

— Ah, esse jeito de princesinha desamparada às vezes não cola. A gente sabe que você é linda, ok? Sabemos que nossos maridos todos adoram você. Simplesmente tenha um pouco de consideração pelos sentimentos dos outros, só para variar.

Elas se encaravam.

— É isso que você pensa de mim? Que ajo feito uma *princesa*?

— Não, acho que você está agindo feito uma vaca.

Jennifer arregalou os olhos. Abriu a boca, como se fosse falar, mas fechou-a, tampou o batom, endireitou os ombros e olhou furiosa para Yvonne. Então saiu do banheiro.

Yvonne se sentou pesadamente no tampo do vaso e assoou o nariz. Olhou para a porta do banheiro, torcendo para que ela tornasse a se abrir, e, como isso não aconteceu, enterrou a cabeça nas mãos.

Pouco depois ouviu a voz de Francis:

— Está tudo bem com você aí dentro, garota? Estava me perguntando onde você estava. Querida?

Quando ela ergueu os olhos, ele viu sua expressão e ajoelhou rapidamente, pegando as mãos dela.

— Você está bem? É o bebê? Precisa de alguma coisa?

Ela tremeu e então permitiu que ele tomasse suas mãos nas dele. Ficaram assim algum tempo, ouvindo a música e o burburinho lá embaixo, então a risada estridente de Jennifer. Francis pegou um cigarro no bolso e o acendeu para a esposa.

— Obrigada. — Ela pegou o cigarro e tragou profundamente. — Franny, querido, me prometa que vamos ser felizes mesmo depois do nascimento do bebê.

— O que...

— Prometa.

— Ora, você sabe que não posso fazer isso — disse ele, com a mão no rosto dela. — Sempre me orgulhei de fazer você infeliz, de sempre oprimi-la.

Ela não pôde deixar de sorrir.

— Seu animal.

— Faço o que posso. — Ele se levantou e endireitou os vincos das calças. — Olha. Imagino que você esteja exausta. Vou mandar esse pessoal embora, e você e eu podemos ir para a cama. Que tal?

— Às vezes — disse ela carinhosamente no momento em que ele oferecia a mão e ela punha-se de pé — você até que vale o ouro da aliança.

O ar estava frio, e a calçada em volta da praça, quase vazia. O álcool aquecera Jennifer, e ela se sentia tonta, embriagada.

— Acho que não vamos conseguir táxi por aqui — disse Reggie alegremente, levantando o colarinho. — O que vocês vão fazer? — Seu hálito se condensava no ar da noite.

— Larry tem motorista. — Seu marido estava parado no meio-fio ali perto, olhando para o final da rua. — Só que parece que ele sumiu. — De repente ela achou isso engraçadíssimo, e teve que fazer um esforço para parar de rir.

— Eu o dispensei esta noite — murmurou Laurence. — Vou dirigir. Você fica aqui; eu vou pegar as chaves do carro.

Larry subiu as escadas de casa.

Jennifer apertou bem o casaco contra o corpo. Não conseguia parar de olhar para Reggie. Era ele. *Bebê.* Tinha que ser. Ele não saíra do lado dela a noite inteira. Jennifer tinha certeza de que havia mensagens ocultas em muitos dos comentários que ele fizera. *Faz muito tempo que eu não tenho uma chance de falar com Jenny!* Houve algo no jeito como ele falou isso. Tinha certeza de que não imaginara. Ele bebia uísque. *Bebê.* Sua cabeça rodava. Bebera demais, mas não se importava. Precisava ter certeza.

— Vamos chegar totalmente atrasados — disse a namorada de Reggie, desanimada, e Reggie lançou um olhar conspiratório para Jennifer.

Ele olhou para o relógio.
— Ah, provavelmente já nos perdemos deles. Já devem ter ido jantar.
— Então o que vamos fazer?
— Quem sabe? — Ele deu de ombros.
— Você já esteve no Alberto's? — perguntou Jennifer de repente.
Reggie abriu um sorriso devagar, com uma pontinha de ironia.
— Você sabe que sim, Sra. Stirling.
— Eu sei? — Seu coração retumbava. Era incrível os outros não ouvirem.
— Acho que vi você no Alberto's da última vez que estive lá.
Sua expressão era brincalhona, quase travessa.
— Bem, foi uma noite e tanto essa — disse Maureen com petulância, as mãos metidas no bolso do casaco. Fuzilou Jennifer com olhar, como se a culpasse.
Ah, se ao menos essa garota não estivesse aqui, pensou Jennifer, o coração disparado.
— Venham com a gente — disse ela de repente.
— O quê?
— À festa de Laurence. Vai ser um saco, provavelmente, mas garanto que vocês podem animá-la um pouco. Vocês dois. Vai ter muita bebida — acrescentou.
Reggie pareceu encantado.
— Pode contar conosco — disse ele.
— Será que posso dar minha opinião? — O desagrado de Maureen estava estampado em seu rosto.
— Vamos, Mo. Vai ser divertido. Senão seremos só você e eu num restaurante deprimente.
O olhar de Maureen mostrava seu desespero, e Jennifer sentiu uma ponta de culpa, mas nem fez caso. *Ela precisava saber.*
— Laurence — chamou. — Laurence querido? Reggie e Maureen vão com a gente. Não vai ser divertido?
Laurence hesitou no último degrau, as chaves na mão, olhando rapidamente de um para o outro.
— Maravilhoso — respondeu. Então desceu a escada com passos firmes e abriu a porta traseira do grande carro preto.

Jennifer pelo visto tinha subestimado o potencial de animação da comemoração de Natal da Acme Mineral and Mining. Talvez tenha sido a decoração, ou a fartura de comida e bebida, ou mesmo a ausência prolongada do chefe, mas, quando chegaram, a festa do escritório estava a toda. Alguém levara uma vitrola portátil, as luzes haviam sido diminuídas e as mesas, deslocadas para criar uma pista de dança — na qual um bando de gente gritava e vibrava com Connie Francis.

— Larry! Você nunca me contou que seus funcionários eram tão jazzistas! — exclamou Reggie.

Jennifer deixou o marido parado no umbral, assistindo à cena à sua frente, enquanto ela se juntava aos outros na dança. A expressão no rosto dele dizia o que lhe passava pela cabeça: seu local de trabalho, seu domínio, seu paraíso, estava irreconhecível, e ele já não tinha mais os funcionários sob controle, e odiava isso. Ela viu a secretária dele se levantar da cadeira, onde devia ter passado a noite inteira, e dizer algo ao chefe. Ele assentiu com um gesto de cabeça, procurando sorrir.

— Bebidas! — disse Jennifer, querendo se afastar dele o máximo possível. — Abra caminho, Reggie! Vamos encher a cara.

Ela estava vagamente consciente de alguns olhares de surpresa ao passar pelos funcionários do marido, muitos dos quais haviam afrouxado a gravata e estavam com o rosto afogueado devido à bebida e à dança. Os olhares passaram dela para Laurence.

— Olá, Sra. Stirling.

Ela reconheceu o contador que falara com ela ali no escritório semanas antes e sorriu para ele. Todo suado, com o rosto brilhando, o homem tinha um braço ao redor de uma garota que não parava de rir com seu chapéu de festa.

— Opa! Olá! Poderia nos mostrar onde estão as bebidas?

— Lá. Perto da sala das datilógrafas.

Uma gigantesca bacia de ponche fora feita. A bebida estava sendo servida em copos descartáveis e passada por sobre a cabeça das pessoas. Reggie entregou-lhe um copo, que ela entornou logo, engasgando e caindo na gargalhada ao constatar que a bebida era mais forte do que esperava. Então ela começou a dançar, perdida num mar de corpos, vagamente consciente do sorriso de Reggie, que de vez em quando pegava na sua cintura. Ela viu Laurence observá-la impassível encostado na parede, e depois, aparentemente com certa relutância, começar a conversar com um dos homens mais velhos e mais sóbrios. Ela não queria estar perto dele de jeito nenhum. Desejou que ele fosse para casa e a deixasse ali dançando. Não tornou a ver Maureen. Talvez tivesse ido embora. As coisas estavam borradas, o tempo se estendia, ficava elástico. Ela estava se divertindo. Sentiu calor, levantou os braços acima da cabeça, deixou-se levar pela música, ignorando a curiosidade das outras mulheres. Reggie a fez girar e ela gargalhou. Uau, ela estava viva! Seu lugar era ali. Era a primeira vez que não se sentia uma estranha num mundo que todos insistiam em dizer que era dela.

Reggie encostou a mão na dela, um contato elétrico, dando choque. Seus olhares para ela haviam se tornado mais significativos, o sorriso, cúmplice. *Bebê.* Ele movia os lábios, dizendo algo em silêncio para ela.

— O quê? — Ela afastou uma mecha de cabelo suado do rosto.

— Está quente. Preciso beber mais.

A sensação da mão dele na sua cintura era radioativa. Ela o seguiu, camuflada pelas pessoas em volta. Quando olhou para trás para ver se encontrava Laurence, ele havia sumido. Deve ter ido para a sala dele, pensou. Lá dentro, a luz estava acesa. Laurence odiaria essa festa. Ele odiava qualquer tipo de diversão, o marido dela. Algumas vezes, naquelas últimas semanas, Jennifer chegara a se perguntar se ele a odiava.

Reggie colocava outro copo descartável na mão dela.

— Ar — gritava ele. — Preciso de ar.

E então os dois saíram, sozinhos, para o corredor principal, onde estava fresco e calmo. O barulho da festa diminuiu quando a porta se fechou atrás deles.

— Aqui — disse ele, guiando-a para uma escada de incêndio que havia depois do elevador. — Vamos lá na escada.

Ele fez força para abrir a porta, e então os dois estavam no sereno da noite, Jennifer sorvendo o ar frio como se quisesse matar uma sede enorme. Lá embaixo ela via a rua, uma ou outra luz de freio.

— Estou ensopado! — disse Reggie. Mostrou a camisa. — Não tenho a menor ideia de onde deixei o paletó.

Ela se viu olhando para o corpo dele, agora visivelmente delineado pelo pano úmido de suor, e obrigou-se a desviar a vista.

— Mas está divertido — murmurou Jennifer.

— É mesmo. Não vi Larry dançando.

— Ele não dança — disse ela, se perguntando se poderia dizer isso com tanta certeza. — Nunca.

Ficaram um instante em silêncio, olhando a escuridão da cidade. Ao longe ouviam o tráfego, e, atrás deles, os sons abafados da festa. Ela se sentia animada, ofegante com a expectativa.

— Aqui. — Reggie pegou um maço de cigarros no bolso e acendeu um para ela.

— Eu não... — Ela parou a frase no meio. O que sabia? Poderia ter fumado centenas. — Obrigada — disse.

Pegou-o com cuidado entre dois dedos, tragou e tossiu.

Reggie riu.

— Desculpe-me — disse ela, sorrindo para ele. — Parece que não tenho jeito para isso.

— Continue mesmo assim. Vai deixá-la relaxada.

— Eu já estou relaxada. — Sentiu-se corar um pouco.

— Por estar perto de mim, aposto — disse ele, rindo com malícia e se aproximando um pouquinho mais dela. — Eu estava me perguntando quando ficaria sozinho com você. — Tocou o pulso dela. — É bem difícil falar em código, com todo mundo em volta.
Será que tinha ouvido direito?
— Sim — disse ela, quando conseguiu falar, e havia alívio em sua voz. — Ai, meu Deus, eu queria dizer algo antes. Tem sido tão difícil! Explico depois, mas teve uma época... Ah, abrace-me. Abrace-me, Bebê. Abrace-me.
— Com prazer.
Ele deu mais um passo à frente e passou os braços em volta dela, puxando-a para perto de si. Ela ficou calada, apenas tentando absorver a sensação de estar nos braços dele. Ele encostou o rosto no dela, e ela fechou os olhos, pronta, inspirando o cheiro másculo do suor dele, sentindo a estreiteza inesperada do seu peito, querendo ser transportada. Ah, esperei tanto tempo por você, disse-lhe em silêncio, levantando o rosto para ele.
Seus lábios se encontraram, e, por um segundo apenas, ela se sentiu eletrizada com aquele contato. Mas o beijo tonou-se canhestro, imperioso. Os dentes dele batiam contra os dela, a língua entrando à força em sua boca; ela acabou recuando.
Reggie pareceu não se perturbar. Deslizou as mãos pelo bumbum dela, puxando-a tão para perto que ela podia senti-lo colado em seu corpo. Ele a fitava, os olhos nublados de desejo.
— Quer ir para um hotel? Ou... aqui?
Ela o encarou. Só pode ser ele, disse a si mesma. Tudo indicava isso. Mas como B. poderia ser tão... tão diferente do que escrevera?
— O que foi? — disse ele, vendo transparecer no rosto dela algo do que se passava em seu íntimo. — Muito frio? Ou você não quer um hotel?... Muito arriscado?
— Eu...
Isso estava errado. Ela se desvencilhou dos braços dele.
— Desculpe-me. Acho que não... — Levou a mão à cabeça.
— Não quer fazer aqui?
Ela franziu o cenho. Depois olhou para ele.
— Reggie, você sabe o que quer dizer "deliquescente"?
— De-li... o quê?
Ela fechou os olhos, depois tornou a abri-los.
— Tenho que ir — resmungou. De repente sentiu-se horrivelmente sóbria.
— Mas você gosta de brincar. De um pouco de ação.
— Eu gosto de um pouco de *quê*?
— Ora, eu não sou o primeiro, sou?
Ela apenas piscou.

— Não entendi.

— Ah, não se faça de inocente, Jennifer, eu vi você, se lembra? Com seu outro amante. No Alberto's. Toda agarrada com ele. Eu sabia o que você estava tentando me dizer mais cedo, se referindo a isso na frente de todo mundo.

— Meu amante?

Ele deu uma tragada no cigarro, depois o apagou bruscamente com o calcanhar.

— Então é assim que você quer brincar, hein? O que foi? Será que não estou à sua altura porque não entendi uma palavra idiota?

— Que homem? — Ela agora segurava a camisa dele, incapaz de se conter. — De quem você está falando?

Ele balançou a cabeça, irritado.

— Está brincando comigo?

— Não — protestou ela. — Só preciso saber com quem você me viu.

— Caramba! Eu sabia que devia ter ido embora com a Mo quando tive a oportunidade. Ao menos ela aprecia um homem. Não é uma... uma dessas que só sabem provocar — alfinetou.

De repente suas feições, vermelhas e irritadas, foram inundadas por uma luz. Jennifer girou nos calcanhares e viu Larry segurando a porta para a escada de incêndio. Ele assimilou o espetáculo de sua mulher com o homem que agora estava se afastando dela. Reggie, cabisbaixo, passou por Laurence e entrou no prédio sem uma palavra, limpando a boca.

Ela ficou parada, congelada.

— Laurence, não é o que você...

— Entre — disse ele.

— Eu só...

— Entre. Já. — Sua voz estava baixa, aparentemente calma.

Depois de hesitar um instante, ela se enfiou no vão sob a escada. Encaminhou-se para a porta, preparando-se para voltar para a festa, ainda tremendo com a confusão e o choque, mas, quando passaram pelo elevador, ele a agarrou pelo pulso e virou-a para si.

Ela olhou para baixo, para a mão dele, que a agarrava, depois para seu rosto.

— Não pense que pode me humilhar, Jennifer — disse ele calmamente.

— Largue meu braço!

— Estou falando sério. Não sou um idiota que você pode...

— Largue meu braço! Está me machucando! — Ela recuou.

— Escute aqui. — Um músculo tremia na mandíbula dele. — *Eu não aceito isso.* Entendeu? *Eu não aceito isso.* — Os dentes dele estavam cerrados. Havia muita raiva em sua voz.

— Laurence!

— Larry! *Você me chama de Larry!* — gritou ele, erguendo a outra mão.

A porta se abriu, e surgiu o homem da contabilidade. Ele ria, abraçado com a moça de antes. Ao registrar a cena, seu sorriso desapareceu.

— Ah... A gente só estava indo tomar um pouco de ar, senhor — disse sem jeito.

Foi então que Laurence soltou o braço de Jennifer, que, aproveitando a chance, passou pelo casal e desceu correndo.

Há coisas que adoro tanto em você, mas também há coisas que odeio. Acho que você deveria saber que agora penso cada vez mais nas coisas que me incomodam em você.

Aquela vez em que você esquartejou a lagosta.

O dia em que gritou e bateu palmas para aquelas vacas saírem do caminho. Por que não poderíamos simplesmente esperar que elas passassem? Não tinha problema perder o cinema...

O jeito desorganizado como você corta legumes.

A sua negatividade constante.

Precisei dar três demãos de tinta na parede da sala para cobrir o seu número de telefone, escrito a caneta vermelha. Tudo bem que eu estava reformando a casa, mas foi um total desperdício de tinta.

Homem a Mulher, por carta

9

Anthony sentou-se no banco de um bar, a mão em volta de uma xícara de café vazia, de olho na escada que levava ao térreo para ver se um par de pernas esguias aparecia. De vez em quando, um casal descia a escada e entrava no Alberto's, comentando sobre o calor fora de época, sobre a sede horrível que sentiam, e passavam por Sherrie, a entediada moça do vestiário, aboletada em seu banco com um livro na mão. Ele examinava brevemente o rosto deles e tornava a se virar para o bar.

Eram 19h15. Seis e meia, dissera ela na carta. Tornou a tirá-la do bolso, alisando os vincos, examinando a letra grande e cheia de volteios que confirmava que ela estaria lá. *Com amor, J*.

Durante cinco semanas, eles haviam trocado cartas, as dele encaminhadas para o posto de triagem da Langley Street, onde ela alugara a caixa postal 13 — aquela, confidenciara a chefe do correio, que ninguém nunca queria. Haviam se visto só umas cinco ou seis vezes, e os encontros tendiam a ser curtos — muito curtos —, limitados às poucas ocasiões que o horário de trabalho dele ou o de Laurence permitia.

Mas o que nem sempre conseguia lhe dizer pessoalmente, ele transmitia por escrito. Escrevia quase diariamente, e lhe contava tudo, sem vergonha nem constrangimento. Era como se uma barragem se tivesse rompido. Dizia quanto sentia saudades, contava-lhe sobre sua vida no estrangeiro, sobre a sensação de que até então sentira-se permanentemente inquieto, como se estivesse sempre entreouvindo uma conversa que se desenrolasse em outro lugar.

Expunha-lhe os próprios defeitos — egoísta, teimoso, muitas vezes insensível — e lhe contou como ela fizera com que ele começasse a corrigi-los. Dizia-lhe que a amava, várias e várias vezes, deleitando-se com o aspecto das palavras no papel.

As cartas dela, por sua vez, eram curtas e diretas. *Encontre-me aqui*, diziam. Ou *A esse horário não, meia hora depois*. Ou simplesmente: *Eu também*.

A princípio, ele temera que tal laconismo significasse que ela não gostava tanto dele, e achava difícil conciliar a pessoa que ela era quando estavam juntos — íntima, afetuosa, brincalhona, preocupada com o bem-estar dele — com as palavras que ela escrevia.

Uma noite, quando ela se atrasara muito — Laurence, ele descobriu, chegara cedo em casa e ela fora obrigada a inventar uma amiga doente para sair —, encontrara Anthony bêbado e grosseiro no bar.

— Simpático da sua parte passar aqui — dissera ele com sarcasmo, erguendo um copo para ela. Ele bebera quatro uísques duplos nas duas horas que passara esperando.

Ela tirara o lenço de cabeça e pedira um martíni, mas em seguida o cancelara.

— Não vai ficar?

— Não quero ver você assim.

Ele a repreendera por todas as coisas que sentia da parte dela: a falta de tempo, a ausência de qualquer coisa escrita a que ele pudesse se agarrar. Ignorara a mão que Felipe, o barman, colocara em seu braço na tentativa de contê-lo. O que ele sentia o apavorava, e ele queria magoá-la por isso.

— Qual é o problema? Tem medo de escrever qualquer coisa que possa ser usada como prova contra você?

Ele se odiara ao dizer isso, sabia que se tornara feio, o objeto de piedade que tentara tão desesperadamente ocultar dela.

Jennifer então tinha se virado e subido depressa as escadas, ignorando as desculpas que ele gritara, o pedido para que ela voltasse.

Na manhã seguinte ele deixara uma única palavra escrita na caixa postal, e dois dias depois, ainda atormentado pelo sentimento de culpa, recebera uma carta.

> *Boot. Não tenho facilidade de expor meus sentimentos no papel. Não tenho facilidade de expô-los de jeito nenhum. Você trabalha com as palavras, e eu amo todas que você me escreve. Mas não julgue meus sentimentos pelo fato de eu não responder à altura.*
>
> *Acho que se eu tentasse escrever à sua maneira, você ficaria muito decepcionado. Como eu disse certa vez, raramente solicitam minha opinião — que dirá sobre algo importante como isso —, e para mim não é fácil expressá-la espontaneamente. Acredite que estou aqui. Acredite por meus atos, minhas afeições. Estas são as moedas que uso.*
>
> *Sua,*
>
> *J.*

Ele chorara de vergonha e alívio ao receber essa carta. Desconfiara, depois, de que parte da explicação, a parte que ela omitia, era que ainda sentia a humilhação daquele quarto de hotel, por mais que ele tentasse convencê-la do motivo que o levara a não fazer amor com ela. Apesar de tudo o que ele dissera, porém, ele achava que ela ainda não se convencera de que não passava de mais uma das suas mulheres casadas.

— Sua namorada não vem? — Felipe deslizou para o banco ao lado dele. A boate estava cheia agora. Burburinho de conversa nas mesas, um pianista tocando num canto, e ainda faltava meia hora para Felipe pegar o trompete. No alto, o ventilador zumbia preguiçosamente, sem conseguir fazer circular o ar pesado. — Você não vai acabar de porre de novo, vai?

— É café.

— Você tem que tomar cuidado, Tony.

— Eu já disse que é café.

— Não me refiro à bebida. Um dia desses você vai se meter com a mulher errada. Um dia um marido vai acabar com você.

Anthony levantou a mão, pedindo mais café.

— Estou lisonjeado, Felipe, por você levar tão a sério o meu bem-estar, mas, primeiro, sempre fui cuidadoso nas minhas escolhas. — Deu um sorriso de lado. — Pode acreditar, você precisa confiar em sua capacidade de discernimento para deixar um dentista solto com uma broca na sua boca menos de uma hora depois de ter... hã... entretido a mulher dele.

Felipe não pôde deixar de rir.

— Você não tem vergonha.

— Não mesmo. Porque, segundo, não haverá mais mulheres casadas.

— Só solteiras, hã?

— Não. Mais nenhuma mulher. Esta é A Mulher.

— A centésima primeira mulher, você quer dizer. — Felipe deu uma risada. — Só falta agora você me dizer que começou a ler a Bíblia.

E lá estava a ironia: quanto mais ele escrevia e quanto mais tentava convencê-la do que sentia, mais parecia que ela desconfiava que as palavras eram vazias, que saíam da caneta dele com muita facilidade. Ela brincara com ele sobre isso várias vezes — mas ele sentia o gosto metálico da verdade no fundo.

Ela e Felipe viam a mesma coisa: alguém incapaz de amar de verdade. Alguém que desejaria o inalcançável apenas até alcançá-lo.

— Um dia, Felipe, meu amigo, eu posso surpreender você.

— Tony, faz bastante tempo que você frequenta esse lugar, não *há* mais surpresas. E, olha só, falando no diabo... Lá vem o seu presente de aniversário. Muito bem embrulhado.

Anthony ergueu os olhos e viu um par de sapatos de seda verde-esmeralda descendo as escadas. Ela andava devagar, a mão no corrimão, como fizera na primeira vez que ele a vira descendo a escada de casa, revelando-se centímetro por centímetro até seu rosto, corado e ligeiramente molhado, estar diante dele. Ao vê-la, ele chegou a perder o fôlego por um instante.

— Desculpe-me — disse ela, dando-lhe um beijo no rosto. Ele captou um aroma cálido de perfume, sentiu a umidade do rosto dela passando para o seu. Os dedos dela apertaram ligeiramente os de Anthony. — Foi... difícil chegar aqui. Tem algum lugar onde a gente possa se sentar?

Felipe levou-os a uma mesa, e ela tentou ajeitar o cabelo.

— Pensei que você não viesse — disse ele depois que Felipe lhe trouxe um martíni.

— A mãe do Laurence fez uma das suas visitas-surpresa. Ela não parava de falar. Fiquei ali sentada servindo chá e achei que fosse gritar.

— Onde ele está?

Anthony esticou o braço por baixo da mesa e pegou a mão dela. Nossa, como era bom senti-la.

— Foi a Paris. Tem uma reunião com alguém da Citroën sobre revestimentos de freio ou algo assim.

— Se você fosse minha — disse Anthony —, eu não a deixaria sozinha nem um minuto.

— Aposto que você diz isso para todas.

— Não fale assim — advertiu ele. — Odeio isso.

— Ah, você não pode fingir que já não usou todas as suas melhores cantadas antes, com outras mulheres. Eu conheço você, Boot. Você me contou, lembra?

Ele suspirou.

— Então é nisso que dá ser honesto. Não admira que eu nunca tenha tentado antes.

Ele sentiu-a deslizar no comprido banco para perto dele, e os dois ficaram juntos, as pernas dela enroscadas na dele, algo nele relaxou. Ela tomou seu martíni, depois um segundo, e ali na mesa, em um nicho aconchegante, com ela ao seu lado, ele teve por um momento uma sensação de posse. A banda entrou em ação, Felipe começou a tocar trompete, e, enquanto ela assistia ao show, o semblante iluminado pela luz da vela e pelo prazer, ele a observava em segredo, sabendo com inexplicável certeza que ela seria a única mulher que poderia fazê-lo se sentir assim.

— Vamos dançar?

Já havia outros casais na pista, evoluindo ao som da música na penumbra. Ele abraçou-a, inalando o aroma do seu cabelo, sentindo a pressão do corpo

dela junto ao seu, permitindo-se acreditar que estavam só os dois, a música e a maciez da pele dela.
— Jenny?
— Sim?
— Beije-me.
Todos os beijos desde aquele primeiro no Postman's Park tinham sido às escondidas; no carro dele, numa rua calma longe do centro, nos fundos de um restaurante. Ele podia ver o protesto se esboçando nos lábios dela: *Aqui? Na frente dessa gente toda?* Esperou ela lhe dizer que era arriscado demais. Talvez algo na expressão dele ressoasse na dela, e Jennifer amoleceu, como sempre acontecia quando estavam tão próximos, e então ela pôs a mão no rosto dele e o beijou, um beijo terno e apaixonado.
— Você me faz feliz, sabe — disse ela baixinho, confirmando para ele que não fora feliz antes. Seus dedos se entrelaçaram com os dele; possessivos, seguros do que queriam. — Não posso fingir que isso faça, mas você faz.
— Então deixe Larry.
As palavras escaparam de sua boca antes que ele soubesse o que dizia.
— O quê?
— Deixe-o. Venha viver comigo. Ofereceram-me uma colocação. A gente podia simplesmente desaparecer.
— Não diga isso.
— Isso o quê?
— Isso. Você sabe que é impossível.
— Por quê? — Ele podia notar o tom de exigência na própria voz. — Por que é impossível?
— Você e eu... a gente quase não se conhece.
— Conhece sim. Você sabe que sim.
Ele abaixou a cabeça e tornou a beijá-la. Sentiu-a resistir um pouco dessa vez, e a puxou para junto de si, a mão nas suas costas, sentindo-a fundir-se nele. A música diminuiu, ele levantou o cabelo de sua nuca com uma das mãos, sentindo a umidade ali embaixo, e parou. Ela estava de olhos fechados, a cabeça ligeiramente de lado, os lábios apenas entreabertos.
Seus olhos azuis se abriram, penetraram nos dele, e então ela sorriu, um meio sorriso embriagador que transmitia o desejo dela. Quantas vezes um homem via um sorriso assim? Não uma expressão de tolerância, de afeição, de obrigação. *Sim, está bem, querido, se você quiser mesmo.* Jennifer Stirling o desejava. Ela o desejava como ele a desejava.
— Estou morrendo de calor — disse ela, sem tirar os olhos dele.
— Então vamos tomar um pouco de ar.

Ele a pegou pela mão e guiou-a por entre os casais que dançavam. Podia senti-la rindo, tentando segurar as costas de sua camisa. Chegaram na privacidade relativa do corredor, onde ele abafou sua risada com beijos, as mãos entrelaçadas em seu cabelo, colando os lábios na boca quente dela. Ela retribuiu o beijo com um ardor crescente, sem hesitar nem mesmo quando ouviram alguém passando. Ele sentiu as mãos dela por baixo de sua camisa, e o toque dos seus dedos lhe deu um prazer tão intenso que ele perdeu a capacidade de raciocinar por alguns segundos. O que fazer? O que fazer? Seus beijos ficavam mais intensos, mais urgentes. Ele sabia que explodiria se não a tivesse. Interrompeu o beijo, as mãos no rosto dela, viu seus olhos pesados de desejo. O rubor dela foi a resposta de que ele precisava.

Ele olhou para o lado. Sherrie continuava mergulhada no livro, a chapelaria inútil naquele calor pegajoso de agosto. Ela nem os enxergava após anos de amassos amorosos à sua volta.

— Sherrie — chamou ele, puxando uma nota de 10 xelins do bolso —, que tal um intervalo para o chá?

Ela levantou uma sobrancelha, depois pegou o dinheiro e levantou do banco.

— Dez minutos — respondeu ela, na lata.

Então Jennifer, rindo, entrou com ele na chapelaria, ofegante enquanto ele fechava o mais que podia a cortina pesada da pequena alcova.

Ali o escuro era aconchegante e completo, o cheiro de mil casacos esquecidos pairando no ar. Enlaçados um no outro, eles foram tropeçando até o fim do varal, os cabides de arame batendo em suas cabeças, como címbalos sussurrantes. Ele não a via, mas então ela estava de frente para ele, encostada na parede, os lábios nos dele, agora com uma urgência maior, murmurando seu nome.

Parte dele sabia, mesmo então, que ela seria sua perdição.

— Mande-me parar — sussurrou ele, a mão no seio dela, a respiração pesada na garganta; ele sabia que isso seria o único freio possível. — Mande-me parar. — O movimento de cabeça dela foi uma recusa muda. — Meu Deus — murmurou ele.

E então os dois estavam frenéticos, a respiração dela em pequenos arquejos, a perna levantada enroscada na dele. Ele deslizou a mão por baixo do vestido dela, as palmas passeando na renda e na seda de sua roupa íntima. Sentiu os dedos dela enfiados em seu cabelo, a outra mão procurando sua calça, e uma parte dele ficou em choque, como se ele tivesse imaginado que o senso de decoro natural dela impediria tal apetite.

O tempo passou mais lento, o ar virou um vácuo em volta deles, suas respirações se misturando. Os tecidos foram postos de lado. As pernas ficaram úmidas, a dele preparada para sustentar o peso dela. E então — meu Deus — ele estava dentro dela, e por um momento tudo parou: a respiração dela, o movimento, o coração dele. O mundo, talvez. Ele sentiu sua boca abrir-se contra a sua, ouviu-a inspirar. E então os dois estavam em movimento, e ele era uma única coisa, só sentia uma única coisa, surdo para o barulho dos cabides, para a música abafada do outro lado da parede, a exclamação em voz baixa de alguém cumprimentando um amigo no corredor. Eram ele e Jennifer, movendo-se devagar, depois mais depressa, ela segurando-o com mais força, as risadas tinham desaparecido, os lábios dele na pele dela, a respiração dela em seu ouvido. Ele sentiu a violência crescente dos movimentos dela, sentiu-a desaparecer numa parte distante dela mesma. Sabia, em alguma parte ainda racional dentro dele, que ela não deveria fazer barulho. E, quando ouviu o grito se formar no fundo da garganta dela, quando sua cabeça se inclinou para trás, ele o deteve com a boca, absorvendo o som, o prazer dela, com tanta segurança que ele se tornou seu.

Vicariamente.

E aí os dois tropeçavam, ele contendo-a com as pernas enquanto a abaixava, os corpos colados, abraçados, ele sentindo as lágrimas no rosto dela e ela tremendo, lânguida em seus braços. Depois, ele não se lembraria do que lhe disse naquela altura. *Eu amo você. Eu amo você. Nunca me deixe. Você é tão linda.* Lembrava-se de ter secado as lágrimas dos olhos dela com ternura, de ouvi-la falando baixinho para tranquilizá-lo, dos seus meios sorrisos, seus beijos, seus beijos, seus beijos.

E então, como se vindo do fim de um túnel distante, ouviram a tosse escancarada de Sherrie. Jennifer endireitou as roupas e deixou que ele ajeitasse sua saia, e Anthony sentiu a pressão da mão dela ao conduzi-lo pela pouca distância até a luz, até o mundo real. Ele ainda sentia as pernas bambas, a respiração irregular, já lamentava ter deixado aquele paraíso escuro para trás.

— Quinze minutos — disse Sherrie para seu livro quando Jennifer apareceu no corredor. Seu vestido estava em ordem, só o cabelo bagunçado atrás era uma pista do quanto ela transpirara.

— Se você está dizendo. — Ele deslizou outra nota para a moça.

Jennifer virou-se para ele, o rosto ainda corado.

— Meu sapato! — exclamou, levantando um pé só de meia.

Deu uma gargalhada, tapou a boca. Ele quis celebrar ao ouvir aquela expressão travessa, pois tivera medo de que ela de repente ficasse pensativa ou arrependida.

— Eu pego — disse ele, voltando para a chapelaria.

— Quem disse que o cavalheirismo morreu? — murmurou Sherrie.

Ele tateou no escuro à cata do sapato de seda esmeralda, ajeitando o cabelo com a mão livre para que aquele desalinho não fosse um indício tão óbvio quanto o dela. Fantasiou que sentia o cheiro rançoso de sexo agora misturado aos vestígios de perfume. Ah, mas ele nunca sentira nada parecido com isso. Fechou os olhos por um instante, evocando a sensação dela, a sensação de...

— Ora! Olá, Sra. Stirling!

Ele localizou o sapato embaixo de uma cadeira virada, e ouviu a voz de Jennifer, um breve murmúrio de conversa.

Quando saiu, um jovem havia parado ao lado da chapelaria. Tinha um cigarro no canto da boca, e estava abraçado a uma morena que batia palmas com entusiasmo na direção de onde vinha a música.

— Como vai, Reggie?

Jennifer estendia a mão, que o rapaz apertou rapidamente.

Anthony viu os olhos do jovem deslizarem para ele.

— Vou bem. O Sr. Stirling está com você?

Ela foi rápida.

— Laurence está viajando a trabalho. Este é Anthony, um amigo nosso. Ele muito gentilmente me convidou para sair hoje.

Um braço serpenteou até ele.

— Como vai?

O sorriso de Anthony parecia uma careta.

Reggie ficou ali parado, olhando para o cabelo de Jennifer, o leve rubor da sua face, algo desagradavelmente cúmplice no olhar. Assentiu com um gesto de cabeça para os pés dela.

— Parece que você está... sem um sapato.

— Meus sapatos de dançar. Troquei e me devolveram um dos pés errado. Bobagem minha. — Sua voz era tranquila, impassível.

Anthony mostrou-o.

— Achei — disse. — Botei os de passeio embaixo do casaco.

Sherrie estava sentada imóvel ao lado dele, o rosto enterrado no livro.

Reggie deu uma risadinha, claramente curtindo a interrupção que causara. Anthony se perguntou rapidamente se ele esperava que lhe oferecessem uma bebida ou que o convidassem para se juntar a eles, mas nem morto ele faria uma coisa ou outra.

Felizmente, a companheira do jovem puxou-lhe o braço.

— Vamos, Reggie. Olha, a Mel está ali.

— O dever chama. — Ele acenou e se afastou, passando por entre as mesas. — Aproveitem... a dança.

— Droga — disse ela entredentes. — Droga. Droga. Droga.

Ele a conduziu de volta para o salão principal.

— Vamos beber alguma coisa.

Voltaram a ocupar a mesma mesa, o êxtase de dez minutos antes já uma lembrança distante. Anthony antipatizara de cara com o jovem; mas, por tê-lo feito perder aquela alegria, poderia esmurrá-lo.

Ela tomou um martíni de um gole só. Em outras circunstâncias, ele teria achado graça. Agora, no entanto, o gesto mostrava a ansiedade dela.

— Não fique nervosa — disse ele. — Não há nada que você possa fazer.

— Mas e se ele contar...

— Então você deixa o Laurence. Simples.

— Anthony...

— Você não pode voltar para ele, Jenny. Não depois disso. Você sabe.

Ela pegou um estojo de pó compacto e limpou o rímel embaixo dos olhos. Aparentemente insatisfeita, fechou o estojo com violência.

— Jenny?

— Pense no que está me pedindo. Eu perderia tudo. Minha família... tudo o que a minha vida é. Eu cairia em desgraça.

— Mas você teria a mim. Eu faria você feliz. Você disse isso.

— É diferente para as mulheres. Eu seria...

— A gente se casa.

— Acha mesmo que Laurence algum dia se divorciaria de mim? Acha que ele me deixaria sair de casa? — Seu rosto tinha ficado sombrio.

— Sei que ele não é o homem certo para você. Eu sou. — Como ela não respondeu, ele continuou: — Você é feliz com ele? Esta é a vida que você quer? Ser uma prisioneira numa gaiola de ouro?

— Eu não sou uma prisioneira. Não seja ridículo.

— Você simplesmente não vê isso.

— Não. É assim que *você* quer ver. Larry não é má pessoa.

— Você ainda não consegue enxergar isso, Jenny, mas vai ser cada vez mais infeliz com ele.

— Agora, além de jornalista, você é vidente?

Ele ainda se sentia sensível, e isso o deixava inconsequente.

— Ele vai esmagar você, apagar as coisas que a fazem ser você. Jennifer, aquele homem é um idiota, um idiota perigoso, e você está cega demais para enxergar isso.

Ela virou a cara.

— Como você se atreve? Como se *atreve*?

Anthony viu as lágrimas nos olhos dela, e o calor dentro dele se dissipou. Pegou um lenço no bolso, fez menção de enxugar suas lágrimas, mas ela deteve sua mão.

— Não — murmurou ela. — Reggie pode estar olhando.

— Desculpe-me. Eu não queria fazer você chorar. Por favor, não chore.

— É que é tão difícil — murmurou ela. — Eu achava que era feliz. Achava que a minha vida era boa. E aí você chegou e nada... nada mais faz sentido. Tudo o que eu tinha planejado, casas, filhos, férias, eu não quero mais. Eu não consigo dormir, não consigo comer. Penso em você o tempo todo. Sei que não vou conseguir parar de pensar *nisso*. — Apontou para a chapelaria. — Mas a ideia de realmente sair de casa — fungou — é como olhar para um abismo.

— Um abismo?

Ela assoou o nariz.

— Amar você teria um custo altíssimo. Meus pais me deserdariam. Eu não teria nada para levar comigo. E eu não sei fazer nada, Anthony. Não sirvo para nada a não ser para a vida que tenho. E se eu não conseguisse nem administrar sua casa?

— Acha que eu ligo para isso?

— Você ligaria. Um dia. Uma dondoca mimadinha. Foi isso que você pensou de mim quando me conheceu, e estava certo. Sei fazer os homens gostarem de mim, mas não sei fazer mais nada.

Seu lábio inferior tremia. Ele desejou, furioso consigo mesmo, nunca ter usado essa palavra contra ela. Ficaram sentados em silêncio, vendo Felipe tocar, ambos absortos em seus pensamentos.

— Ofereceram-me um emprego — disse ele por fim. — Em Nova York. Correspondente na ONU.

Ela se virou para ele.

— Você vai embora?

— Ouça. Há anos eu sou um desastre. Quando estava na África, surtava. Quando estava em casa, não podia esperar para voltar. Eu nunca conseguia sossegar, nunca conseguia fugir do sentimento de que deveria estar em outro lugar, fazendo outra coisa. — Pegou a mão dela. — Aí eu conheci você. De repente eu consigo enxergar um futuro. Consigo ver razão para sossegar, para construir uma vida num lugar. Trabalhar na ONU seria bom. Só quero estar com você.

— *Eu não posso*. Você não entende.

— O quê?

— Tenho medo.

— Do que ele faria? — A raiva subiu dentro dele. — Acha que tenho medo dele? Acha que eu não poderia proteger você?

— Não. Dele não. Por favor, fale mais baixo.

— Daquelas pessoas ridículas com quem você anda? Você realmente se importa com a opinião delas? São pessoas vazias, burras, com...

— Pare! Não são elas!
— O que é, então? Do que você tem medo?
— De você.
Ele esforçava-se para entender.
— Mas eu não...
— Tenho medo do que sinto por você. Tenho medo de amar tanto alguém. — Sua voz falhou. Ela dobrou o guardanapo do coquetel, torcendo-o entre os dedos finos. — Eu amo Larry, mas não dessa forma. Já gostei dele e já o desprezei, e a maior parte do tempo a gente se dá razoavelmente bem e já me adaptei e sei que posso viver assim. Entende? Sei que posso viver assim pelo resto da vida e não vai ser muito ruim. Muitas mulheres estão em situação pior.
— E comigo?
Ela custou tanto a responder que ele quase repetiu a pergunta.
— Se eu me permitisse amar você, isso me consumiria. Só existiria você. Eu viveria com medo de que você pudesse mudar de ideia. E, se isso acontecesse, eu morreria.
Ele pegou as mãos dela, levou-as aos lábios, ignorando os protestos sussurrados. Beijou a ponta dos seus dedos. Queria levar todo o ser dela para dentro dele. Queria envolvê-la e nunca soltá-la.
— Eu amo você, Jennifer — disse. — Nunca vou deixar de amá-la. Nunca amei ninguém antes de você e nunca haverá ninguém depois.
— Você diz isso agora — retrucou ela.
— Porque é verdade. — Ele balançou a cabeça. — Não sei o que mais você quer que eu diga.
— Nada. Você já disse tudo. Eu tenho tudo no papel, suas belas palavras. — Retirou a mão da dele e pegou o martíni. Quando tornou a falar, foi como se estivesse se dirigindo a si própria: — Mas isso não facilita nada.
Ela desenroscara a perna da dele. O vazio que ficou doeu.
— O que está dizendo? — Esforçou-se para manter a voz sob controle. — Você me ama, mas não há esperança para a gente?
Ela franziu um pouco o rosto.
— Anthony, acho que nós dois sabemos... — Mas não terminou a frase. Não precisava.

Arthur James não está mais "em um relacionamento".

Homem para Mulher, por atualização do Facebook — nome fictício

10

Ela vira a Sra. Stirling sumir da festa do escritório e o Sr. Stirling ficar cada vez mais agitado até atirar o copo no chão e ir a passos largos para o corredor atrás deles. Quase vibrando de empolgação, a vontade dela era segui-lo, para ver o que estava acontecendo, mas Moira Parker tinha autocontrole suficiente para ficar onde estava. Mais ninguém parecia ter notado que ele deixara o salão.

Finalmente, ele voltou para a festa. Ela o via acima do sobe e desce das cabeças, totalmente isolado. Seu semblante revelava pouca emoção, embora notasse uma tensão em suas feições que nem ela conhecia.

O que aconteceu lá? O que Jennifer Stirling andou fazendo com aquele rapaz?

Um lampejo de alegria quase indecente surgiu dentro dela, alimentando sua imaginação a ponto de fazê-la brilhar. Talvez ele tivesse sido obrigado a enxergar a criatura egoísta que sua mulher era. Moira sabia que, quando todos voltassem ao trabalho, bastariam algumas palavras para transformar o comportamento da mulher dele no assunto do momento. Mas então lembrou, com súbita melancolia, que isso também significaria expor Sr. Stirling, e a perspectiva de aquele homem corajoso, digno e estoico virar alvo de fofocas de secretárias lhe apertou o coração. Como ela podia humilhá-lo no único lugar onde ele deveria ser considerado superior a todos?

Moira ficou parada, impotente, do outro lado da sala: temia reconfortar seu chefe, mas se sentia tão distante das comemorações dos colegas de trabalho que nem parecia estar na mesma sala que eles. Ela o viu ir até o bar improvisado e, com uma careta, aceitar um copo do que parecia uísque. Ele tomou-o de um gole e pediu outro. Depois de um terceiro, cumprimentou quem estava à sua volta com um gesto de cabeça e foi para sua sala.

Moira abriu caminho por entre aquelas muitas pessoas. Eram 22h45. A música parara, e algumas pessoas estavam indo embora. Quem não saía obviamente se encaminhava para outro lugar, longe da vista dos colegas. Atrás do cabideiro para casacos, Stevens beijava aquela ruiva da sala de datilografia como se ninguém pudesse vê-los. A moça tinha a saia levantada até a coxa, e ele, com aqueles dedos gorduchos, puxava as ligas bege, agora à mostra. Moira viu que o mensageiro não tinha voltado depois de levar Elsie Machzynski para pegar um táxi, e Moira se perguntava o que poderia dizer depois a Elsie para deixar claro que reparara, ainda que tivesse sido apenas ela e mais ninguém. Será que todos menos Moira eram obcecados por assuntos carnais? Será que as saudações formais, a conversa educada de todos os dias eram simplesmente um disfarce para uma natureza devassa que lhe faltava?

— Vamos à boate Cat's Eye. Quer vir conosco, Moira? Se soltar um pouco?

— Ah, ela não vai querer — disse Felicity Harewood, com tanto desdém que, por um momento, Moira considerou surpreender todo mundo dizendo "Puxa, sim, para dizer a verdade, eu adoraria ir com vocês". Mas a luz na sala do Sr. Stirling estava acesa. Moira fez o que qualquer outra assistente pessoal de um executivo faria. Ficou, para botar as coisas em ordem.

Já era quase 1 hora quando terminou. Não fez tudo sozinha: a moça nova da Contabilidade segurou o saco plástico enquanto ela recolhia as garrafas vazias, e o chefe do Comercial, um sul-africano alto, ajudou a recolher os copos descartáveis, cantando alto lá do vestiário das mulheres. No fim ficou só Moira, esfregando as manchas no linóleo que ainda poderiam ser removidas e catando com uma escova e uma pá as batatas fritas e os amendoins que de alguma forma haviam ficado entranhados nas juntas da cerâmica. Os homens podiam colocar as mesas no lugar quando voltassem. Afora algumas guirlandas prateadas, o local parecia de novo quase próprio para se trabalhar.

Ela olhou para a árvore de Natal surrada, os enfeites quebrados ou faltando, e para a caixa de correio, que ficara bem amassada após alguém ter sentado em cima, para o papel crepom descolando tristemente nas laterais. Ainda bem que a mãe dela não estava viva para ver suas preciosas bolas jogadas de lado com tanto descuido.

Ela embalava as últimas coisas quando viu o Sr. Stirling. Estava sentado em sua cadeira de couro, a cabeça apoiada nas mãos. A mesa perto da porta servia de suporte para o que sobrara de bebida e, quase por impulso, ela serviu dois dedos de uísque. Atravessou o salão e bateu à porta. Ele continuava de gravata. Formal até nessa hora.

— Eu estava botando as coisas em ordem — disse Moira quando ele a encarou. De repente sentiu-se constrangida.

Ele desviou o olhar para a janela e Moira então se deu conta de que ele não percebera que ela ainda estava lá.
— É muita gentileza sua, Moira — disse ele baixinho. — Obrigado.
Pegou o uísque da mão dela e tomou-o, dessa vez devagar.
Moira viu que seu chefe tinha o rosto desolado, que suas mãos tremiam. Ela estava perto da quina da mesa dele, e pela primeira vez tinha certeza de que havia uma razão para ela estar ali. Na mesa dele, cuidadosamente empilhadas, estavam as cartas que ela deixara para ele assinar mais cedo naquele mesmo dia. Parecia séculos antes.
— Gostaria que eu lhe trouxesse mais? — ofereceu quando ele terminou a dose. — Ainda tem um pouquinho na garrafa.
— Acho que já bebi bastante. — Houve um longo silêncio. — O que devo fazer, Moira? — Ele balançou a cabeça, como se envolvido numa discussão interna que ela não ouvia. — Eu dou tudo a ela. *Tudo*. Nunca lhe faltou nada. — A voz dele era hesitante, entrecortada. — Dizem que está tudo mudando. As mulheres querem algo novo... Sabe Deus o quê. Por que tudo tem que mudar?
— Nem todas as mulheres — disse ela baixinho. — Muitas mulheres achariam maravilhoso ter um marido que as sustentasse, de quem elas pudessem cuidar, e para quem pudessem construir um lar.
— Você acha? — Os olhos dele estavam vermelhos, indicando sua exaustão.
— Ah, eu sei. Um homem para quem preparar uma bebida quando ele chegasse em casa, para fazer a comida dele e mimá-lo um pouco. Eu... isso seria muito bom. — Enrubesceu.
— Então por que... — Ele suspirou.
— Sr. Stirling — disse ela de repente —, o senhor é um patrão maravilhoso. Um homem maravilhoso. Mesmo. — Ela continuou, embora com dificuldade: — Ela tem muita sorte de ter o senhor. Ela deve saber disso. E o senhor não merece... não merecia... — Sua voz foi sumindo, e mesmo enquanto falava ela sabia estar quebrando um protocolo tácito. — Desculpe-me — disse, quando o silêncio se estendeu desconfortavelmente além das suas palavras. — Sr. Stirling, não foi minha intenção presumir...
— Será que é errado — prosseguiu ele, tão baixo que a princípio ela não compreendeu bem o que ele dizia — um homem querer ser abraçado? Será que isso o torna menos homem?
Ela sentia as lágrimas brotando... e algo embaixo delas, algo mais sensato, mais perspicaz. Chegou mais perto e colocou um braço de leve nos ombros dele. Ah, como era bom tocá-lo! Alto e largo, o paletó caindo muito bem no seu corpo. Ela sabia que revisitaria esse momento repetidas vezes pelo resto da vida. A sensação, a liberdade de tocá-lo... Ela quase desmaiou de prazer.

Como ele não fez nada para impedi-la, ela se debruçou um pouco e, prendendo a respiração, encostou a cabeça no ombro dele. Um gesto de consolo, solidariedade. A sensação seria esta, pensou em êxtase. Desejou, por um momento, que alguém tirasse uma foto dos dois juntinhos com tanta intimidade. Então ele levantou a cabeça, e de repente ela ficou alarmada — e sentiu vergonha.

— Desculpe-me. Vou buscar...

Ela se endireitou, engasgando com as palavras. Mas a mão dele segurava a dela. Quente. Íntima.

— Moira — disse ele, os olhos semicerrados, a voz rouca de desespero e desejo.

Tinha as mãos no rosto dela, inclinando-o, puxando-o para junto do seu, e a boca buscando desesperada, determinada. Ela deixou escapar um som, um arquejo de choque e prazer, e então se viu retribuindo o beijo dele. Ele era só o segundo homem que ela beijara, e esse momento teve um alcance superior ao anterior, colorido como estava por anos de desejo não correspondido. Pequenas explosões ocorreram dentro dela enquanto seu sangue fervilhava, e parecia que seu coração ia sair pela boca.

Ela sentiu que ele a deitava na mesa, o murmúrio rouco e urgente da voz dele, aquelas mãos no seu decote, nos seus seios, aquele hálito quente em sua clavícula. Inexperiente, ela não sabia onde botar as mãos, as pernas, mas se viu agarrando-o, querendo agradar, perdida em sensações novas. *Eu adoro você*, disse-lhe ela em silêncio. *Tome o que quiser de mim.*

Mas, mesmo enquanto se entregava ao prazer, Moira sabia que deveria manter uma parte sua consciente para se lembrar. Mesmo enquanto ele a envolvia, a penetrava, sua saia levantada acima dos quadris, o tinteiro dele se enterrando desconfortavelmente em seu ombro, ela sabia que não era ameaça para Jennifer Stirling. As Jennifers da vida sempre seriam o prêmio maior, de um jeito que uma mulher como ela jamais poderia ser. Mas Moira Parker tinha uma vantagem: era grata de uma forma como Jennifer Stirling e aquelas mulheres que sempre tinham tudo de bandeja nunca eram. E sabia que até uma breve noite como aquela podia ser a lembrança mais preciosa de todas as lembranças preciosas, e que, se fosse para aquele ser o acontecimento definitivo de sua vida romântica, alguma parte dela deveria estar suficientemente consciente para arquivá-la com cuidado em algum lugar. Para que, quando acabasse, ela pudesse revivê-la naquelas noites intermináveis quando estivesse sozinha de novo.

Ela estava sentada no salão da frente quando ele voltou. Vestia um casaco de tweed framboesa e chapéu; a bolsa de verniz preto e as luvas combinando estavam pousadas cuidadosamente no colo. Ouviu o carro dele parar, viu as luzes externas da casa diminuírem e se pôs de pé. Abriu a cortina um pouco e o viu sentar-se no banco do motorista, deixando os pensamentos acompanharem o ritmo do motor que desligava.

Ela olhou para as malas, às suas costas, e depois se afastou da janela.

Ele entrou e largou o sobretudo na cadeira do saguão. Ela ouviu as chaves do carro caírem no potinho que havia na mesa, e o barulho de algo caindo. A fotografia do casamento? Ele hesitou um instante em frente à entrada da sala de estar, depois abriu a porta e a encontrou.

— Acho que devo ir embora.

Ela viu os olhos dele irem para a mala a seus pés, a que ela usara quando deixara o hospital, semanas antes.

— Você acha que deve ir embora.

Ela respirou fundo. Pronunciou as palavras que ensaiara durante as últimas duas horas:

— Nenhum de nós dois está feliz. E sabemos disso.

Ele foi até o armário de bebidas e serviu-se de três dedos de uísque. O jeito como ele segurou a garrafa a fez se perguntar quanto ele havia bebido desde que ela deixara a festa. Ele foi com o copo de vidro lapidado até uma cadeira e sentou-se pesadamente. Olhou para ela, encarou-a por alguns minutos. Ela lutou contra a necessidade de se mexer.

— Então... — começou ele. — Tem alguma coisa em mente? Alguma coisa que poderia fazê-la mais feliz?

O tom dele era sarcástico, desagradável; a bebida havia despertado algo nele. Mas ela não estava com medo. Tinha a liberdade de saber que ele não era o seu futuro.

Ficaram se encarando, dois combatentes travando uma batalha difícil.

— Você sabe, não? — perguntou ela.

Ele tomou um gole do uísque, sem tirar os olhos do rosto dela.

— Sei o quê, Jennifer?

Ela tomou fôlego.

— Que amo outra pessoa. E que não é Reggie Carpenter. Nunca foi. — Ela mexia na bolsa enquanto falava. — Descobri esta noite. Reggie foi um equívoco, um desvio da verdade. Mas você está sempre muito zangado comigo. Desde que saí do hospital. Porque você sabe, assim como eu, que outra pessoa me ama, e que não tem medo de me dizer. Por isso você não queria que eu fizesse muitas perguntas. Por isso a minha mãe, e todos os outros, insistiram tanto em que eu simplesmente fosse levando. Você não queria que eu lembrasse. Nunca quis.

Ela meio que esperara que ele explodisse de raiva. Mas, em vez disso, ele balançou a cabeça. Então, enquanto ela prendia a respiração, ele ergueu o copo para ela.

— Então... esse seu amante, a que horas ele vem? — Olhou para o relógio, depois para as malas. — Imagino que ele venha buscá-la.

— Ele... — Ela engoliu em seco — Eu... Não é assim.

— Então você vai encontrá-lo em outro lugar.

Ele estava muito calmo. Quase como se estivesse curtindo aquilo.

— Depois.

— Depois — repetiu ele. — Por que depois?

— Eu... eu não sei onde ele está.

— Você não sabe onde ele está.

Laurence terminou o uísque. Levantou-se com esforço e serviu-se de mais um copo.

— Eu não me lembro, você sabe. As coisas estão voltando, e eu ainda não tenho isso claro na cabeça, mas sei que isso — fez um gesto mostrando a sala — me parece errado por uma razão. Parece errado porque estou apaixonada por outra pessoa. Então, sinto muito, mas tenho que ir. É a coisa certa a fazer. Para nós dois.

Ele balançou a cabeça.

— Posso perguntar o que esse cavalheiro, o seu amante, tem que eu não tenho?

A luz da rua lá fora tremeluziu.

— Não sei — admitiu ela. — Só sei que eu o amo. E que ele me ama.

— Ah, você sabe, é? E o que mais sabe? Onde ele mora? O que ele faz? Como vai sustentar você e seus gostos extravagantes? Será que vai lhe comprar roupas novas? Deixar você ter uma governanta? Joias?

— Não ligo para nada disso.

— Você ligava, definitivamente.

— Estou diferente agora. Só sei que ele me ama, e é isso que realmente importa. Pode caçoar de mim à vontade, Laurence, mas você não sabe...

Ele se levantou de um pulo da cadeira e ela recuou.

— Ah, eu sei tudo sobre o seu amante, Jenny! — gritou ele. Puxou um envelope amassado do bolso interno, brandindo-o. — Quer saber mesmo o que aconteceu com você? Quer mesmo saber onde está esse seu amante? — Perdigotos voavam de sua boca, e ele tinha um olhar assassino.

Ela congelou, o ar preso no peito.

— Esta não é a primeira vez que você me deixa. Ah, não. Eu sei disso, assim como sei sobre ele, porque encontrei esta carta na sua bolsa depois do acidente.

Ela viu a letra familiar no envelope e não conseguiu tirar os olhos do papel.

— Esta é dele. Pedindo que você o encontre. Quer fugir com você. Só vocês dois. Fugir de mim. Para começar uma vida nova juntos. — Ele fez um esgar, meio de raiva, meio de tristeza. — Está lembrando agora, querida? — Empurrou a carta para Jennifer, que a pegou com dedos trêmulos. Abriu-a e leu-a.

> Meu querido e único amor,
> Eu falei sério. Cheguei à conclusão de que o único caminho é um de nós tomar uma decisão ousada.
> Vou aceitar o trabalho. Estarei na Plataforma 4, Paddington, às 19h15, sexta-feira à noite.

— Isso lhe diz algo, Jenny?
— Sim — sussurrou ela.
Imagens lampejaram em sua mente. Cabelo escuro. Um paletó de linho amassado. Uma pracinha pontilhada de homens de azul.
Boot.
— É, você o conhece? Está se lembrando de tudo?
— Sim, estou me lembrando... — Ela quase conseguia vê-lo. Ele estava muito perto agora.
— Obviamente não tudo.
— O que você...
— Ele morreu, Jennifer. Morreu no carro. Você sobreviveu ao acidente e o seu amiguinho morreu. Morreu no local, segundo a polícia. Então, não tem ninguém por aí esperando por você. Não tem ninguém na estação de Paddington. Não sobrou ninguém para você recordar.
A sala começara a rodar em volta dela. Ela ouvia-o falar, mas as palavras se recusavam a fazer sentido, a se fixar em algum significado.
— Não — disse ela, tremendo agora.
— Ah, receio que sim. Eu poderia talvez desencavar as notícias que saíram nos jornais se você realmente quisesse uma prova. Nós, seus pais e eu, mantivemos seu nome fora dos olhos do público, por razões óbvias. Mas a morte dele foi noticiada.
— Não.
Ela o empurrou, acertando ritmicamente o peito dele. *Não não não.* Não queria ouvir o que ele estava dizendo.
— Ele morreu no local.
— Pare! Pare com isso!
Ela se atirava sobre ele agora, furiosa, descontrolada, gritando. Ouvia a própria voz como se ao longe, quase sem se dar conta dos seus punhos encos-

tando no rosto, no peito dele, e depois daquelas mãos mais fortes agarrando seus pulsos até imobilizá-la.

Ele estava inalterável. O que ele dissera era inalterável.

Morto.

Ela afundou na cadeira e finalmente ele a soltou. Tinha a sensação de ter encolhido, como se a sala tivesse se expandido e engolido-a. *Meu querido e único amor.* Abaixou a cabeça de tal maneira que só enxergava o chão, e as lágrimas lhe escorriam pelo nariz, caindo no caro tapete.

Um bom tempo depois, ela olhou para ele. Ele tinha os olhos fechados, como se a cena fosse muito desagradável de assistir.

— Se você sabia — começou ela —, se via que eu estava começando a me lembrar, por que... por que não me disse a verdade?

Ele já não estava zangado. Sentou-se na cadeira em frente a ela, de repente derrotado.

— Porque eu tive esperanças... quando percebi que você não se lembrava de nada, tive esperanças de que a gente pudesse esquecer isso. De que a gente pudesse simplesmente continuar nossa vida como se nada tivesse acontecido.

Meu querido e único amor.

Ela não tinha para onde ir. Boot estava morto. Estivera morto o tempo todo. Ela se sentiu idiota, abandonada, como se tivesse imaginado a coisa toda num ataque de indulgência infantil.

— E — a voz de Laurence quebrou o silêncio — eu não queria que você tivesse que carregar a culpa de saber que, se não fosse por você, esse homem ainda poderia estar vivo.

E lá estava. Uma dor tão aguda que ela teve a sensação de ter sido perfurada.

— Pense o que quiser de mim, Jennifer, mas achei que você poderia ser mais feliz assim.

Algum tempo se passou. Depois, ela não sabia dizer se haviam sido horas ou minutos. De repente, Laurence se levantou. Serviu-se de outra dose de uísque e bebeu tudo, quase como se fosse água. Então colocou o copo cuidadosamente na bandeja de prata.

— Então... e agora? — disse ela, apática.

— Eu vou me deitar. Estou realmente muito cansado. — Virou-se e encaminhou-se para a porta. — Sugiro que você faça o mesmo.

Depois que ele saiu, ela ficou ali sentada uns instantes. Ouviu-o andar pesadamente no assoalho lá em cima, ouviu seus passos cansados e embriagados, o rangido da cabeceira da cama quando ele se deitou. Ele estava no quarto principal. O dela.

Ela releu a carta. Leu sobre um futuro que não seria seu. Um amor sem o qual não fora capaz de viver. Leu as palavras do homem que a amara até mais do que era capaz de dizer, um homem por cuja morte ela sem querer fora responsável. Finalmente viu o rosto dele: animado, esperançoso, cheio de amor.

Jennifer Stirling caiu no chão, encolhida com a carta agarrada ao peito, e começou a chorar baixinho.

Querido J... Sei que fui uma vaca e peço desculpas. Sei que você vem para casa amanhã, mas não estarei lá para vê-lo. David e eu vamos nos casar em *** e eu não vou mais ver você. Lá no fundo, eu amo você, mas por outro lado amo David mais ainda. Tchau, G.

Mulher a Homem, por carta

11

Ele os viu pela janela meio embaçada do café, mesmo naquela noite de fim de verão. O filho dele estava sentado à mesa mais perto da janela, lendo o cardápio e balançando as pernas. Anthony parou na calçada, observando as pernas agora mais compridas do menino, a ausência das formas arredondadas que o marcavam como criança. Conseguia imaginar perfeitamente o homem que o filho talvez se tornasse. Sentiu o coração apertar. Meteu o embrulho embaixo do braço e entrou.

O café fora escolha de Clarissa, um lugar grande e movimentado no qual as garçonetes usavam uniformes antiquados e aventais brancos. Ela chamara o estabelecimento de salão de chá, como se a palavra "café" a envergonhasse.

— Phillip?
— Papai?

Ele parou ao lado da mesa, notando com prazer o sorriso do garoto ao vê-lo.

— Clarissa — acrescentou.

Ela estava menos zangada, pensou ele imediatamente. Nos últimos anos, a fisionomia tensa dela fazia com que se sentisse culpado sempre que se encontravam. Agora ela olhava para ele com uma espécie de curiosidade, como quem examinasse algo capaz de se virar e morder: nos mínimos detalhes, e de longe.

— Você está muito bem — disse ele.
— Obrigada — agradeceu ela.
— E você cresceu — disse ele ao filho. — Nossa, acho que espichou 15 centímetros em dois meses.
— Três meses. E eles crescem, nessa idade.

Clarissa fez aquele *bico* de desdém que ele conhecia tão bem. Isso o fez lembrar-se por um instante da boca de Jennifer. Achava que nunca a tinha visto fazer uma expressão de desagrado assim. Talvez isso fosse incompatível com sua constituição.

— E você está... bem? — perguntou ela, servindo-lhe uma xícara de chá e empurrando-a para ele.

— Muito bem, obrigado. Ando trabalhando muito.

— Como sempre.

— E você, Phillip? A escola vai bem?

O garoto estava com a cara enterrada no cardápio.

— Responda ao seu pai.

— Vai.

— Ótimo. Continua tirando boas notas?

— Eu trouxe o último boletim dele. Achei que você podia querer ver.

Ela pegou o documento da bolsa e o entregou a ele.

Anthony notou, com um orgulho inesperado, as reiteradas referências ao "caráter decente" de Phillip, a seus "esforços genuínos".

— Ele é o capitão do time de futebol americano. — Ela mal conseguia disfarçar o prazer na voz.

— Muito bem! — Anthony deu tapinhas no ombro do filho.

— Ele faz o dever de casa todas as noites. Eu fico em cima dele.

Phillip agora não queria olhar para o pai. Será que Edgar já ocupara o vazio em formato de pai que ele temia existir na vida do filho? Será que jogava críquete com ele? Lia histórias para ele? Anthony sentiu algo se anuviar; tomou um gole de chá, tentando se recompor. Chamou uma garçonete e pediu um prato de bolos.

— O maior que tiver. Uma comemoração antecipada — disse.

— Assim ele não vai jantar direito — reclamou Clarissa.

— É só hoje.

Ela virou-se, como se estivesse se esforçando para morder a própria língua.

Em volta deles, o burburinho do café parecia aumentar. Os bolos chegaram em uma bandeja de prata de dois andares. Ele viu os olhos do filho deslizarem para as guloseimas e fez um gesto indicando que se servisse.

— Ofereceram-me um novo trabalho — disse Anthony quando o silêncio ficou muito pesado.

— Para o *Nation*?

— É, mas em Nova York. O repórter deles na ONU vai se aposentar, e me perguntaram se eu gostaria de assumir o lugar dele por um ano. O emprego vem com um apartamento bem no coração da cidade.

Ele nem acreditara quando Don lhe contara. Isso mostrava a confiança que tinham nele, dissera Don. Se ele fizesse tudo direito, quem sabe? Nessa época do ano que vem ele estaria na estrada de novo.

— Muito bom. — Ela pegou um pedaço pequeno de bolo com cobertura e colocou-o no prato a sua frente.

— Foi uma surpresa, mas é uma boa oportunidade.

— É. Bem, você sempre gostou de viajar.

— Não é viajar. Vou trabalhar na cidade.

Fora quase um alívio ouvir Don mencionar esse detalhe. Seria decisivo. Era um trabalho melhor e significava que Jennifer podia ir também, começar uma vida nova com ele... E, embora tentasse não pensar nessa hipótese, sabia que, caso ela se recusasse, trabalhar em Nova York lhe daria uma saída. Londres já tinha uma ligação inextricável com ela: por toda parte havia um ponto que lembrava o tempo que haviam passado juntos.

— De qualquer forma, virei aqui algumas vezes por ano, e sei o que você disse, mas eu gostaria de escrever.

— Não sei...

— Quero contar a Phillip um pouco da minha vida por lá. Talvez ele possa até me visitar quando for um pouco mais velho.

— Edgar acha que seria melhor para todos nós simplificar as coisas. Ele não gosta de... rupturas.

— Edgar não é o pai do Phillip.

— Ele é muito mais pai do que você um dia já foi.

Eles se olharam com raiva.

O bolo de Phillip estava no meio do prato, e ele estava sentado em cima das mãos.

— Não vamos discutir isso agora. É o aniversário de Phillip. — Seu tom de voz era mais alegre. — Acho que você quer ver o seu presente, não?

O filho ficou quieto. Nossa, pensou Anthony. O que estamos fazendo com ele? Abaixou-se e pegou um grande pacote retangular embaixo da mesa.

— Pode guardar isso para o grande dia se quiser, mas sua mãe me disse que você ia... que vocês iam sair amanhã, então achei que talvez fosse melhor eu lhe dar logo agora.

Entregou o embrulho. Phillip pegou-o e olhou com cautela para a mãe.

— Acho que você pode abrir, já que não vai ter muito tempo amanhã — disse ela, tentando sorrir. — Se me der licença, vou retocar a maquiagem.

Ela levantou-se, e Anthony observou-a andando por entre as mesas, se perguntando se ela ficara tão desalentada com aquele diálogo quanto ele. Talvez ela tivesse ido procurar um telefone público de onde pudesse ligar para Edgar e se queixar de quão irracional era o ex-marido.

— Vá em frente, então — disse ele ao menino. — Pode abrir.

Livre dos olhos da mãe, Phillip ficou um pouco mais animado. Rasgou o papel pardo e então parou, assombrado, ao ver o que era.

— É um Hornby — disse Anthony. — O melhor. E esse é o *Flying Scotsman*. Já ouviu falar?

Phillip balançou a cabeça afirmativamente.

— Vem com uma boa quantidade de trilhos, e eu consegui que o homem incluísse uma estaçãozinha e algumas pessoas. Estão nesse saco aqui. Acha que consegue montar o trem?

— Vou pedir para Edgar me ajudar.

Isso foi como um chute nas costelas. Anthony se forçou a aguentar a dor. Não era culpa do menino, afinal.

— Claro — disse entredentes. — Ele vai ajudar você, com certeza.

Ficaram um instante em silêncio. Então, Phillip estendeu o braço, pegou o bolo e o meteu na boca, um gesto espontâneo de prazer e gula. Depois escolheu mais um, dessa vez de chocolate, e, com uma piscadela conspiradora para o pai, deu a este o mesmo destino do primeiro.

— Ainda feliz de ver o seu velho pai, então?

Phillip aproximou-se e encostou a cabeça no peito de Anthony, que o envolveu com os braços, apertando-o, inalando o cheiro do seu cabelo, sentindo a atração visceral, que ele tentava tanto não reconhecer.

— Você está melhor? — perguntou o menino quando voltou a sua posição. Ele havia perdido um dente da frente.

— Como?

Phillip começou a tirar a locomotiva da caixa.

— Mamãe disse que você não estava bem, e que por isso não escreveu.

— Estou melhor, sim.

— O que aconteceu?

— Havia coisas... desagradáveis se passando quando eu estava na África. Coisas que me chatearam. Fiquei doente, depois fui um idiota e bebi demais.

— Foi idiotice *mesmo*.

— É. Foi sim. Não vou fazer mais isso.

Clarissa voltou para a mesa. Ele viu, assustado, que o nariz dela estava rosado e os olhos, vermelhos. Arriscou um sorriso e recebeu de volta um amarelo.

— Ele gostou do presente — disse Anthony.

— Nossa. Bem, é um presente e tanto. — Ela olhou para a locomotiva brilhante, para a alegria visível do filho, e acrescentou: — Espero que você tenha agradecido, Phillip.

Anthony serviu um bolo para ela, depois serviu-se de um também e ficaram ali os três num arremedo tenso de vida em família.

— Deixe eu escrever — disse Anthony pouco depois.
— Estou tentando começar uma vida nova, Anthony — murmurou ela. — Começar do zero. — Ela estava quase implorando.
— São só *cartas*.

Eles se encararam, sentados frente a frente à mesa de fórmica. Ao lado deles, o filho girava as rodas de seu novo trem, cantarolando de prazer.

— Uma carta. Que mal poderia fazer?

Jennifer abriu o jornal que Laurence deixara, esticou-o sobre a mesa da cozinha e virou uma página. Dava para vê-lo pela porta aberta, se olhando no espelho do saguão, ajeitando a gravata.

— Não se esqueça do jantar no Henley hoje à noite. As mulheres foram convidadas, então talvez você queira começar a pensar no que vai usar.

Como ela não respondeu, ele disse, irritado:

— Jennifer? É hoje à noite. E vai ser ao ar livre.

— Tenho certeza de que um dia inteiro é suficiente para eu escolher um vestido — respondeu ela.

Agora ele estava parado no umbral. Franziu o cenho quando viu o que ela fazia.

— Por que está fazendo isso?

— Estou lendo o jornal.

— Não faz o seu gênero, faz? Suas revistas não chegaram?

— Eu só... achei que eu poderia tentar ler um pouco. Ver o que está acontecendo no mundo.

— Não consigo ver nada no jornal que interesse a você.

Ela olhou rapidamente para a Sra. Cordoza, que fingia não ouvir enquanto lavava a louça na pia.

— Eu estava lendo — disse ela, bem pausadamente — sobre o julgamento do *Lady Chatterley*. É mesmo fascinante.

Ela mais sentiu do que viu o desconforto dele, pois continuava com os olhos no jornal.

— Não entendo mesmo por que está todo mundo fazendo tanto alvoroço. É só um livro. Pelo que eu entendo, é só uma história de amor entre duas pessoas.

— Bem, você não entende muito, certo? É uma indecência. Moncrieff leu e disse que o livro é subversivo.

A Sra. Cordoza esfregava uma panela com intenso vigor. Começara a cantarolar baixinho. Lá fora o vento aumentou, soprando umas folhas alaranjadas que passavam pela janela da cozinha roçando o vidro.

— Deveriam nos deixar julgar essas coisas por conta própria. Somos adultos. Quem acha que vai se ofender com o livro não precisa lê-lo.

— Ah sim. Bem, não vá dando suas opiniões inconsequentes sobre tais assuntos nesse jantar, por favor. Eles não são o tipo de gente que quer ouvir uma mulher opinando sobre questões que ignora totalmente.

Jennifer respirou fundo antes de responder:

— Bem, talvez eu peça a Francis para me emprestar o exemplar dele. Aí eu *saberia* do que estou falando. O que acha? — A mandíbula dela estava travada, e um pequeno músculo latejava na bochecha.

O tom de Laurence foi desdenhoso. Ele pegou a pasta.

— Ultimamente você tem acordado com o pé esquerdo. Espero que consiga ficar um pouco mais agradável hoje à noite. Se ler jornal a deixa assim, talvez seja melhor eu mandar entregá-lo no escritório.

Ela não se levantou da cadeira para lhe dar um beijo no rosto, como teria feito antes. Mordeu o lábio e continuou olhando para o jornal até o ruído da porta da frente se fechar informando-lhe que seu marido saíra para o trabalho.

Durante três dias ela mal dormiu e mal comeu. Quase todas as noites agora passava a madrugada em claro, esperando que algo bíblico caísse do escuro sobre sua cabeça. Passava o tempo todo intimamente furiosa com Laurence. De repente o enxergava com os olhos de Anthony, e se via concordando com a avaliação negativa dele. Então odiava Anthony por fazê-la se sentir assim em relação ao marido, e mais furiosa ainda por não poder lhe dizer isso. À noite, lembrava-se do toque das mãos de Anthony, da sua boca, imaginava-se fazendo coisas com ele que, à luz da manhã, a faziam corar. Certa vez, desesperada para acabar com sua confusão, para se reaproximar do marido, ela o acordou, deslizou uma perna alva para cima dele, beijou-o até que estivesse desperto. Mas ele ficara horrorizado, perguntara o que lhe dera e só faltou empurrá-la longe. Virara-lhe as costas, deixando-a chorar lágrimas de humilhação baixinho no travesseiro.

Durante essas horas em claro, junto com o conflito venenoso de desejo e culpa, ela aventava inúmeras possibilidades: poderia ir embora, de alguma maneira sobreviver à culpa, à perda do dinheiro e à angústia de sua família. Poderia ter um caso, dar um jeito de levar sua vida normal e ao mesmo tempo ter uma vida paralela com Anthony. Não era só Lady Chatterley que fazia isso, claro. Seu círculo social estava cheio de histórias de quem saía com quem. Ela poderia também desistir de tudo e ser uma boa esposa. Se o seu casamento não estava dando certo, então era culpa dela por não se esforçar o suficiente. E era possível reverter essas coisas: todas as revistas femininas diziam isso. Ela podia ser um pouquinho mais carinhosa, um pouquinho mais amorosa, apresentar-se mais bonita. Poderia, como dizia sua mãe, parar de achar que a grama do vizinho é sempre mais verde que a sua.

Chegara ao início da fila.

— Será que isso vai na remessa da tarde? E eu queria também conferir a minha caixa postal. É Stirling, número 13.

Não ia ali desde a noite no Alberto's, tentando se convencer de que era melhor assim. A coisa — não se atrevia a pensar naquilo como um caso — tinha ficado superaquecida. Eles precisavam deixar esfriar um pouco para poderem pensar com a cabeça mais no lugar. Mas, depois daquele diálogo desagradável com o marido naquela manhã, sua determinação desmoronara. Escrevera a carta às pressas, sentada na ponta da cadeira à pequena escrivaninha da sala, enquanto Sra. Cordoza passava o aspirador. Implorara a ele que entendesse. Não sabia o que fazer: não queria magoá-lo... Mas não suportava estar sem ele:

> *Sou casada. Para um homem, sair do casamento é uma coisa, mas e para uma mulher? No momento, não sou capaz de fazer nada de errado aos seus olhos. Você vê o melhor em tudo o que faço. Sei que chegaria o dia em que isso mudaria. Não quero que você veja em mim tudo o que desprezava nos outros.*

O bilhete era confuso, truncado, a letra em garranchos irregulares.

A chefe do correio pegou a carta da mão dela e entregou-lhe outra.

Seu coração ainda palpitava ao ver a letra dele. Suas palavras eram tão lindamente encadeadas que ela podia recitar sequências inteiras para si mesma no escuro, como poesia. Abriu o envelope com impaciência, ainda em pé no balcão, afastando-se para que o próximo da fila fosse atendido. Dessa vez, porém, as palavras eram um pouco diferentes.

Se outra pessoa notou a imobilidade completa da mulher loura de casaco azul, o modo como ela se segurou no balcão para se equilibrar quando terminou de ler a carta, provavelmente estava muito ocupada com os próprios pacotes e formulários para prestar muita atenção. Mas a mudança de atitude dela foi impressionante. Ela ficou ali mais um pouco, a mão tremendo ao jogar a carta na bolsa, e foi andando devagar, meio trôpega, para a rua ensolarada.

Perambulou pelas ruas do centro de Londres a tarde inteira, patrulhando as vitrines das lojas com uma intensidade vaga. Incapaz de voltar para casa, esperou que as ideias clareassem ali nas calçadas lotadas. Horas depois, quando entrou em casa, a Sra. Cordoza estava no corredor com dois vestidos pendurados no braço.

— A senhora não me disse qual vestido queria para o jantar hoje à noite, Sra. Stirling, então passei estes, para o caso de a senhora achar algum dos dois adequado.

O sol inundava o corredor com a luz suave de tom pêssego típica do fim do verão enquanto Jennifer continuava ali parada na entrada. O cinza sombrio voltou assim que ela fechou a porta às suas costas.

— Obrigada.

Ela passou pela governanta e entrou na cozinha. O relógio lhe dizia que eram quase 17 horas. Será que ele estava fazendo as malas agora?

Jennifer segurou a carta dentro do bolso. Lera-a três vezes. Verificou a data: sim, ele queria dizer aquela noite. Como pudera tomar uma decisão dessas tão depressa? Como conseguira tomar qualquer decisão, aliás? Ela se xingou por não ter pegado a carta antes, por ter perdido um tempo em que poderia pedir que ele reconsiderasse.

Não sou tão forte quanto você. Quando a conheci, achei que você fosse uma coisinha frágil, alguém que eu precisava proteger. Agora percebo que me enganei. Você é a forte de nós dois, a que é capaz de suportar conviver com a possibilidade de um amor como este, e com o fato de que ele jamais nos será permitido.

Peço-lhe que não me julgue por minha fraqueza. A única forma de eu poder suportar isso é estar em um lugar em que não a veja nunca, em que eu não seja assombrado pela possibilidade de vê-la com ele. Preciso estar em um lugar onde a pura necessidade impeça que você ocupe cada minuto, cada hora dos meus pensamentos. Aqui isso é impossível.

Primeiro ficou furiosa com ele por tentar forçá-la a uma decisão. Mas em seguida bateu-lhe o medo terrível de que ele fosse embora. Como seria saber que nunca mais o veria? Como poderia continuar naquela vida tendo vislumbrado a alternativa que ele lhe mostrara?

Vou aceitar o trabalho. Estarei na Plataforma 4, Paddington, às 19h15, sexta-feira à noite, e nada no mundo me faria mais feliz do que você encontrar coragem para vir comigo.

Se não vier, saberei que o que sentimos um pelo outro, seja lá o que for, não basta. Não a culpo, minha querida. Sei que a pressão das últimas semanas foi intolerável para você, e o peso disso me afeta profundamente. Odeio a ideia de poder lhe causar qualquer tristeza.

Ela fora muito honesta com ele. Não deveria ter confessado a confusão, as noites atormentadas. Se tivesse pensado que ela passava por menos conflitos, ele não teria tido necessidade de agir assim.

Saiba que você tem meu coração, minhas esperanças, em suas mãos.

E então isso: essa grande ternura. Anthony, que não podia suportar a ideia de diminuí-la, que queria protegê-la do pior dos sentimentos dela própria, lhe oferecia as duas saídas mais fáceis: ir com ele ou ficar onde estava sem ser recriminada, sabendo que era amada. O que mais ele poderia ter feito?

Como ela poderia tomar uma decisão tão importante em tão pouco tempo? Pensara em ir à casa dele, mas não sabia se ele estaria lá. Pensara em ir ao jornal, mas tinha medo de que algum colunista de fofocas visse, que ela se tornasse objeto de curiosidade ou, pior, de constrangimento para ele. Além disso, o que ela poderia dizer para fazê-lo mudar de ideia? Tudo o que ele dissera era certo. Não havia outro fim possível para aquela relação. Não havia maneira de consertar as coisas.

— Ah, o Sr. Stirling ligou para dizer que vai pegá-la às 18h45. Ele está um pouco atrasado no escritório. Mandou o motorista vir buscar seu terno para o jantar.

— Sim — disse ela, distraída. De repente se sentiu febril, apoiou-se na balaustrada.

— Sra. Stirling, está tudo bem?

— Sim, estou bem.

— Parece que a senhora precisa descansar um pouco. — A Sra. Cordoza estendeu os vestidos cuidadosamente sobre a cadeira do saguão e pegou o casaco de Jenny. — Preparo um banho para a senhora? Eu poderia preparar uma xícara de chá enquanto a banheira enche se quiser.

Ela se virou para a governanta.

— Sim, acho que sim. Você disse 18h45? — Começou a subir as escadas.

— Sra. Stirling? E os vestidos? Qual deles?

— Ah, é. Não sei. Escolha você.

Ela ficou deitada na banheira, quase alheia à água quente, anestesiada pelo que estava prestes a acontecer. Sou uma boa esposa, disse a si mesma. Vou ao jantar hoje, e serei divertida e alegre e não vou falar sobre assuntos que desconheço.

O que Anthony escrevera certa vez? Que ser uma pessoa decente podia ser prazeroso. *Mesmo se você não sentir isso agora.*

Ela saiu da banheira. Não conseguia relaxar. Precisava de algo que a distraísse dos seus pensamentos. De repente desejou poder se drogar e dormir pelas duas horas seguintes. Pelos dois meses seguintes até, pensou melancolicamente, pegando a toalha.

Abriu a porta do banheiro e ali, em cima da cama, a Sra. Cordoza estendera os dois vestidos: de um lado estava o azul que ela usara na noite do aniversário de Laurence. Fora uma noite alegre no cassino. Bill ganhara muito dinheiro na roleta e insistira em pagar champanhe para todo mundo. Ela bebera muito, ficara tonta, sem apetite. Agora, no quarto silencioso, recordava outras partes da noite que obedientemente excluía do relato. Lembrava-se de Laurence criticando-a por gastar muito dinheiro em fichas de jogo. Lembrava-se dele murmurando que ela o estava constrangendo — até Yvonne dizer a ele, com jeitinho, para não ser ranzinza. *Ele vai esmagar você, apagar as coisas que a fazem ser você.* Lembrava-se dele parado à porta da cozinha naquela manhã. *Por que está fazendo isso? Espero que consiga ficar um pouco mais agradável hoje à noite.*

Ela olhou para o outro vestido na cama: brocado dourado, de gola japonesa e sem manga. O vestido que ela usara na noite em que Anthony O'Hare se recusara a fazer amor com ela.

Foi como se uma névoa pesada tivesse se dissipado. Ela largou a toalha e botou uma roupa. Aí começou a atirar coisas em cima da cama. Roupas íntimas. Sapatos. Meias. Que diabo se botava na mala quando se estava partindo de vez?

Suas mãos tremiam. Quase sem saber o que fazia, puxou a mala do alto do armário e abriu-a. Jogou coisas lá dentro com uma espécie de abandono, receando que, se parasse para pensar no que estava fazendo, simplesmente não o faria.

— Vai a algum lugar, senhora? Quer que eu a ajude a arrumar a mala? — A Sra. Cordoza aparecera à porta atrás dela, segurando uma xícara de chá.

Jennifer levou automaticamente a mão ao pescoço. Virou-se, meio que escondendo a mala às suas costas.

— Não, não. Só estou levando umas roupas para a Sra. Moncrieff. Para a sobrinha dela. Coisas de que enjoei.

— Tem umas na lavanderia que a senhora disse que não lhe serviam mais. Quer que eu as traga?

— Não. Eu faço isso.

A Sra. Cordoza espiou a cama.

— Mas esse é o seu vestido dourado. A senhora adora ele.

— Sra. Cordoza, *por favor*, quer me deixar separar minhas próprias roupas? — disse secamente.

A governanta recuou.

— Perdoe-me, Sra. Stirling — disse, e retirou-se num silêncio magoado.

Jennifer começou a chorar, os soluços vindo em explosões. Deitou-se em cima da colcha, as mãos acima da cabeça, e soluçou, sem saber o que fazer, consciente apenas de que a cada segundo de indecisão o rumo de sua vida ficava em suspenso. Ouvia a voz da mãe, via sua expressão horrorizada diante da notícia da desgraça da família, as pessoas na igreja chocadas e deliciadas, cochichando. Via a vida que planejara, os filhos que certamente suavizariam a frieza de Laurence, que o obrigariam a se dobrar um pouco. Via uma série minúscula de quartos alugados, Anthony o dia inteiro trabalhando, ela com medo em um país estranho sem ele. Via-o cansando-se dela naquelas roupas sem graça, já de olho em alguma outra mulher casada.

Nunca vou deixar de amar você. Nunca amei ninguém antes e nunca haverá ninguém depois de você.

Quando ela levantou, a Sra. Cordoza estava no pé da cama.

Enxugou os olhos e o nariz e se preparou para se desculpar pelas palavras ríspidas quando viu que a governanta fazia sua mala.

— Já botei os seus sapatos baixos e a sua calça marrom, que não precisa lavar muito.

Jennifer ficou apenas olhando para ela, ainda soluçando.

— Há roupa de baixo e uma camisola.

— Eu... eu não...

A Sra. Cordoza continuava fazendo a mala. Tirava as coisas de dentro, dobrava-as novamente, envolvia-as com papel de seda e colocava-as de volta, dedicando a elas o mesmo cuidado reverente que se poderia dispensar a um recém-nascido. Jennifer estava hipnotizada pela visão daquelas mãos alisando, ajeitando as coisas.

— Sra. Stirling — disse a Sra. Cordoza, sem levantar a vista —, eu nunca lhe contei isso. Na África do Sul, onde morei, era costume cobrir as janelas com cinzas quando um homem morria. Quando meu marido morreu, mantive as janelas limpas. Na verdade, limpei tanto os vidros que ficaram brilhando.

Certa de ter a atenção de Jennifer, ela continuou dobrando. Sapatos agora, colocados sola com sola dentro de um saco de algodão fino, arrumados cuidadosamente na base, um par de tênis brancos, uma escova de cabelo.

— Eu amava meu marido, sim, quando éramos jovens, mas ele não era um homem bom. Com o passar do tempo, ele se importava cada vez menos com o jeito como me tratava. Quando ele morreu de repente, Deus me perdoe, eu me senti como se alguém tivesse me libertado. — Ela hesitou, olhando para a mala, já preenchida pela metade. — Se alguém tivesse me dado uma chance, muitos anos atrás, eu teria ido embora. Acho que eu teria tido a chance de uma vida diferente.

Colocou as últimas roupas dobradas em cima e fechou a mala, afivelando os dois lados da alça.

— São 18h30. O Sr. Stirling disse que estaria em casa às 18h45, caso a senhora tenha esquecido. — E, sem dizer mais nada, ela se endireitou e saiu do quarto.

Jennifer olhou o relógio, e ignorou o resto das roupas. Saiu correndo pelo quarto, enfiando no pé o primeiro par de sapatos que achou. Foi até a penteadeira, catou no fundo de uma gaveta a reserva de dinheiro para compras de emergência que ela sempre guardava embolada dentro de um par de meias e meteu as notas no bolso, junto com um punhado de anéis e colares da caixa de joias. Então pegou a mala e arrastou-a escada abaixo.

A Sra. Cordoza segurava sua capa de chuva.

— O melhor lugar para pegar um táxi seria na New Cavendish Street. Eu sugeriria a Portland Place, mas acho que o motorista do Sr. Stirling passa por lá.

— New Cavendish Street.

As duas permaneceram imóveis, perplexas talvez, com o que haviam feito. Jennifer então se aproximou da Sra. Cordoza e deu-lhe um abraço impulsivo.

— Obrigada. Eu...

— Direi ao Sr. Stirling que, que eu saiba, a senhora foi às compras.

— Sim. Sim, obrigada.

Ela estava na rua, naquele ar noturno que de repente parecia carregado de possibilidades. Desceu cuidadosamente os degraus, olhando a praça à procura da familiar luz amarela de um táxi. Ao chegar à calçada, saiu correndo em meio ao crepúsculo que tomava conta da cidade.

Sentia uma avassaladora sensação de alívio — já não tinha mais que ser a Sra. Stirling, vestir-se, comportar-se, amar de determinada maneira. Percebeu, atordoada, que não tinha ideia de quem poderia ser ou onde poderia estar dali a um ano, e quase riu ao pensar isso.

As ruas estavam cheias de gente caminhando de forma resoluta, as luzes dos postes se acendendo na noite que caía. Jennifer correu, a mala batendo nas pernas, o coração aos pulos. Eram quase 18h45. Imaginou Laurence chegando em casa e chamando-a com irritação, a Sra. Cordoza amarrando um lenço na cabeça e comentando que a senhora estava fazendo compras havia muito tempo. Ele levaria mais meia hora para ficar preocupado de verdade, e, a essa altura, ela estaria na plataforma.

Estou chegando, Anthony, disse-lhe em silêncio, e a bolha que subiu ao seu peito podia ser de empolgação ou medo ou uma combinação embriagadora de ambos.

* * *

Não dava para ver nada com aquele movimento sem fim de gente na plataforma. No meio daquele vaivém agitado, ele já não sabia o que estava procurando. Anthony estava em pé ao lado de um banco de ferro, as malas no chão, e olhou o relógio pela milésima vez. Eram quase 19 horas. Se ela tivesse decidido ir com ele, certamente já teria chegado a essa altura, não?

Ele olhou para o quadro de horários, e depois para o trem que o levaria ao Heathrow. Relaxa, disse a si mesmo. Ela vem.

— O senhor vai no das 19h15?

O guarda estava ao seu lado.

— O trem já vai sair, senhor. Se essa bagagem é sua, aconselho-o colocar logo lá dentro.

— Estou esperando uma pessoa.

Correu os olhos pela plataforma até as catracas. Havia uma velha em pé ali, procurando desesperadamente um bilhete perdido tempos atrás. Balançava a cabeça de um jeito que sugeria não ser aquela a primeira vez que sua bolsa parecia ter engolido algum documento importante. Dois carregadores conversavam. Ninguém mais passou.

— O trem não espera, senhor. O próximo é às 21h45, caso precise.

Ele começou a andar de um lado a outro entre os dois bancos de ferro, tentando não olhar o relógio de novo. Lembrou-se do rosto dela aquela noite no Alberto's quando dissera que o amava. Não havia malícia em sua expressão, apenas honestidade. Mentir estava além dela. Ele não se atrevia a pensar como seria acordar ao lado dela todo dia, a euforia pura de ser amado por ela, tendo a liberdade de amá-la também.

Tinha sido meio que uma aposta, a carta que ele lhe enviara, o ultimato que continha, mas naquela noite ele reconhecera que ela estava certa: eles não podiam continuar daquele jeito. A pura força dos sentimentos deles se transformaria em algo venenoso. Eles começariam a se ressentir um com o outro por não poderem fazer o que tanto desejavam. Se o pior acontecesse, dizia ele a si mesmo repetidas vezes, ao menos ele teria agido de forma honrada. Mas, de alguma maneira, não acreditava que aconteceria o pior. Ela viria. Tudo nela lhe dizia que ela viria.

Ele tornou a olhar o relógio, e correu os dedos pelos cabelos, olhando a toda hora para os poucos passageiros que passavam pelas catracas.

— Essa mudança vai ser boa para você — dissera-lhe Don. — Vai mantê-lo longe dos problemas.

Ele se perguntara se seu editor, no íntimo, estava aliviado por mandá-lo para outra parte do mundo.

Pode ser, respondeu-lhe, abrindo caminho quando um grupo de homens de negócios apressados embarcou no trem. *Tenho 15 minutos para descobrir se isso é verdade.*

Mal dava para acreditar. Começara a chover pouco depois que ela chegara à New Cavendish Street, o céu ficando primeiro de um tom fechado de laranja, depois negro. Como se seguissem alguma instrução secreta, todos os táxis estavam ocupados. Todas as silhuetas pretas dos veículos que ela via tinham a luz amarela reduzida, ou seja, algum passageiro já a caminho de onde quer que precisasse estar. Ela fazia sinal assim mesmo. *Não percebem que é urgente?*, tinha vontade de gritar para as pessoas. *Minha vida depende deste táxi.*

A chuva agora era torrencial, caindo com força, como uma tempestade tropical. Guarda-chuvas se abriam em volta dela, os cabos esbarrando nela enquanto ela trocava o peso do corpo de um pé para o outro no meio-fio. Primeiro ficou molhada, depois realmente ensopada.

À medida que o ponteiro do relógio se aproximava das 19 horas, a vaga eletricidade da empolgação se transformara numa sensação parecida com medo. Ela não ia conseguir chegar na hora. A qualquer momento agora Laurence estaria à sua procura. E ela não poderia ir a pé, mesmo se jogasse fora a mala.

A ansiedade crescia dentro dela como uma onda, e os carros passavam em cima de poças, levantando grandes leques de água que acertavam as pernas dos incautos.

Foi ao ver o homem de camisa vermelha que ela teve a ideia. Saiu correndo, empurrando as pessoas que bloqueavam seu caminho, pela primeira vez sem se importar com a impressão que causava. Correu pelas ruas conhecidas até encontrar a que procurava. Deixou a mala no topo da escada e desceu, o cabelo voando, para a boate escura.

Felipe estava no bar, polindo copos. Não havia mais ninguém ali além de Sherrie, a moça da chapelaria. O bar estava em um clima de quietude esmagador, apesar da música de fundo baixinha.

— Ele não está aqui, senhora. — Felipe nem ergueu os olhos.

— Eu sei. — Ela ofegava tanto que mal conseguia falar. — Mas isso é importantíssimo. Você tem carro?

O olhar que ele lançou para ela não foi muito simpático.

— Talvez.

— Será que poderia me dar uma carona até a estação? Até Paddington?

— Quer que eu lhe dê uma carona?

Ele então reparou em suas roupas molhadas, o cabelo colado na cabeça.
— Sim. *Sim!* Eu só tenho 15 minutos. Por favor.
Ele examinou-a. Ela notou um copo grande de uísque pela metade na frente dele.
— Por favor! Eu não pediria se não fosse por um motivo importantíssimo. — Ela se inclinou. — É para encontrar Tony. Olha, eu tenho dinheiro... — Procurou as notas no bolso. Saíram molhadas.

Ele alcançou as chaves do outro lado de uma porta às suas costas.
— Não quero seu dinheiro.
— Obrigada, ah, obrigada — disse ela, ofegante. — Depressa. Temos menos de 15 minutos.

O carro estava a poucos passos dali, e, quando o alcançaram, Felipe também estava ensopado. Não abriu a porta para ela, e ela mesma a escancarou com força, deixando escapar um grunhido ao jogar no banco traseiro a mala encharcada.

— Por favor! Vá! — disse ela, tirando o cabelo molhado do rosto, mas o homem estava imóvel no banco do motorista, aparentemente pensando. Ai, meu Deus, por favor, não esteja bêbado, pensou. Por favor, não me diga agora que não sabe dirigir, que seu carro está sem gasolina, que você mudou de ideia. — Por favor. Temos muito pouco tempo.

Ela tentou não deixar a angústia transparecer em sua voz.
— Sra. Stirling? Antes que eu a leve...
— Sim?
— Preciso saber... Tony, ele é um homem bom, mas...
— Eu sei que ele foi casado. Sei sobre o filho dele. Sei de tudo — disse ela com impaciência.
— Ele é mais frágil do que demonstra.
— O quê?
— Não o faça sofrer. Eu nunca o vi assim com uma mulher. Se não tiver certeza, se achar que há alguma chance de a senhora voltar para seu marido, por favor, não faça isso.

A chuva batia no teto do pequeno carro. Ela pôs a mão no braço dele.
— Eu não sou... eu não sou quem você pensa que eu sou. Mesmo.

Ele olhou de soslaio para ela.
— Eu... eu só quero estar com ele. Estou largando tudo por ele. É só ele. Anthony — disse ela, e as palavras lhe deram vontade de rir de medo e ansiedade. — Agora vá! Por favor!

— Tudo bem — disse ele, girando o volante de tal maneira que os pneus cantaram. — Para onde?

Ele apontou o carro na direção da Euston Road, socando o botão ao tentar ligar os limpadores de para-brisa. Ela pensou remotamente nas janelas da Sra. Cordoza, lavadas até ficarem brilhando, depois tirou a carta do envelope.

Meu querido e único amor,
    Eu falei a sério. Cheguei à conclusão de que o único caminho é um de nós tomar uma decisão ousada.
    Vou aceitar o trabalho. Estarei na Plataforma 4, Paddington, às 19h15, sexta-feira à noite...

— Plataforma 4 — gritou ela. — Temos 11 minutos. Acha que vamos...

Parte 2

INDESEJADA PT NÃO VENHA

Homem para Mulher, noiva de soldado em guerra, por telegrama

12

Verão, 1964

A enfermeira caminhava lentamente pela enfermaria, empurrando um carrinho que carregava fileiras bem alinhadas de copinhos descartáveis com comprimidos coloridos. A mulher no leito 16c resmungou:
— Ai, meu Deus, mais não...
— Não vamos criar caso, vamos? — A enfermeira colocou uma jarra de água na mesa de cabeceira.
— Se eu tomar mais um comprimido desses, vou ter um treco.
— Sim, mas agora temos que diminuir essa pressão, não é mesmo?
— *Temos*? Eu não sabia que isso era contagioso...

Jennifer, sentada na cadeira ao lado da cama, pegou a jarra e entregou-a a Yvonne Moncrieff, cuja barriga se erguia como um domo embaixo das cobertas, curiosamente separada do resto do corpo.

Yvonne suspirou. Jogou os comprimidos na boca, engolindo obedientemente, depois deu um sorriso sarcástico para a jovem enfermeira, que seguiu empurrando seu carrinho pela maternidade até a paciente seguinte.

— Jenny, querida, pode encenar uma fuga. Acho que não aguento nem mais uma noite aqui. Os gemidos e os grunhidos... você não ia acreditar.
— Pensei que Francis ia botar você em um quarto privativo.
— Não agora que eles acham que vou passar semanas aqui. Você sabe como ele é cauteloso com dinheiro. "Para quê, querida, se podemos ter um tratamento maravilhoso de graça? Além do mais, você terá as outras mulheres com quem conversar." — Ela fungou, inclinando a cabeça para a mulher sardenta e corpulenta no leito ao lado. — Sim, porque eu tenho *muito* em comum com a Lilo Lil ali. Treze filhos! Treze! Eu achava que a gente fosse incrível com os três que tivemos em quatro anos, mas, nossa, sou uma amadora.

— Eu trouxe mais umas revistas. — Jennifer tirou-as da bolsa.

— Ah, a *Vogue*. Você é um amor, mas vou pedir que você leve essa embora. Vai levar meses até eu entrar em qualquer coisa dessas páginas, e isso só vai me dar vontade de chorar. Marquei a prova de uma cinta nova para um dia depois que chegar essa coisinha... Conte algo empolgante.

— Empolgante?

— O que estão programando para o resto dessa semana? Você não sabe o que é estar presa aqui por dias a fio, do tamanho de uma baleia, tendo que comer à força uma espécie de gelatina de leite e imaginando o que está realmente acontecendo no mundo.

— Ah... Está tudo uma chatice. Hoje tem um coquetel em uma embaixada. Eu preferiria ficar em casa, mas Larry faz questão que eu vá com ele. Houve uma conferência em Nova York sobre os efeitos do asbesto na saúde das pessoas, e ele quer ir para dizer a todos que esse Selikoff, que tem alguma coisa a ver com isso tudo, só quer criar caso...

— Mas coquetéis, vestidos bonitos...

— Na verdade, eu estava louca para ficar em casa assistindo a *The Avengers*. Está muito quente para ficar se embonecando.

— Ih. Que coisa. Tenho a sensação de estar trancada com o meu fogãozinho aqui. — Bateu na barriga. — Ah! Eu sabia que tinha algo que eu queria contar a você. Mary Odin deu um pulo aqui ontem. Ela me contou que Katharine e Tommy Houghton vão se divorciar. E você nunca vai adivinhar o que eles estão fazendo.

Jennifer balançou negativamente a cabeça.

— Um divórcio de hotel. Parece que ele concordou em ser "flagrado" num hotel com uma mulher qualquer, para eles serem liberados sem os atrasos de praxe. Mas isso não é nem metade da história.

— Não?

— Mary disse que a mulher que concordou em ser flagrada com ele é amante dele mesmo. A que mandou aquelas cartas. A coitadinha da Katherine acha que ele está pagando a alguém para fazer isso. Ela já está usando uma das cartas de amor como prova. Parece que Tommy disse a Katherine que arranjou uma amiga para escrever e dar autenticidade à carta. Isso não é a coisa mais horrível que você já ouviu?

— Horrível.

— Estou rezando para Katherine não me visitar. Sei que vou acabar contando tudo. Coitada. E todo mundo sabendo menos ela.

Jennifer pegou uma revista e folheou, comentando uma receita ou um estampado de vestido só para puxar conversa. Percebeu que a amiga não estava ouvindo.

— Você está bem? — Pôs a mão na coberta da cama. — Posso lhe trazer alguma coisa?

— Fique de olho para mim, sim? — A voz de Yvonne era calma, mas seus dedos inchados tamborilavam uma marcha militar no lençol.

— Como assim?

— Em Francis. Fique de olho em visitas inesperadas. Visitas femininas. — Tinha o rosto virado para a janela com determinação.

— Ah, eu garanto que Francis...

— Jenny? Simplesmente faça isso por mim, sim?

Uma pausa. Jennifer examinou um fio de linha perdido na saia.

— Claro.

— Bem — Yvonne mudou de assunto —, me diga o que vai usar hoje à noite. Como eu disse, mal posso esperar para voltar a vestir roupas civilizadas. Sabe que meus pés cresceram dois números? Vou sair daqui de galocha se a coisa piorar.

Jennifer levantou-se e pegou a bolsa, que havia pendurado nas costas da cadeira.

— Eu já ia esquecendo. Violet disse que estaria aqui depois do chá.

— Ai, meu Deus. Mais notícias sobre o terrível problema de cocô do pequeno Frederick.

— Volto amanhã se puder.

— Divirta-se, querida. Eu daria tudo para estar no coquetel em vez de presa aqui ouvindo a lenga-lenga de Violet. — Yvonne suspirou. — Pode me passar aquele exemplar da *Queen* antes de ir embora? O que acha do cabelo de Jean Shrimpton? Parece com o penteado que você usou naquela ceia desastrosa na casa de Maisie Barton-Hulme.

Jennifer entrou no seu banheiro e fechou a porta, deixando o roupão cair aos seus pés. Separara as roupas que usaria aquela noite: um vestido de seda cor de vinho com gola redonda e um xale de seda. Prenderia o cabelo e usaria os brincos de rubi que Laurence lhe dera de presente em seu aniversário de 30 anos. Ele reclamava que ela nunca os usava. Na opinião dele, Jennifer deveria ao menos ostentar as provas de que ele gastara dinheiro com ela.

Resolvido isso, ela ficaria de molho na banheira até a hora de pintar as unhas. Depois se vestiria, e, quando Laurence chegasse em casa, estaria dando os últimos retoques na maquiagem. Fechou as torneiras e se olhou no espelho do armário de remédios, limpando o vidro quando o vapor começou a embaçá-lo. Olhou-se até tornar a embaçar. Então abriu o armário e procurou entre os vidros marrons da última prateleira até encontrar o que queria. Engoliu dois Valiums, fazendo-os descer com água da caneca para escovas de dente. Viu o pentobarbital, mas concluiu que seria demais se quisesse beber. E ela definitivamente queria.

Entrou na banheira ao ouvir a porta da frente bater, sinal de que a Sra. Cordoza tinha voltado do parque, e deslizou para dentro da água reconfortante.

Laurence tinha telefonado para dizer que chegaria atrasado de novo. Sentou-se no banco de trás enquanto Eric, o motorista, atravessava as ruas quentes e secas, finalmente parando em frente ao prédio do escritório do marido.

— Vai esperar no carro, Sra. Stirling?

— Vou, obrigada.

Ela observou o rapaz subir energicamente os degraus e desaparecer no saguão. Jennifer já não se dava o trabalho de aparecer por lá. Ia uma vez ou outra em celebrações, e para desejar um feliz Natal aos funcionários, quando ele insistia, mas o lugar a deixava desconfortável. A secretária dele olhava-a com um misto de curiosidade e desdém, como se ela a tivesse prejudicado de alguma forma. Talvez tivesse. Ultimamente havia muitos momentos em que ela não sabia dizer o que havia feito de errado.

A porta abriu e Laurence saiu com seu terno de tweed cinza-escuro, acompanhado do motorista. Mesmo que a temperatura estivesse na faixa dos 20 graus, Laurence Stirling usava o que considerava apropriado. Achava as novidades da moda masculina incompreensíveis.

— Ah. Você está aqui.

Ele deslizou para o banco traseiro ao lado dela, trazendo consigo uma lufada de ar quente.

— Estou.

— Tudo certo em casa?

— Tudo ótimo.

— O menino apareceu para lavar os degraus?

— Assim que você saiu.

— Eu queria ter saído às 18 horas... malditas chamadas internacionais. Sempre ligam mais tarde do que o horário que avisam.

Ela concordou com um gesto de cabeça. Sabia que não era preciso responder.

O carro entrou no tráfego noturno. Do outro lado da Marylebone Road, ela podia imaginar a miragem verde do Regent's Park, e via garotas se encaminhando para lá em grupos preguiçosos e risonhos pelas calçadas que reverberavam, parando para soltar exclamações umas para as outras. Havia pouco ela começara a se sentir velha, matrona, diante daquelas gatinhas livres de cintas com aquelas saias curtinhas e maquiagens ousadas. Pareciam não se importar com nada que pensassem sobre elas. Só devia haver dez anos de diferença entre ela e essas garotas, pensou Jennifer, mas ela bem que podia ser da geração das mães delas.

— Ah. Você botou *esse* vestido. — A voz dele tinha um tom carregado de desaprovação.

— Não sabia que você não gostava dele.

— Não gosto nem desgosto. Só achei que você pudesse querer vestir alguma coisa que a deixasse menos... ossuda.

Não acabava nunca. Embora ela achasse que tinha coberto o coração com uma carcaça de porcelana permanente, ele ainda encontrava um jeito de lascá-la.

Ela engoliu em seco.

— Ossuda. Obrigada. Acho que não posso fazer nada quanto a isso agora.

— Não precisa criar caso. Mas você podia se preocupar um pouquinho mais com a maneira como se apresenta. — Virou-se rapidamente para ela. — E talvez usar um pouco mais dessas coisas que você passa aí no rosto. — Apontou para os olhos dela. — Você parece tão cansada. — Recostou-se no assento e acendeu um charuto. — Então, Eric. Vamos logo. Quero estar lá às 19 horas.

Com um ronco obediente, o carro arrancou. Jennifer ficou calada olhando as ruas movimentadas.

Elegante. Equilibrada. Calma. Essas eram as palavras que os amigos dela, além dos amigos e sócios de Laurence, usavam para descrevê-la. Sra. Stirling, um modelo de virtude feminina, sempre arrumadíssima, jamais propensa à agitação e à histeria das outras esposas, inferiores. De vez em quando, se Laurence escutava esses elogios, dizia:

— A esposa perfeita? Ah, se eles soubessem, hein, querida?

Os homens na companhia dele riam educadamente, e ela também sorria. Quase sempre eram essas noites que acabavam mal. Às vezes, ao captar os olhares furtivos entre Yvonne e Francis diante de um comentário mais ferino de Laurence, ou o rubor de Bill, ela desconfiava de que a relação deles já devia ser assunto de especulações particulares. Mas ninguém a pressionava. Afinal de contas, a vida doméstica de um homem era assunto pessoal. Eles eram bons amigos, tão bons que não se intrometiam.

— Vejam só, a encantadora Sra. Stirling! Você está deslumbrante! — O adido sul-africano pegou suas mãos e deu-lhe dois beijinhos.

— Não estou ossuda demais? — perguntou ela inocentemente.

— O quê?

— Nada. — Ela sorriu. — Você está ótimo, Sebastian. Vê-se que o casamento lhe fez bem.

Laurence deu um tapinha nas costas dele.

— Apesar de todos os meus avisos, hein?

Os dois riram, e Sebastian Thorne, que ainda tinha o brilho dos genuinamente bem casados, abriu um sorriso orgulhoso.

— Pauline está ali se quiser falar com ela, Jennifer. Sei que ela está ansiosa para ver você.

— Vou sim — disse Jennifer, grata por oferecerem-lhe uma forma de escapar tão rápido. — Com licença.

Quatro anos haviam se passado desde o acidente. Quatro anos durante os quais Jennifer enfrentara a dor, a culpa, o fim de um relacionamento amoroso de que não conseguia se lembrar por inteiro, tentando atabalhoadamente salvar aquele em que estava.

Nas poucas ocasiões em que se deixara divagar assim, concluíra que uma espécie de loucura a tinha arrebatado depois que encontrara aquelas cartas. Lembrou-se de como fizera esforços insanos para descobrir quem era Boot, o mal-entendido e perseguição temerária de Reggie, e quase teve a sensação de que isso tudo acontecera com outra pessoa. Não conseguia se imaginar apaixonada dessa forma agora. Não podia imaginar aquela intensidade de desejo. Por muito tempo esteve arrependida. Traíra Laurence, e só queria tratá-lo bem. Era o mínimo que ele poderia esperar dela. Ela então se concentrara na tarefa e não pensara em mais ninguém. As cartas, aquelas que sobravam, havia muito tinham sido confinadas numa caixa de sapato escondida no fundo de seu armário.

Ah, se na época ela soubesse que a raiva de Laurence seria tão corrosiva, tão duradoura! Ela pedira compreensão, mais uma chance, e ele experimentara um prazer quase perverso em lembrar-lhe todas as maneiras com quais ela o ofendera. Laurence não gostava de mencionar explicitamente a traição — afinal, isso implicava uma perda de controle da parte dele, e Jennifer agora entendia que ele gostava de passar a imagem de alguém que estava no controle de todos os aspectos de sua vida —, mas, quanto às falhas dela, ele fazia questão de ressaltar, todos os dias e de mil maneiras. O jeito como ela se vestia. Como administrava a casa. Sua incapacidade de fazê-lo feliz. Ela achava, às vezes, que pagaria pelo resto da vida.

No último ano, ele andara menos temperamental. Jennifer desconfiava de que ele arranjara uma amante. Essa ideia não a perturbou. Na verdade, foi um alívio. As exigências dele diminuíram, eram menos punitivas. Suas alfinetadas verbais pareciam quase superficiais, como um hábito que ele não se dava o trabalho de tentar largar.

Os remédios ajudavam, como bem previra Sr. Hargreaves. Se a faziam sentir-se estranhamente desanimada, ela achava que era um preço que valia a pena pagar. Sim, como Laurence gostava de lembrá-la, muitas vezes ela ficava chata. Sim, ela talvez não fosse mais tão animada e espirituosa a uma mesa de jantar, mas os remédios significavam que ela já não mais chorava em horas impróprias nem custava a se levantar da cama. Já não temia as mudanças de humor dele, e não se incomodava tanto quando ele a procurava à noite. E o mais importante: a dor por tudo o que ela perdera ou pelo que fora responsável já não a corroía por dentro.

Não, Jennifer Stirling andava sempre impecavelmente vestida, o cabelo e a maquiagem perfeitos, um sorriso encantador no rosto. A elegante e equilibrada Jennifer que oferecia os jantares mais requintados, tinha uma casa linda, conhecia todas as pessoas importantes. A mulher perfeita para um homem da posição dele.

E havia compensações. A isso Jennifer tinha direito.

— Eu realmente adoro ter uma casa só nossa. Você não se sentiu assim quando se casou com o Sr. Stirling?

— Não me lembro, faz tanto tempo!

Ela olhou furtivamente para Laurence, que conversava com Sebastian, a mão na boca, fumando o indefectível charuto. Ventiladores zumbiam preguiçosamente no alto, e as mulheres cobertas de joias se aglomeravam embaixo deles, às vezes dando pancadinhas no pescoço com finos lenços de batista.

Pauline Thorne pegou uma pequena carteira que continha fotos de sua casa nova.

— Optamos por móveis modernos. Sebastian disse que eu podia escolher o que eu quisesse.

Jennifer pensou na própria residência, em seus mognos pesados, a decoração imponente. Ela admirava as cadeiras impecavelmente brancas nas fotografias, tão lisas que poderiam ser cascas de ovo, os tapetes em cores vivas, a arte moderna nas paredes. Laurence acreditava que sua casa deveria refletir sua imagem. Enxergava-a grandiosa, cheia de história. Olhando aquelas fotografias, Jennifer percebeu que achava sua casa pomposa, fria. Opressiva. Disse a si mesma para não ser desagradável. *Muita gente adoraria morar numa casa assim.*

— Vai sair na *Your House* mês que vem. A mãe de Seb simplesmente odiou. Diz que toda vez que pisa na nossa sala acha que vai ser abduzida por extraterrestres. — A jovem riu, e Jennifer deu um sorriso. — Quando falei que poderia adaptar um dos quartos para um bebê, ela disse que, a julgar pelo resto da decoração, meu filho sairia de um ovo de plástico.

— Estão querendo ter filhos?

— Não agora. Não por muito tempo ainda... — Ela pousou a mão no braço de Jennifer. — Espero que não se importe que eu lhe conte, mas acabamos de voltar da lua de mel. Minha mãe teve A Conversa comigo antes de eu ir. Sabe, como devo me submeter a Seb, como a coisa pode ser "meio desagradável".

Jennifer piscou.

— Ela realmente achou que eu ficaria traumatizada. Mas não é nada assim, né?

Jennifer deu um gole na bebida.

— Puxa, estou sendo muito indiscreta?

— De jeito nenhum — disse Jennifer educadamente. Desconfiava de que seu rosto tinha ficado lívido. — Quer mais uma bebida, Pauline? — disse, quando conseguiu falar de novo. — Acho que o meu copo está vazio.

Sentou-se no banheiro feminino e abriu a bolsa. Destampou o vidrinho marrom e tomou mais um Valium. Só um, e talvez mais uma bebida. Sentou-se no vaso, esperando sua pulsação voltar ao normal, e abriu o pó compacto para empoar um nariz que não precisava ser empoado.

Pauline tinha lhe parecido quase magoada quando ela se retirara, como se suas confidências houvessem sido rechaçadas. Pauline era infantil, empolgada, estava encantada de ter sido admitida naquele novo mundo adulto.

Será que ela também já se sentira assim em relação a Laurence?, perguntou-se com apatia. Às vezes ela passava pelo retrato do casamento deles que havia no saguão e era como olhar para estranhos. Em geral, tentava ignorá-lo. Se estivesse de mau humor, como Laurence dizia que ela quase sempre estava, tinha vontade de gritar para aquela garota confiante de olhos arregalados, avisar-lhe para não se casar nunca. Muitas mulheres já não se casavam naquela época. Tinham carreira e seu próprio dinheiro, e não se sentiam obrigadas a observar tudo o que diziam para o caso de contrariar o único homem cuja opinião importava, aparentemente.

Tentou não imaginar Pauline Thorne dali a dez anos, quando as palavras de adoração de Sebastian já teriam sido esquecidas havia muito, quando as exigências do trabalho, dos filhos, as preocupações com dinheiro ou o puro tédio da rotina teriam tirado seu brilho. Ela não deveria ser amarga. Deixe a moça ter a oportunidade dela. Sua história talvez tenha outro desfecho.

Respirou fundo e retocou o batom.

Quando voltou para a festa, Laurence mudara de grupo. Jennifer ficou parada no umbral, vendo-o curvar-se para cumprimentar uma jovem que ela não reconheceu. Ele escutava atentamente o que ela dizia, balançando a cabeça em um gesto afirmativo. A moça tornou a falar e todos os homens riram. Laurence colou a boca no ouvido dela e murmurou algo, e ela assentiu com um aceno de cabeça, sorrindo. Ela devia achá-lo absolutamente encantador, pensou Jennifer.

Eram 21h45. Ela queria ir embora, mas sabia que era melhor não pressionar o marido. Iriam quando ele quisesse ir.

O garçom vinha em sua direção. Ofereceu uma bandeja de prata cheia de taças de champanhe.

— Senhora?

Sua casa de repente lhe parecia absurdamente distante.

— Obrigada — disse, pegando uma taça.

Foi então que o viu, parcialmente escondido por uns vasos de palmeira. Olhava distraída a princípio, e em algum lugar distante de sua mente ocorreu-lhe que já tinha conhecido uma pessoa cujo encontro do cabelo com o colarinho era exatamente igual ao daquele homem. Houvera uma época — mais ou menos um ano antes, talvez — em que ela o via em toda parte, um fantasma, seu tronco, seu cabelo, suas risadas transplantados em outros homens.

O homem ao lado dele gargalhava, balançando a cabeça como se implorasse para que ele não continuasse. Eles ergueram os copos. E depois ele se virou.

Seu coração parou. A sala ficou parada, depois se inclinou. Ela não sentiu o copo escapar de seus dedos, só percebeu vagamente o barulho que ecoou no amplo átrio, uma breve interrupção na conversa, os passos rápidos de um garçom se aproximando para limpar tudo. Ouviu Laurence, perto dali, dizer algo em tom de desprezo. Continuou no mesmo lugar, até o garçom tocar seu braço e pedir:

— Chegue para trás, senhora, por favor, chegue para trás.

A conversa voltou a tomar conta da sala. A música prosseguiu. E, enquanto ela o olhava, o homem de cabelo escuro olhou de volta.

Um conselho: da próxima vez que se envolver com uma mãe solteira, não espere meses para se certificar de que será apresentado ao filho dela.

Não leve o tal filho ao futebol. Não brinque de família feliz em pizzarias. Não diga coisas do tipo como é divertido a gente estar junto — e depois não caia fora porque, como você disse à ××××, VOCÊ NUNCA TEVE CERTEZA SE A AMAVA REALMENTE.

Mulher para Homem, por cartão-postal

13

— Não sei. Pensei que você já estivesse de saco cheio dessa parte do mundo. Por que quer voltar para lá?
— É uma longa história, e eu sou a melhor pessoa para o trabalho.
— Você está fazendo um bom trabalho na ONU. O pessoal lá de cima está feliz.
— Mas a reportagem de verdade está no Congo, Don, você sabe disso.

Apesar das mudanças sísmicas que haviam acontecido, apesar de sua promoção de editor de notícias a editor executivo, a sala de Don Franklin e ele próprio haviam mudado pouco desde que Anthony O'Hare deixara a Inglaterra. Todos os anos Anthony voltava para visitar o filho e aparecer na redação, e todos os anos aquelas janelas estavam um pouco mais manchadas de nicotina, as gigantescas pilhas de recortes oscilando de maneira um pouco mais caótica. "Eu gosto assim", dizia Don, se lhe perguntavam. "Por que cargas-d'água eu ia querer ter uma vista clara desse aguaceiro triste?"

Mas a sala de Don, bagunçada e cheia de papéis por todo lado, era uma anomalia. O *Nation* estava mudando. Suas páginas estavam mais ousadas e mais vivas, falando a um público mais jovem. Havia seções de crônicas, cheias de dicas sobre maquiagem e discussões sobre as últimas tendências musicais, cartas sobre contracepção, e colunas de fofocas dando detalhes dos casos extraconjugais das pessoas. Nas redações, no meio dos homens de mangas arregaçadas, moças de saias curtas tiravam as fotocópias e ficavam paradas em grupinhos pelos corredores. Interrompiam a conversa para olhá-lo especulativamente quando ele passava. As londrinas tinham ficado mais atrevidas. Anthony raramente ficava sozinho quando ia à cidade.

— Você sabe tão bem quanto eu. Ninguém aqui tem a experiência de África que eu tenho. E não é só o pessoal do consulado americano que está sendo feito refém agora, são brancos em toda parte. Estão surgindo histórias terríveis sobre o país. Os líderes simbas não se importam com o que os rebeldes estão fazendo. Vamos, Don. Está me dizendo que Phipps é melhor para o trabalho? MacDonald?

— Não sei, Tony.

— Pode acreditar, os americanos não gostam que exibam o missionário deles, Carlson, como se fosse um meio de barganha. — Ele se inclinou. — Estão falando em operação de resgate... O nome que estão cogitando é Dragon Rouge.

— Tony, não sei se o editor quer alguém lá agora. Esses rebeldes são loucos.

— Quem tem melhores contatos que eu? Quem sabe mais sobre o Congo, mais sobre a ONU? Fiquei quatro anos naquele labirinto, Don, quatro malditos anos. Você precisa de mim lá. *Eu* preciso estar lá.

Dava para ele ver Don hesitando em sua decisão. A autoridade dos anos de Anthony fora da redação, sua aparência mais refinada, davam peso às suas reivindicações. Por quatro anos ele relatara fielmente as idas e vindas políticas das labirínticas Nações Unidas.

No primeiro ano, não pensara muito em nada senão se levantar de manhã e conseguir fazer seu trabalho. Mas desde então passara a viver com a certeza irritante de que a reportagem real, e até sua própria vida, estavam acontecendo em algum lugar longe dali. Agora o Congo, à beira do abismo desde o assassinato de Lumumba, ameaçava implodir, e seu canto de sereia, antes um murmúrio distante, agora era insistente.

— O jogo agora é diferente — disse Don. — Não gosto da ideia. Não sei se devemos ter alguém lá antes de o país se acalmar um pouco.

Mas Don sabia, assim como Anthony, que esta era a maldição de cobrir conflitos: você via o certo e o errado preto no branco. Sentia brotar a adrenalina, e se enchia de bom humor, desespero e camaradagem. Podia ser consumido por isso, mas todo mundo que já esteve nessa acha difícil se entusiasmar com o trabalho prosaico da vida "normal" em seu país natal.

Toda manhã Anthony dava telefonemas e lia os jornais à cata das poucas linhas que falavam sobre isso, interpretando o que estava acontecendo. A coisa toda seria grande: ele sentia isso. Precisava estar lá, saboreando a guerra, colocando-a no papel. Durante quatro anos ele vivera semimorto. Precisava se envolver naquilo para se sentir vivo de novo.

Anthony se debruçou sobre a mesa.

— Olha, Philmore me disse que o editor citou especificamente o meu nome. Vai querer desapontá-lo?

Don acendeu outro cigarro.

— Claro que não. Mas ele não estava aqui quando você... — Bateu o cigarro na beirada de um cinzeiro que estava transbordando.
— É isso? Você tem medo que eu surte de novo?
O riso constrangido de Don lhe disse tudo o que ele precisava saber.
— Eu não bebo há anos. Meu nariz está limpo. Vou tomar vacina contra febre amarela se é com isso que você está preocupado.
— Só estou pensando em você, Tony. É arriscado. Olha. E o seu filho?
— Ele não conta. — Duas cartas por ano, com sorte. Clarissa só estava pensando em Phillip, claro: era melhor para o filho não ser perturbado pelo contato com o pai. — Deixe-me ficar três meses. A guerra vai ter terminado até o fim do ano. É o que estão dizendo.
— Não sei...
— Eu já perdi algum prazo? Não trago matérias boas? Pelo amor de Deus, Don, você *precisa* de mim lá. O *jornal* precisa de mim lá. Tem que ser alguém que conheça o funcionamento do país. Que tenha contatos. Imagine só. — Correu a mão por uma manchete imaginária: — "Nosso homem no Congo durante o resgate dos reféns brancos." Olha, faça isso por mim, Don, e depois a gente conversa.
— Você continua com bicho-carpinteiro, hein?
— Eu sei onde devo estar.
Don inflou as bochechas como um hamster humano e bufou.
— Tudo bem. Vou falar com Ele Lá Em Cima. Não posso prometer nada, mas vou falar com ele.
— Obrigado. — Anthony levantou-se para sair.
— Tony.
— O quê?
— Você está com uma cara boa.
— Obrigado.
— É sério. Quer beber alguma coisa hoje à noite? Você, eu e alguns da velha guarda? Miller está na cidade. A gente podia pegar umas cervejas... e água gelada, Coca-Cola, o que for.
— Eu disse ao Douglas Gardiner que ia a uma festa com ele.
— Ah é?
— Na embaixada da África do Sul. Tenho que manter os contatos.
Don balançou a cabeça, resignado.
— Gardiner, hein? Pode falar para ele que eu disse que ele não sabe escrever nem anúncio dos classificados.
Cheryl, a secretária da redação, estava parada ao lado do armário da papelaria e piscou para Anthony quando ele passou ao sair. Ela realmente *piscou*

para ele. Anthony O'Hare se perguntou se houvera mais mudanças enquanto ele estava fora do que se dera conta.

— Piscou para você? Tony, meu velho, sorte sua ela não ter puxado você para dentro daquele armário.
— Eu estou fora faz só uns anos, Dougie. O país ainda é o mesmo.
— Não. — Douglas correu os olhos pela sala. — Não, não é, companheiro. Londres agora está no centro do universo. É onde as coisas acontecem, cara. Igualdade entre homens e mulheres é só metade da história.

O que Douglas dizia tinha, de fato, um fundo de verdade. Até a aparência da cidade mudara: sumiram muitas das ruas sóbrias, as fachadas elegantes e decadentes e os ecos da penúria do pós-guerra. Haviam sido substituídos por letreiros luminosos, butiques femininas com nomes como Party Girl e Jet Set, restaurantes estrangeiros e torres altas. Sempre que voltava a Londres ele se sentia cada vez mais estrangeiro: marcos familiares desapareciam, e aqueles que sobravam eram ofuscados pela Post Office Tower ou outros exemplos da arte futurista do arquiteto. Seu velho prédio fora demolido e substituído por uma construção agressivamente modernista. O clube de jazz Alberto's agora era de rock and roll. Até as roupas estavam mais alegres. A geração mais velha, vestida de marrom e azul-marinho, parecia mais datada e desbotada do que de fato estava.

— Então... você sente falta de estar em campo?
— Que nada. Todos nós temos que pendurar as chuteiras um dia, não é mesmo? Tem mais mulher bonita nesse trabalho, com certeza. Como vai Nova York? O que acha de Johnson?
— Ele não é nenhum Kennedy, isso é certo... Então, o que você vai fazer agora? Dar um jeito de entrar na alta sociedade?
— As coisas não são mais como na época em que você foi embora, Tony. Eles não querem mulheres de embaixadores e fofocas sobre indiscrições. Agora são artistas pop. Os Beatles e Cilla Black. Ninguém de estirpe. É igualdade absoluta, a coluna de sociedade.

O barulho de um copo quebrando ecoou pelo vasto salão de baile. Os dois interromperam a conversa.

— Epa. Alguém passou da conta — observou Douglas. — Algumas coisas nunca mudam. As mulheres ainda não sabem beber.
— Pois eu tenho a sensação de que algumas das garotas no jornal me deixariam no chinelo em termos de bebida. — Anthony deu de ombros.
— Continua longe do copo?
— Há mais de três anos.

— Você não duraria muito nesse trabalho. Sente falta?
— Todo santo dia.
Douglas tinha parado de rir e observava alguém mais atrás de Anthony. Olhou por cima do ombro dele.
— Precisa falar com alguém? — disse Anthony, chegando para o lado solicitamente.
— Não. — Douglas semicerrou os olhos. — Achei que tinha alguém me olhando. Mas acho que é para você. Conhece?
Anthony se virou — e tudo lhe sumiu da mente. Então aquilo lhe bateu com a inevitabilidade brutal de uma bola de demolição. Claro que ela estaria lá. A única pessoa em quem ele tentara não pensar. A única pessoa que esperara nunca mais ver. Ele voltara à Inglaterra para ficar pouco menos de uma semana, e lá estava ela. Na primeira noite em que ele saía.
Viu o vestido bordô, a postura quase perfeita que a distinguia de qualquer outra mulher na sala. Quando seus olhos se encontraram, ela pareceu balançar.
— Não. Não devia ser você — observou Douglas. — Olha, ela está indo para a varanda. É a... — Estalou os dedos. — Stirling. A mulher do Stirling. O magnata do asbesto. — Inclinou a cabeça. — Se importa se formos falar com ela? Pode render uma nota de um parágrafo. Ela era a grande anfitriã da sociedade uns anos atrás. Provavelmente vão preferir botar uma matéria sobre o Elvis Presley, mas nunca se sabe...
Anthony engoliu em seco.
— Claro.
Endireitou o colarinho, respirou fundo e acompanhou o amigo por entre os convidados rumo à varanda.

— Sra. Stirling.
Ela olhava para a rua movimentada lá embaixo, de costas para ele. Seu cabelo era um arranjo escultural de cachos brilhantes, e rubis pendiam de seu pescoço. Ela se virou lentamente e levou a mão à boca.
Tinha que acontecer, disse ele a si mesmo. Talvez vê-la desse jeito, ter que encontrá-la, significaria que ele finalmente poderia enterrar o assunto. Mesmo enquanto esse pensamento lhe ocorria, ele não tinha ideia do que dizer a ela. Será que acabariam naquelas polidas conversas de elevador? Talvez ela desse uma desculpa e passasse reto por ele. Será que estava constrangida com o que acontecera? Culpada? Será que se apaixonara por outra pessoa? Sua mente ia de um lado para outro, sem controle.
Douglas estendeu a mão para ela, e ela aceitou o cumprimento, mas seus olhos foram direto para Anthony. A cor sumiu de seu rosto.

— Sra. Stirling? Douglas Gardiner, do *Express*. Nós nos conhecemos em Ascot, acredito. No verão.

— Ah, sim — disse ela. Sua voz tremia. — Desculpe-me — sussurrou. — Eu... eu...

— Tudo bem com a senhora? Está muito pálida.

— Eu... Na verdade, estou me sentindo meio fraca.

— Quer que eu chame seu marido? — Douglas segurou-lhe pelo cotovelo.

— *Não!* — disse ela. — Não. — Tomou ar. — Só um copo d'água. Por gentileza.

Douglas deu uma olhadela para Tony. *O que está havendo aqui?*

— Tony... você fica com a Sra. Stirling um minuto? Eu já volto.

Douglas voltou ao salão, e, quando a porta se fechou às suas costas, abafando a música, ficaram só os dois. Os olhos dela estavam arregalados e apavorados. Parecia incapaz de falar.

— É tão ruim assim me ver? — Havia um ligeiro nervosismo em sua voz. Não conseguia evitar.

Ela piscou, desviou o olhar e tornou a encará-lo, como se para ter certeza de que ele estava ali mesmo.

— Jennifer? Quer que eu vá embora? Desculpe-me. Não quero incomodar você. É só que Dougie...

— Disseram... disseram que você. Estava. Morto. — A voz emergiu de uma série de tosses.

— *Morto?*

— No acidente.

Ela transpirava, e sua pele estava pálida e brilhante. Por um momento ele pensou que ela iria mesmo desmaiar. Aproximou-se e conduziu-a ao parapeito da varanda, tirando o paletó para que ela se sentasse em cima. Ela deixou a cabeça cair nas mãos e deu um longo gemido.

— Você não pode estar aqui. — Era como se falasse sozinha.

— O quê? Não estou entendendo. — Perguntou-se por um breve instante se ela enlouquecera.

Ela ergueu a vista.

— Estávamos num carro. Houve um acidente... Não pode ser você! Não pode.

Seus olhos procuraram as mãos dele, como se ela esperasse que evaporassem.

— Um acidente? — Ele se ajoelhou ao lado dela. — Jennifer, a última vez que eu a vi foi numa boate, não num carro.

Ela balançava a cabeça, parecia não compreender.

— Eu lhe escrevi uma carta...

— Sim.

— ... pedindo que você fosse para Nova York comigo.

Ela confirmou com um gesto de cabeça.

— E eu estava esperando na estação. Você não apareceu. Pensei que tinha decidido não ir. Então recebi sua carta, encaminhada a mim, em que você enfatizava, repetidas vezes, que era casada.

Ele conseguia falar tudo com muita calma, como se tivesse tanta importância quanto um velho amigo que o houvesse deixado esperando. Como se a ausência dela não distorcesse sua vida, sua felicidade, havia quatro anos.

— Mas eu estava indo encontrar você.

Eles entreolharam-se.

Jennifer escondeu o rosto nas mãos, e seus ombros tremiam. Ele se levantou, olhou de relance por trás dela, para o salão de baile iluminado, e então colocou a mão em seu ombro. Ela recuou como se tivesse sido queimada. Ele reparou na silhueta das suas costas através do vestido, e ficou com a respiração presa na garganta. Não conseguia pensar com clareza. Não conseguia pensar.

— Esse tempo todo — ela olhou para ele com lágrimas nos olhos —, esse tempo todo... e você estava vivo.

— Achei... que você tinha decidido não ir comigo.

— Olha! — Ela arregaçou a manga, mostrando a cicatriz alta e denteada no braço. — Fiquei sem memória. Durante meses. Ainda me lembro pouco dessa época. Ele me disse que você tinha morrido. Ele me disse...

— Mas você não viu meu nome no jornal? Quase todo dia sai um artigo meu.

— Eu não leio jornal. Não mais. Para quê?

Todas as implicações do que ela dissera começavam a fazer sentido e Anthony perdera um pouco o equilíbrio. Ela se virou para as portas envidraçadas, agora meio embaçadas, depois enxugou os olhos com os dedos. Ele lhe ofereceu o lenço, e ela o aceitou com hesitação, como se continuasse com medo de entrar em contato com a pele dele.

— Não posso ficar aqui fora — disse ela, quando se recompôs. O rímel deixara uma mancha preta sob seus olhos, e Anthony resistiu ao impulso de limpá-la. — Ele vai ficar se perguntando onde estou.

Havia algumas novas rugas de tensão em volta de seus olhos; sua pele viçosa fora substituída por uma mais crispada. A juventude se fora e em seu lugar havia uma sagacidade nova. Ele não conseguia parar de olhá-la.

— Como posso entrar em contato com você? — perguntou ele.

— Não pode.

Ela balançou um pouco a cabeça, como se tentasse clarear as ideias.

— Estou no Regent — disse ele. — Ligue amanhã. — Pôs a mão no bolso, rabiscou num cartão de visita.

Ela pegou o cartão e o observou, como se gravando os detalhes na memória.

— Pronto. — Douglas aparecera entre eles. Segurava um copo d'água. — Seu marido está conversando com algumas pessoas lá dentro, aqui perto. Posso chamá-lo se quiser.

— Não... não. Vou ficar bem. — Ela tomou um gole d'água. — Muito obrigada. Tenho que ir, Anthony.

O jeito como ela dissera seu nome. *Anthony*. Ele percebeu que sorria. Ela estava ali, a centímetros dele. Amara-o, sofrera por ele. Tentara ir ao encontro dele naquela noite. Era como se o sofrimento de quatro anos tivesse sido apagado.

— Vocês se conhecem, então?

Anthony ouviu, como se de longe, Douglas falando, viu-o encaminhar-se para as portas. Jennifer bebeu a água sem tirar os olhos de Anthony. Ele sabia que, nas horas seguintes, iria amaldiçoar quaisquer que fossem os deuses que tivessem achado graça ao separar suas vidas e fazerem com que sofressem pelo tempo que perderam. Mas, por ora, só podia sentir uma alegria imensa ao ver que aquilo que julgava perdido para sempre lhe fora devolvido.

Ela precisava ir. Levantou-se, ajeitou o cabelo.

— Eu pareço... bem?

— Você está...

— Está maravilhosa, Sra. Stirling. Como sempre. — Douglas abriu a porta.

Um sorriso amarelo, de partir o coração no que dizia respeito a Anthony. Ao passar por ele, ela estendeu a mão esguia e tocou-lhe o braço, bem acima do cotovelo. E voltou para o salão de baile apinhado.

Douglas levantou uma sobrancelha quando a porta se fechou.

— Não vai me dizer que... — comentou ele. — Mais uma das suas conquistas? Seu sacana. Sempre consegue o que quer.

Anthony mantinha os olhos na porta.

— Não — disse ele baixinho. — Nem sempre.

Jennifer ficou calada durante o curto percurso de volta para casa. Laurence oferecera carona a um colega de negócios que ela não conhecia, o que significava que podia ficar quieta enquanto os homens conversavam.

— Claro, Pip Marchant voltou a aprontar, todo o capital amarrado num único projeto.

— Ele hipoteca o futuro. O pai era igual.

— Se a gente olhar bem aquela árvore genealógica, vai encontrar a bolha econômica de 1720 da Quebra dos Mares do Sul.

— Acho que você vai encontrar várias! Todas cheias de ar quente.

Uma espessa fumaça de charuto tomava conta do interior do grande carro preto. Laurence estava falante, dogmático, como sempre ficava quando cercado de homens de negócios ou encharcado de uísque. Ela mal o ouvia, atônita com o que acabara de saber. Olhava para as ruas calmas enquanto o carro deslizava, vendo não a beleza dos arredores, uma ou outra pessoa voltando vagarosamente para casa, mas o rosto de Anthony. Seus olhos castanhos quando se fixaram nos dela, seus traços um pouco mais marcados, mas talvez mais belos; mais à vontade, num todo. Ela ainda sentia o calor da mão dele nas suas costas.

Como posso entrar em contato com você?

Vivo, durante os últimos quatro anos. Vivo, respirando, tomando xícaras de café e datilografando. Vivo. Ela poderia ter escrito para ele, falado com ele. Ido para ele.

Engoliu em seco, tentando controlar a emoção confusa que ameaçava aumentar dentro dela. Haveria um tempo para lidar com tudo o que a levara àquela situação, à presença dela ali, agora, naquele carro com um homem que já não achava necessário sequer reconhecer sua presença. Não era hora agora. Seu sangue fervilhava em suas veias. *Vivo*, cantava ele.

O carro parou na Upper Wimpole Street. Martin saltou do banco do motorista e abriu a porta do carona. O empresário saltou, fumando seu charuto.

— Muito agradecido, Larry. Vai ao clube esta semana? Vou convidá-lo para jantar.

— Claro, vou esperar ansiosamente. — O homem se encaminhou pesadamente para a porta de casa, que se abriu como se alguém estivesse aguardando sua chegada. Laurence esperou-o desaparecer lá dentro, depois virou-se para a frente. — Para casa, por favor, Eric. — Ajeitou-se no assento.

Ela sentiu que ele a olhava.

— Você está muito calada.

Ele sempre fazia o comentário parecer negativo.

— Estou? Não achei que tivesse nada a acrescentar à conversa de vocês.

— Ah, sim. Bem, não foi uma noite ruim, considerando tudo. — Recostou-se, balançando a cabeça para si mesmo.

— Não — disse ela baixinho. — Não foi nada ruim.

Desculpe-me, mas tenho q terminar com vc. Não se sinta mal, não é sua culpa. Dave disse q gostaria de ir se for OK. Mas por favr não vá, porque eu ainda teria q ver vc.

> Homem a Mulher, por mensagem de texto

14

No seu hotel, meio-dia. J.

Anthony ficou olhando a carta, com esta única linha.
— Entregue em mãos esta manhã. — Cheryl, a secretária da redação, estava de pé na frente dele, um lápis entre o indicador e o dedo médio. Seu cabelo curto e incrivelmente louro parecia tão grosso que por um momento ele se perguntou se ela estava de peruca. — Eu não sabia se deveria telefonar, mas Don disse que você viria aqui.
— Sim. Obrigado.
Ele dobrou cuidadosamente o bilhete e o meteu no bolso.
— Uma graça.
— Quem, eu?
— Sua namorada nova.
— Muito engraçado.
— É sério. Mas achei ela muito classuda para você.
Ela estava sentada na beirada da mesa dele, olhando-o através de uns cílios absurdamente pintados de preto.
— Ela *é* classuda demais para mim. E não é minha namorada.
— Ah, claro. Eu esqueci. Sua namorada está em Nova York. Essa é casada, certo?
— É uma velha amiga.
— Hah! Eu tenho velhos amigos assim. Vai levá-la para a África com você?
— Não estou sabendo que vou para a África. — Recostou-se na cadeira, entrelaçou os dedos atrás da cabeça. — E você é muito intrometida.
— Isso aqui é um jornal, caso você não tenha notado. Intrometer-se é nosso trabalho.

Ele mal conseguira dormir, com uma hipersensibilidade a tudo o que o cercava. Às 3 horas desistira de tentar e foi sentar-se no bar do hotel, onde ficou tomando lentamente xícaras de café, recapitulando a conversa, tentando entender o que havia sido dito. Contivera-se para não pegar um táxi até a praça em frente à casa dela e ficar ali sentado, pelo prazer de saber que ela estava lá dentro, a apenas poucos metros dali.

Eu estava indo encontrar você.

Cheryl continuava observando-o. Ele tamborilava na mesa.

— Sim — disse Anthony. — Bem, na minha opinião, todo mundo se interessa demais pelos assuntos de todo mundo.

— Então ela *é* um caso. Você sabe que a seção dos redatores está fazendo apostas sobre isso.

— Cheryl...

— Bem, a essa hora da manhã não tem muita matéria fechando. E o que tem escrito na carta? Onde você vai encontrá-la? Algum lugar bacana? Será que ela paga tudo, já que é podre de rica?

— Meu Deus do céu!

— Bem, ela não pode ser muito experiente em matéria de casos, então. Diga a ela que da próxima vez que deixar um bilhete para o amante deve tirar a aliança primeiro.

Anthony suspirou.

— Você, mocinha, é um desperdício como secretária.

Ela passou a sussurrar.

— Se me disser o nome dela, eu divido o dinheiro da aposta com você. É uma bolada boa.

— Mande-me para a África, pelo amor de Deus. Os interrogatórios do exército congolês não são nada comparados a você.

Ela deu uma gargalhada gutural e voltou para sua máquina de escrever.

Ele abriu o bilhete. A mera visão daquela letra cheia de volteios o transportava de volta à França, para bilhetes passados por debaixo da porta numa semana idílica, um milhão de anos antes. Lá no fundo, ele soubera que ela iria entrar em contato com ele. Sobressaltou-se ao perceber que Don entrara.

— Tony. O editor quer dar uma palavrinha com você. Lá em cima.

— Agora?

— Não. Daqui a três semanas, na terça-feira. É, agora. Ele quer falar com você sobre seu futuro. E não, você não vai para o olho da rua, infelizmente. Acho que ele está decidindo se manda você de volta para a África ou não. — Don cutucou seu ombro. — Alô? Está surdo? Você precisa dar a impressão de que sabe o que está fazendo.

Anthony mal o ouvia. Já eram 11h15. O editor não era um homem que gostasse de fazer coisa alguma às pressas, e era perfeitamente possível que passasse mais de uma hora com ele. Ali parado, voltou-se para Cheryl.

— Lourinha, faça-me um favor. Ligue para o meu hotel. Diga que Jennifer Stirling deve me procurar ao meio-dia, e peça que alguém avise a ela que vou me atrasar, mas que ela não vá embora. Estarei lá. Ela não pode ir embora.

O sorriso de Cheryl estava cheio de satisfação.

— Sra. Jennifer Stirling?

— Como eu disse, é uma velha amiga.

Don usava a camisa da véspera, Anthony reparou. Ele vivia fazendo isso. Também balançava a cabeça.

— Caramba. Aquela tal de Stirling de novo? Até onde vai seu gosto por encrencas?

— Ela é só uma amiga.

— E eu sou a Twiggy. Ande. Vá explicar ao Grande Chefe Branco por que devem autorizar você a servir de sacrifício aos rebeldes simbas.

Ela ainda estava lá, Anthony ficou aliviado ao ver. Ele já atrasara mais de meia hora. Ela estava sentada a uma pequena mesa no salão extravagante e vaporoso, onde as sancas de gesso pareciam o glacê de um bolo de Natal superenfeitado e a maioria das outras mesas estava ocupada por viúvas idosas comentando em tons chocados e abafados a maldade do mundo moderno.

— Eu pedi chá — disse Jennifer quando ele se sentou diante dela, desculpando-se pela quinta vez. — Espero que não se importe.

Estava de cabelo solto. Usava um suéter preto e calça de alfaiataria bege. Estava mais magra. Ele imaginou que fosse a tendência da moda.

Tentou acalmar a respiração. Ele imaginara aquele momento tantas vezes, tomando-a nos braços, o reencontro apaixonado. Agora, sentia-se vagamente desconcertado pela segurança dela, a formalidade do ambiente.

Uma garçonete chegou, empurrando um carrinho do qual ela pegou um bule de chá, uma leiteira, uns sanduíches de pão branco cortados com precisão, xícaras, pires e pratos. Ele se deu conta de que poderia meter quatro daqueles sanduíches na boca de uma vez.

— Obrigado.

— Você não... põe açúcar. — Ela franziu o cenho, como se estivesse tentando se lembrar.

— Não.

Tomaram o chá. Várias vezes ele abriu a boca para falar, mas nada saía. Continuava lançando olhares para ela, reparando em pequenos detalhes.

O conhecido formato de suas unhas. Seus pulsos. O hábito de se empertigar periodicamente, como se uma voz distante lhe dissesse para sentar-se ereta.

— Ontem foi um choque tão grande — disse ela finalmente, pousando a xícara no pires. — Eu... tenho que pedir desculpas por meu comportamento. Você deve ter me achado muito estranha.

— Perfeitamente compreensível. Não é todo dia que a gente vê alguém ressurgir dos mortos.

Um sorriso.

— É mesmo.

Encararam-se e então desviaram o olhar. Ela se inclinou e serviu-se de mais chá.

— Onde está morando agora?

— Em Nova York.

— Esse tempo todo?

— Não havia uma boa razão para voltar.

Mais um silêncio pesado, que ela quebrou.

— Você me parece bem. Muito bem.

Ela estava certa. Era impossível morar no coração de Manhattan e continuar mal-arrumado. Ele voltara para a Inglaterra aquele ano com um guarda-roupa de bons ternos e vários hábitos novos: barbear-se com água quente, engraxar os sapatos, não beber.

— Você está linda, Jennifer.

— Obrigada. Vai ficar muito tempo na Inglaterra?

— Provavelmente não. Devo viajar de novo. — Ele observou o rosto dela para ver que efeito essa notícia teria. Mas ela apenas pegou o leite. — Não — disse ele, erguendo a mão. — Obrigado.

Ela interrompeu o gesto, como se estivesse decepcionada consigo mesma por ter esquecido.

— O que o jornal tem em mente para você? — Ela pôs um sanduíche num prato e o colocou na frente dele.

— Eles gostariam que eu ficasse aqui, mas quero voltar para a África. A situação se complicou muito no Congo.

— Lá não é muito perigoso?

— A questão não é essa.

— Você quer estar no centro dos acontecimentos.

— Sim. É uma matéria importante. Além do mais, tenho horror a ficar preso na redação. Esses últimos anos foram... — Ele tentou pensar numa expressão que pudesse usar sem soar com segurança. *Esses anos em Nova York me ajudaram a manter a sanidade? Ajudaram-me a existir longe de você?*

Impediram que eu me jogasse em cima de uma granada num campo estrangeiro? — ... úteis — disse finalmente —, no sentido de que o editor provavelmente precisava me ver sob uma luz diferente. Mas agora quero muito passar para uma outra. Voltar ao que faço melhor.

— E não há lugares mais seguros onde você possa satisfazer essa necessidade?

— E eu tenho cara de quem gosta de fazer clipping ou organizar o arquivo? Ela sorriu sutilmente.

— E seu filho?

— Eu mal o vejo. A mãe dele prefere que eu fique longe. — Tomou um gole de chá. — Um posto no Congo não faria grande diferença, já que a gente só se comunica por carta.

— Deve ser muito difícil.

— É. É sim.

Um quarteto de cordas começara a tocar no canto. Ela olhou para trás por um instante, o que deu a ele tempo para olhá-la à vontade, aquele perfil, a curvinha do seu lábio superior. Ele sentiu um aperto, e soube com uma pontada de dor que jamais voltaria a amar alguém como amara Jennifer Stirling. Quatro anos não o haviam libertado, e era improvável que em mais dez isso acontecesse. Quando ela tornou a se virar, ele percebeu que não podia falar, ou revelaria tudo, faria um desabafo completo como uma pessoa ferida de morte.

— Gostou de Nova York? — perguntou ela.

— Provavelmente foi melhor para mim do que ficar aqui.

— Onde você morava?

— Em Manhattan. Conhece Nova York?

— Não o bastante para ter uma ideia real do que você está falando — confessou ela. — E você... tornou a se casar?

— Não.

— Tem namorada?

— Andei saindo com uma pessoa.

— Uma americana?

— É.

— Ela é casada?

— Não. Por incrível que pareça.

A expressão dela não se alterou.

— E é sério?

— Ainda não sei.

Ela se permitiu sorrir.

— Você não mudou nada.

— Nem você.
— Eu mudei — disse ela baixinho.
Ele queria tocá-la. Queria derrubar toda a louça da mesa, esticar o braço e agarrá-la. Sentiu-se furioso de repente, limitado por aquele lugar ridículo, aquela formalidade. Ela estava estranha na noite anterior, mas ao menos o tropel de emoções tinha sido autêntico.
— E você? A vida tem sido boa? — perguntou ele quando viu que ela não ia falar.
Ela tomou um gole do chá. Parecia quase letárgica.
— Se a vida tem sido boa? — Ela ponderou a pergunta. — Boa e ruim. Tenho certeza de que não sou diferente de ninguém.
— Ainda passa temporadas na Riviera?
— Não, se posso evitar.
Ele queria perguntar: "Por minha causa?" Ela não parecia sugerir nada. Onde estava a perspicácia? A paixão? Aquele fervilhar no seu íntimo de algo ameaçando irromper de dentro dela, fosse uma gargalhada inesperada ou uma torrente de beijos? Ela parecia sem vida, sepultada sob glaciais boas maneiras.
No canto, o quarteto de cordas fez uma pausa entre dois movimentos.
A frustração tomou conta de Anthony.
— Jennifer, por que me convidou para vir aqui?
Ela parecia cansada, percebeu ele, mas também febril, com pontos muito corados iluminando suas maçãs do rosto.
— Desculpe-me — prosseguiu ele —, mas não quero sanduíches. Não quero ficar sentado nesse lugar ouvindo violinos. Se ganhei algo por ter passado quatro anos aparentemente morto deve ser o direito de não precisar aturar um chá e uma conversa de salão.
— Eu... eu só queria ver você.
— Sabe, quando vi você do outro lado do salão ontem, ainda estava com muita raiva. Esse tempo todo, achei que você tivesse escolhido ele, escolhido um estilo de vida, em vez de ir comigo. Imaginei discussões que eu teria com você, censurei-a por não ter respondido às minhas últimas cartas...
— Por favor, não. — Levantou a mão, interrompendo-o.
— E aí eu a vejo, e você me diz que estava indo me encontrar. E estou tendo que repensar tudo em que acreditei durante esses quatro anos. Tudo o que achei que fosse verdade.
— Não vamos falar disso, Anthony. Do que poderia ter sido... — Ela pôs as mãos na mesa diante de si, como alguém abaixando as cartas. — Eu... simplesmente não consigo.

Estavam sentados frente a frente, a mulher impecavelmente vestida e o homem tenso. Ocorreu-lhe de repente o pensamento de humor negro de que, para quem olhava, eles estavam muito infelizes para serem um casal.

— Diga uma coisa — pediu Anthony. — Por que é tão fiel a ele? Por que ficou com alguém que obviamente não sabe fazer você feliz?

Ela ergueu o olhar para ele.

— Por ter sido tão infiel, acho.

— Acha que ele teria sido fiel a você?

Ela sustentou o olhar dele por um momento, depois consultou o relógio.

— Preciso ir.

Ele franziu o cenho.

— Desculpe-me. Não vou dizer mais nada. Só preciso saber...

— Não é você. Mesmo. Tenho um compromisso.

Ele se controlou.

— Claro. Desculpe-me. Eu me atrasei. Perdoe-me por ter desperdiçado seu tempo.

Ele não conseguia evitar a raiva em sua voz. Xingou o editor por tê-lo feito perder aquela meia hora preciosa, xingou a si mesmo pelo que já sabia serem oportunidades desperdiçadas — e por se permitir chegar perto de algo que ainda tinha o poder de queimá-lo.

Ela se levantou para sair e apareceu um garçom para ajudá-la a vestir o casaco. Sempre havia alguém para ajudá-la, pensou ele distraído. Ela era esse tipo de mulher. Ele estava imobilizado, entalado na mesa.

Será que não soubera interpretá-la? Será que não lembrara direito a intensidade do tempo curto que tiveram juntos? Ficou triste ao pensar nessa possibilidade. Seria pior ter a lembrança de algo antes perfeito agora maculado, substituído por algo inexplicável e decepcionante?

O garçom segurava o casaco dela pelos ombros. Ela enfiou os braços nas mangas, a cabeça baixa.

— É isso?

— Desculpe-me, Anthony. Tenho mesmo que ir.

Ele se levantou.

— Não vamos falar sobre nada? Depois de tudo isso? Você alguma vez *pensou* em mim?

Antes que ele pudesse continuar, ela já tinha dado meia-volta e se retirado.

Jennifer jogou água fria nos olhos vermelhos e inchados pela décima quinta vez. No espelho do banheiro, seu reflexo mostrava uma mulher derrotada pela vida. Uma mulher tão distante da dondoca de cinco anos antes que as duas bem que poderiam ser de espécies diferentes, que dirá pessoas diferentes. Traçou com os dedos as olheiras embaixo dos olhos, as novas rugas de tensão na testa, e se perguntou o que ele vira ao olhar para ela.

Ele vai esmagar você, apagar as coisas que a fazem ser você.

Abriu o armário de remédios e viu a fileira certinha de pequenos vidros marrons. Não poderia contar a ele que ficara com tanto medo de encontrá-lo que tomara o dobro da dose recomendada de Valium. Não poderia lhe contar que o ouvira como se através de uma névoa, que ficara tão desligada do que fazia que mal conseguia segurar o bule de chá. Não poderia lhe contar que ficara paralisada por estar perto dele a ponto de poder ver todas as linhas de suas mãos e sentir seu cheiro.

Abriu a torneira de água quente, que desceu pelo buraco do ralo, batendo na louça e salpicando de manchas escuras sua calça clara. Ela pegou o Valium da última prateleira e abriu a tampa.

Você é a forte de nós dois, a que é capaz de suportar conviver com a possibilidade de um amor como este, e com o fato de que ele jamais nos será permitido.

Não tão astuta quanto você pensou, Boot.

Ela ouviu a voz da Sra. Cordoza lá embaixo e trancou a porta do banheiro. Colocou as duas mãos do lado da pia. *Será que consigo fazer isso?*

Pegou o vidrinho e jogou o conteúdo pelo ralo, e ficou observando a água levar embora os pequenos comprimidos brancos. Abriu o seguinte, mal parando para verificar o que continha. Suas "ajudinhas". Todo mundo tomava, Yvonne dissera despreocupadamente, da primeira vez que Jennifer sentara na sua cozinha e descobrira que não conseguia parar de chorar. Os médicos adoravam receitá-los. Iriam deixá-la um pouquinho mais equilibrada. Estou tão equilibrada que não me sobra nada, pensou ela, e pegou o vidro seguinte.

E então não sobrava mais nenhuma, a prateleira estava vazia. Olhou-se no espelho enquanto, com um gorgolejo, o último comprimido sumia no ralo.

Havia tumulto em Stanleyville. Chegara uma nota do Departamento Internacional no *Nation* informando a Anthony que os rebeldes congoleses, o autodenominado Exército Simba, começara a manter mais reféns brancos no hotel Victoria, em retaliação às forças do governo congolês e seus mercenários brancos. "Esteja de malas prontas. Reportagem incrível", dizia. "Editor deu aprovação especial a sua ida. Com pedido de que não seja morto/capturado."

Pela primeira vez, Anthony não saiu correndo para conferir as últimas notícias por telegrama. Não telefonou para seus contatos na ONU nem no Exército. Ficou na cama do hotel, pensando numa mulher que o amara a ponto de deixar o marido e que depois, por quatro anos, desaparecera.

Sobressaltou-se com uma batida à porta. A camareira parecia querer arrumar o quarto de meia em meia hora. Tinha um jeito irritante de assoviar enquanto trabalhava e ele nunca conseguia ignorar totalmente sua presença.

— Volte depois — gritou ele, e virou para o lado.

Será que tinha sido só o choque de encontrá-lo vivo que a fizera vibrar na frente dele? Será que hoje ela se dera conta de que seus sentimentos por ele tinham evaporado? Será que simplesmente agira de forma mecânica, entretendo-o como qualquer um faria com um velho amigo? Ela sempre fora muitíssimo bem-educada.

Outra batida, hesitante. Era quase mais irritante do que se a moça tivesse apenas aberto a porta e entrado. Ao menos assim ele poderia ter gritado com ela. Levantou-se e foi até a porta.

— Eu realmente preferiria...

Jennifer estava parada diante dele, o cinto apertado na cintura, o olhar luminoso.

— Todo dia — disse ela.

— O quê?

— Todo mês. Todo dia. Toda hora. — Fez uma pausa, depois acrescentou: — Toda hora, no mínimo. Durante quatro anos.

O corredor estava em silêncio em volta deles.

— Pensei que você estivesse morto, Anthony. Fiquei de luto por você. Fiquei de luto pela vida que eu esperava poder ter com você. Li e reli as cartas até elas se desfazerem. Quando achei que poderia ter sido a responsável pela sua morte, me odiei tanto que mal conseguia viver. Não fosse... — Corrigiu-se: — Então, numa festa a que eu nem queria ir, eu o vi. *Você*. E você vem e me pergunta por que eu queria encontrá-lo? — Respirou fundo, para se acalmar.

Ouviram-se passos na outra ponta do corredor. Ele estendeu a mão.

— Entre — disse.

— Eu não podia ficar sentada em casa. Tinha que lhe dizer alguma coisa antes que você fosse embora de novo. Tinha que lhe dizer.

Ele recuou, e ela entrou no espaçoso quarto de casal, cujas dimensões generosas e localização decente revelavam a situação melhor que ele conquistara no jornal. Ele estava feliz por tê-lo arrumado pela primeira vez; havia uma camisa passada pendurada nas costas da cadeira, seu bom par de sapatos encostado na parede. A janela estava aberta, permitindo que o barulho da rua entrasse, e ele foi fechá-la. Ela pôs a bolsa na cadeira e estendeu o casaco por cima.

— Já é um avanço, este lugar — disse ele, sem jeito. — A primeira vez que voltei, fiquei numa pousada na Bayswater Road. Quer beber alguma coisa? — Sentiu-se estranhamente inibido quando ela se sentou na mesinha. — Quer que eu peça algo? Um café, talvez? — continuou.

Nossa, como ele queria tocá-la.

— Eu não dormi — disse ela, esfregando o rosto tristemente. — Eu não conseguia pensar direito quando vi você. Fiquei tentando entender tudo. Nada faz sentido.

— Aquela tarde, quatro anos atrás, você estava no carro com Felipe?

— Felipe? — Seu olhar era vazio.

— Meu amigo do Alberto's. Ele morreu na época em que eu viajei, num acidente de carro. Fui olhar as notícias daquele mês hoje de manhã. Há referência a uma mulher não identificada no banco do carona. É a única explicação.

— Não sei. Como eu disse ontem, ainda há coisas que eu não consigo lembrar. Se não tivesse encontrado suas cartas, talvez nunca tivesse me lembrado de você. Eu poderia nunca saber...

— Mas quem lhe disse que eu tinha morrido?

— Laurence. Não faça essa cara. Ele não é cruel. Acho que ele realmente achou isso. — Esperou um pouco. — Ele soube que havia... uma pessoa, entende? Ele leu sua última carta. Depois do acidente, deve ter somado dois mais dois...

— Minha última carta?

— Em que você me pedia para encontrá-lo na estação. Estava comigo quando o carro bateu.

— Eu não entendo. Essa não foi minha última carta...

— Ah, não vamos... — Ela não terminou a frase. — Por favor... É muito...

— Então o quê?

Ela o olhava atentamente.

— Jennifer, eu...

Ela chegou tão perto dele que mesmo sob aquela luz fraca ele podia ver cada sarda do seu rosto, cada cílio que terminava numa ponta afiada a ponto de poder perfurar o coração de um homem. Ela estava ali com ele, mas distante, como se chegasse a alguma conclusão.

— Boot — disse Jennifer, baixinho —, está zangado comigo? Ainda?

Boot.

Ele engoliu em seco.

— Como poderia?

Ela ergueu as mãos e contornou a forma do rosto dele, seus dedos tão leves que mal encostavam nele.

— Nós já fizemos isso?

Ele apenas a fitou.

— Antes? Eu não lembro. Só conheço suas palavras.

— Sim. — A voz dele ficou embargada. — Sim, já fizemos. — Ele sentiu na pele seus dedos gelados e se lembrou do perfume dela.

— Anthony — murmurou ela, e havia uma doçura no jeito como ela pronunciou seu nome, uma ternura insuportável que transmitia todo o amor e toda a perda que ele também sentira.

Seu corpo descansou no dele, e ele ouviu o suspiro que veio de dentro dela, depois sentiu o hálito dela em seus lábios. O ar parou ao redor deles. Sua boca estava na dele, e algo se abriu no peito de Anthony. Ele se ouviu arfar, e se deu conta, horrorizado, de que tinha os olhos cheios d'água.

— Desculpe-me — sussurrou, mortificado. — Desculpe-me. Não sei... por que...

— Eu sei — disse ela. — Eu sei.

Ela passou os braços em volta do pescoço dele, beijando as lágrimas que lhe corriam pelo rosto, murmurando. Ficaram abraçados, eufóricos, desesperados, nenhum deles completamente capaz de acreditar na reviravolta dos acontecimentos. O tempo ficou embaçado, os beijos, mais urgentes, as lágrimas, secas. Ele tirou o suéter dela pela cabeça, ficou parado, quase desarmado, enquanto ela desabotoava a camisa dele. E, com um puxão alegre, a camisa saiu, a pele dele contra a dela, e eles estavam na cama, abraçados, os corpos ferozes, quase desajeitados com a urgência.

Ele a beijou, e sabia que estava tentando contar a ela a profundidade do que sentia. Mesmo enquanto se perdia dentro dela, sentia o cabelo dela varrer seu rosto, seu peito, os lábios dela encostarem em sua pele, os dedos dela, compreendia que havia gente para quem o outro era a parte que faltava.

Ela estava viva embaixo dele; acendia-o. Ele beijou a cicatriz que corria até seu ombro, ignorou a relutância tímida dela até que ela aceitasse o que ele lhe dizia: aquela marca prateada era linda aos olhos dele. Aquela marca significava que ela o amara. Que ela quisera ir com ele. Ele beijou a cicatriz porque não havia parte dela que ele quisesse melhorar, que não adorasse.

Viu o desejo crescer nela como se fosse um dom que eles dividiam, a infinita variedade de expressões que passavam pelo rosto dela, viu-a desprotegida, travando uma luta íntima e, quando ela abriu os olhos, ele se sentiu privilegiado.

Quando ele gozou, tornou a chorar, porque alguma parte dele sempre soubera, embora ele tivesse escolhido não acreditar, que havia algo que podia fazer a pessoa se sentir daquele jeito. E ter isso de volta era mais do que ele poderia ter esperado.

— Eu conheço você — murmurou ela, a pele suada junto à dele, suas lágrimas molhando o pescoço dele. — Conheço sim.

Por um momento ele não conseguiu falar, ficou olhando para o teto, sentindo o ar esfriar, os braços e pernas dela úmidos colados nos dele.

— Ah, Jenny — disse Anthony. — Graças a Deus.

Quando a respiração dela se normalizou, ela se ergueu num cotovelo e olhou para ele. Algo nela se alterara: sua expressão estava tranquila, a tensão desaparecera do contorno dos seus olhos. Ele abraçou-a, apertando-a tanto que seus corpos pareciam fundidos. Sentiu-se endurecer novamente, e ela riu.

— Quero dizer alguma coisa — começou ele —, mas nada parece... relevante o suficiente.

O sorriso dela era glorioso: saciado, amoroso, cheio de surpresa.

— Eu nunca me senti assim em toda a minha vida — disse ela.

Eles se olharam.

— Ou já? — duvidou ela.

Ele confirmou com um aceno de cabeça. Ela fitou o vazio.

— Então... obrigada.

Ele riu, e ela desabou, rindo, no ombro dele.

Quatro anos haviam se dissolvido, tornando-se nada. Ele viu, com uma nova clareza, o caminho que deveria seguir na vida. Ficaria em Londres. Romperia com Eva, sua namorada de Nova York. Ela era bacana, tranquila e alegre, mas ele sabia agora que todas as mulheres com quem saíra nos últimos quatro anos haviam sido uma pálida imitação da mulher ali a seu lado. Jennifer largaria o marido. Ele cuidaria dela. Eles não perderiam aquela chance de novo. Ele subitamente a viu com seu filho, os três num programa de família, e o futuro brilhava com aquela promessa imprevista.

A sequência dos seus pensamentos foi interrompida pelos beijos dela em seu peito, seu ombro, seu pescoço, com uma concentração intensa.

— Você sabe — disse ele, puxando-a de modo a ficarem com as pernas enroscadas, as bocas quase coladas — que vamos ter que fazer isso de novo, não sabe? Só para garantir que você se lembre.

Ela ficou quieta, limitando-se a fechar os olhos.

Dessa vez, quando fez amor com ela, fez muito devagar. Seu corpo falava com o dela. Ele sentiu as inibições dela se desvanecerem, seu coração bater junto ao dele, o reflexo daquele palpitar tênue. Disse o nome dela um milhão de vezes, pelo puro luxo de poder fazê-lo. Aos sussurros, contou-lhe tudo o que já sentira por ela.

Quando ela lhe disse que o amava, foi com uma intensidade que lhe tirou o ar. O resto do mundo aos poucos parou e se fechou sobre eles, até restarem apenas os dois, um emaranhado de lençóis e braços e pernas, cabelos e gemidos baixos.

— Você é a mais rara... — Observou-a abrir os olhos com um reconhecimento tímido de onde estava. — Eu faria amor com você cem vezes só pelo puro prazer de ver seu rosto. — Ela não disse nada, e ele agora estava ávido. — Vicariamente — disse de repente. — Lembra-se?

Depois que terminaram, ele já não sabia ao certo quanto tempo haviam ficado deitados, como se cada um desejasse absorver o outro pela própria pele. Ele ouvia os ruídos da rua, de vez em quando passos no corredor lá fora, uma voz ao longe. Sentiu o ritmo da respiração dela contra seu peito. Beijou o topo de sua cabeça, deixou os dedos pousarem em seu cabelo embaraçado. Uma paz perfeita descera sobre ele, espalhando-se até mesmo por seus ossos. Estou em casa, pensou ele. É isso.

Ela se ajeitou em seus braços.

— Vamos pedir alguma coisa para beber — disse ele, beijando sua clavícula, seu queixo, o ponto onde a mandíbula encontra a orelha. — Uma celebração. Chá para mim, champanhe para você. O que me diz?

Ele então viu: aquela sombra desagradável, os pensamentos dela indo para algum lugar fora daquele quarto.

— Ah — disse Jennifer, sentando-se na cama. — Que horas são?

Ele olhou o relógio.

— Quatro e vinte da tarde. Por quê?

— Ah, não! Tenho que estar lá embaixo às 16h30. — Levantou-se da cama, abaixando-se para pegar as roupas.

— Uau! Por que você precisa estar lá embaixo?

— A Sra. Cordoza.

— Quem?

— Minha governanta vem me encontrar. Marquei com ela de ir às compras.

— Atrase. Será que fazer compras é mesmo tão importante? Jennifer, temos que conversar. Resolver o que vamos fazer agora. Tenho que dizer a meu editor que não vou para o Congo.

Ela se vestia sem nenhuma elegância, como se nada importasse a não ser a velocidade, sutiã, calça, pulôver. O corpo que ele tomara, fizera seu, sumiu de vista.

— Jennifer? — Ele saiu da cama, pegou a calça, colocou o cinto. — Você não pode simplesmente ir embora.

Ela estava de costas para ele.

— Temos coisas para conversar, claro, como vamos decidir as coisas.

— Não há nada para decidir.

Ela abriu a bolsa, tirou uma escova e atacou o cabelo com golpes curtos e ferozes.

— Não estou entendendo.

Quando ela se virou para ele, seu rosto se fechara, como se em frente àquele rosto houvesse uma tela.

— Anthony, desculpe-me, mas... não podemos nos ver de novo.

— O quê?

Ela pegou da bolsa um estojo de pó compacto, começou a limpar o rímel borrado sob os olhos.

— Você não pode dizer isso depois do que acabou de acontecer. Não pode simplesmente desligar isso tudo. Que diabo está acontecendo?

Ela estava rígida.

— Você vai ficar bem. Sempre fica. Olha, eu... eu tenho que ir. Sinto muito mesmo.

Pegou a bolsa e o casaco. A porta fechou às suas costas com um clique resoluto.

Anthony foi atrás dela, escancarando a porta.

— Não faça isso, Jennifer! Não me deixe de novo! — Sua voz ecoava no corredor já deserto, reverberando nas portas fechadas dos outros quartos. — Isso não é um jogo! Não vou esperar mais quatro anos!

Ele ficou paralisado de choque até que, praguejando, conseguiu se controlar e voltar para o quarto, enfiar a camisa e os sapatos.

Pegou o paletó e correu para o corredor, o coração aos pulos. Desceu as escadas de dois em dois degraus até o saguão. Viu a porta do elevador se abrir, e lá estava ela, os saltos percutindo apressados pelo chão de mármore, composta, recuperada, a um milhão de quilômetros de onde estivera havia apenas alguns minutos. Ele estava prestes a gritar quando ouviu chamarem:

— Mamãe!

Jennifer abaixou-se, já com os braços estendidos. Uma mulher de meia-idade se encaminhava na direção dela, a criança se soltando de suas mãos. A garotinha se atirou nos braços de Jennifer e foi levantada, a voz ecoando pelo amplo saguão.

— A gente vai na Hamleys? A Sra. Cordoza disse que a gente ia.

— Vamos, querida. Vamos já, já. Só tenho que resolver uma coisa na recepção.

Ela pôs a criança no chão e tomou sua mão. Talvez tenha sido a intensidade do olhar dele, mas algo a fez se virar para trás enquanto se encaminhava para o balcão. Ela o viu. Seus olhos se encontraram, e ele captou o vestígio de um pedido de desculpas — e de culpa.

Ela desviou a vista, escreveu alguma coisa, depois tornou a se virar para o recepcionista, a bolsa sobre o balcão. Houve um pequeno diálogo e ela foi embora, saindo pelas portas de vidro para a tarde clara, a garotinha tagarelando ao lado dela.

O que aquela cena envolvia afundou em Anthony como pés em areia movediça. Ele esperou até ela ter desaparecido e então, como um homem acordando de um sonho, pôs o paletó nos ombros.

Estava prestes a sair quando o *concierge* correu para ele.

— Sr. Boot? Aquela senhora pediu que eu lhe entregasse isso.

Um bilhete lhe foi colocado na mão.

Ele abriu o papelzinho timbrado do hotel.

Perdoe-me. Eu só precisava saber.

No fundo, não concebemos desposar um marido; recomendamos muito esta vida de solteira.

Rainha Elizabeth I para o príncipe Erik da Suécia, por carta

15

Moira Parker foi até o setor de datilografia e desligou o rádio transistor que fora equilibrado em cima de uma pilha de catálogos telefônicos.

— Ei! — protestou Annie Jessop. — Eu estava escutando.

— Não é apropriado ter música popular tocando aos berros num escritório — disse Moira com firmeza. — Sr. Stirling não quer ser distraído por uma algazarra dessas. Isso aqui é lugar de trabalho.

Era a quarta vez naquela semana.

— Está mais para casa funerária. Ah, Moira. A gente põe baixinho. Faz o dia passar mais rápido.

— Trabalhar faz o dia passar mais rápido.

Ela ouviu as risadas de desdém e empinou o queixo um pouco mais.

— Vocês fariam bem se botassem na cabeça que só vão progredir na Acme Mineral and Mining se tiverem uma atitude profissional.

— E se abrirem as pernas — resmungou alguém atrás dela.

— Como?

— Nada, Srta. Parker. E se mudássemos para o *Clássicos da Guerra?* Isso a deixaria feliz? "Vamos pendurar a roupa na Linha Siegfried..." — Ouviu-se outra gargalhada geral.

— Vou levar o rádio para a sala do Sr. Stirling. Talvez vocês possam perguntar a ele o que *ele* prefere.

Ela ouviu murmúrios de desagrado enquanto atravessava a sala, e se fez de surda. A companhia crescera, e o padrão das funcionárias decaíra na mesma proporção. Hoje em dia ninguém respeitava os superiores, nem a ética de trabalho, nem o que o Sr. Stirling conquistara. Quase sempre ela ia para casa tão mal-humorada que chegava em Elephant and Castle antes mesmo de ter conseguido se distrair com o crochê. Às vezes tinha a sensação de que só ela e o Sr. Stirling — e talvez a Sra. Kingston, da Contabilidade — sabiam como se portar.

E as roupas! Elas se chamavam de gatas, e era um termo tremendamente acertado. Fúteis, vazias e infantis, as garotas da Datilografia passavam muito mais tempo pensando no próprio visual, com aquelas saias curtas e aqueles olhos ridiculamente maquiados, do que nas cartas que deveriam datilografar. Ela tivera que devolver três ontem à tarde. Erros de ortografia, datas esquecidas, até um "Grande abraço" onde ela obviamente teria dito "Atenciosamente". Quando mostrou isso a Sandra, ela olhara para o teto, sem se importar que Moira a tivesse visto.

Moira suspirou, meteu o rádio embaixo do braço e, sabendo que a porta da sala do Sr. Stirling raramente ficava trancada na hora do almoço, girou a maçaneta e entrou.

Marie Driscoll estava sentada em frente a ele — não na cadeira que Moira usava quando anotava o que ele lhe ditava, mas *em cima da mesa dele*. Foi uma cena tão espantosa que ela custou um pouco a registrar que ele recuara subitamente quando ela entrara.

— Ah, Moira.

— Perdão, Sr. Stirling. Eu não sabia que havia outra pessoa aqui. — Lançou um olhar significativo para a moça. Que diabo ela julgava estar fazendo? Será que todo mundo tinha enlouquecido? — Eu... eu trouxe esse rádio. As meninas tinham ligado em volume altíssimo. Achei que se tivessem que se explicar com o senhor talvez parassem para pensar.

— Entendo. — Ele se sentou em sua cadeira.

— Eu temi que estivessem perturbando o senhor.

Houve um longo silêncio. Marie não fez menção de sair dali, apenas puxou alguma coisa na saia — que acabava no meio da coxa. Moira esperava que ela se retirasse.

Mas Sr. Stirling falou:

— Ainda bem que a senhorita apareceu. Eu queria dar uma palavrinha em particular com você. Srta. Driscoll, pode nos dar licença um minuto?

Com visível relutância, a moça pôs os pés no chão e foi saindo com ar de ofendida, encarando Moira ao passar. Usa perfume demais, pensou Moira. A porta se fechou, e então ficaram só os dois. Como ela gostava.

O Sr. Stirling fizera amor com ela mais duas vezes nos meses que se seguiram àquela primeira vez. Talvez a expressão "fazer amor" fosse um pouco exagerada: nas duas ocasiões ele estava muito bêbado, fora um ato mais rápido e mais funcional do que na primeira vez, e, no dia seguinte, não merecera qualquer referência da parte dele.

Apesar das tentativas de deixar claro para ele que não seria rejeitado — os sanduíches feitos por Moira que ela deixava na mesa dele, o esmero com que se penteava —, não acontecera de novo. Mesmo assim, ela agora sabia que era especial para ele, saboreava essa informação só dela quando as colegas comentavam sobre o chefe na cantina. Entendia a tensão que tal duplicidade causaria nele, e, mesmo desejando que as coisas fossem diferentes, respeitava seu admirável autocontrole. Nas raras ocasiões em que Jennifer Stirling aparecia no escritório, Moira já não se sentia intimidada por seu glamour. *Se você tivesse sido uma boa esposa, ele nunca teria tido necessidade de recorrer a mim.* A Sra. Stirling nunca conseguira ver o que tinha na sua frente.

— Sente-se, Moira.

Ela obedeceu, e o fez com muito mais decoro que a tal da Driscoll, ajeitando cuidadosamente as pernas, de repente lamentando não ter escolhido o vestido vermelho. Ele gostava dela com aquele vestido, dissera-lhe isso várias vezes. Vindas de fora da sala, ela ouviu gargalhadas, e se perguntou distraidamente se as secretárias haviam dado um jeito de conseguir outro rádio.

— Vou dizer para essas moças se controlarem — murmurou. — Sei que devem fazer uma algazarra horrível.

Ele não pareceu ouvi-la. Mexia em uns papéis sobre a mesa. Quando ergueu os olhos, evitou um pouco encará-la.

— Vou promover Marie, com efeito imediato...

— Ah, acho uma ótima...

— ... para minha assistente pessoal.

Houve um breve silêncio. Moira tentou não demonstrar quanto se importava. O trabalho ficara mais pesado, disse a si mesma. Era compreensível que ele achasse necessário mais uma pessoa.

— Mas onde ela vai sentar? — perguntou. — O único espaço para outra mesa é na sala externa.

— Estou ciente.

— Acho que poderia passar a Maisie...

— Não vai ser preciso. Já decidi aliviar um pouco o seu trabalho. Você vai... passar para o setor de datilografia.

Era impossível que tivesse escutado direito.

— Datilografia?

— Diga ao DP que continuará com o mesmo salário, portanto será uma boa mudança para você, Moira. Talvez lhe permita ter um pouco mais de vida fora do escritório. Um pouco mais de tempo para você mesma.

— Mas eu não quero tempo para mim.

— Não vamos criar caso. Como eu disse, você continuará com o mesmo salário, e será a secretária mais graduada da seção. Deixarei isso bem claro para as outras. Como você disse, é preciso alguém que seja capaz de se encarregar delas.

— Mas eu não entendo... — Ela se levantou, os nós dos dedos brancos segurando o rádio. Uma onda de pânico lhe subiu no peito. — O que eu fiz de errado? Por que está tirando meu trabalho?

Ele pareceu irritado.

— Você não fez nada de errado. Toda organização remaneja o pessoal de vez em quando. Os tempos estão mudando e quero renovar um pouco as coisas.

— Renovar as coisas?

— Marie é perfeitamente capaz.

— Marie Driscoll vai fazer o meu trabalho? Mas ela não sabe como o escritório funciona. Não conhece o sistema salarial rodesiano, os números de telefone, nem como reservar as suas passagens aéreas. Não conhece o sistema de arquivamento. Passa metade do tempo no banheiro se maquiando. E chega atrasada! Sempre! Ora, tive que chamar a atenção dela duas vezes esta semana. Já viu os números nos cartões de ponto? — As palavras jorravam de dentro dela.

— Tenho certeza de que ela pode aprender. É só secretariado, Moira.

— Mas...

— Eu realmente não tenho mais tempo para discutir isso. Por favor esvazie as gavetas hoje à tarde, e vamos começar com o novo arranjo amanhã.

Ele meteu a mão na caixa de charuto, sinalizando que a conversa estava encerrada. Moira se levantou, segurando na beirada da mesa dele para se equilibrar. A bílis lhe subia na garganta, o sangue latejava em seus ouvidos. Era como se a sala estivesse desmoronando em cima dela, tijolo por tijolo.

Ele pôs o charuto na boca e ela ouviu o cortador afiado destacando a ponta.

Moira se encaminhou lentamente para a porta e abriu-a, e o silêncio súbito na sala externa disse-lhe que outras pessoas sabiam daquilo antes de ela ter sido informada.

Viu as pernas de Marie Driscoll, esticadas sobre sua mesa. Pernas compridas e esguias dentro de meias de uma cor ridícula. Quem haveria de usar uma meia-calça azul para ir trabalhar e esperaria ser levada a sério?

Ela passou a mão na bolsa que estava em sua mesa e atravessou a sala com as pernas bambas a caminho do banheiro, sentindo os olhares das curiosas e os sorrisinhos das menos simpáticas queimando as costas do seu cardigã azul.

— Moira! Estão tocando a sua música! "Can't Get Used To Losing You", não consigo me acostumar a perder você...

— Ah, não seja má, Sandra.

Ouviu-se outra gargalhada geral, e então a porta do banheiro já se fechava às suas costas.

* * *

Jennifer estava de pé no meio da pracinha deprimente, observando as babás imóveis conversando por sobre os carrinhos de bebê Silver Cross, ouvindo os gritos das criancinhas que esbarravam e caíam no chão como pinos de boliche.

A Sra. Cordoza se oferecera para trazer Esmé, mas Jennifer lhe dissera que precisava tomar ar. Fazia 48 horas que não sabia como agir, o corpo ainda sensibilizado pelo toque dele, a mente rodando com as lembranças do que ela fizera. Estava quase derrubada pela enormidade do que perdera. Não podia se anestesiar com Valium para passar por isso: tinha que aguentar. Sua filha seria um lembrete de que fizera a coisa certa. Quisera dizer tantas coisas a ele. Mesmo enquanto dizia a si mesma que não pretendera seduzi-lo, sabia que isso era mentira. Quisera um pedaço dele, uma bela e preciosa lembrança, para levar consigo. Como poderia saber que abriria a caixa de Pandora? Pior, como poderia ter imaginado que ele ficaria tão arrasado?

Aquela noite na embaixada, ele parecera muito controlado. Não podia ter sofrido como ela. Não poderia ter sentido o que ela sentira. Era mais forte, achara ela. Mas agora ela não conseguia deixar de pensar nele, na vulnerabilidade dele, nos planos felizes que ele tinha para os dois. E a maneira como ele a olhara ao atravessar o saguão do hotel em direção a sua filha...

Ela ouvira a voz dele, angustiada e confusa, ecoando no corredor atrás dela: *Não faça isso, Jennifer! Não vou esperar mais quatro anos!*

Perdoe-me, dizia-lhe em silêncio, mil vezes por dia. Mas Laurence nunca me deixaria ficar com ela. E você, logo você, não poderia me pedir para deixá-la. Você, mais que ninguém, deveria entender.

De tempos em tempos, ela enxugava o canto dos olhos, culpando o vento ou mais um grão de fuligem que misteriosamente conseguira alcançá-los. Sentia-se emocionalmente desprotegida, profundamente consciente da menor mudança de temperatura, sacudida por suas emoções instáveis.

Laurence não é má pessoa, dizia a si mesma, repetidas vezes. É um bom pai, à maneira dele. Se achava difícil ser gentil com Jennifer, quem poderia culpá-lo? Quantos homens seriam capazes de perdoar a esposa por se apaixonar por outro? Às vezes ela se perguntava se, caso não tivesse engravidado tão depressa, ele teria se cansado dela, escolhido largá-la. Mas ela não acreditava nisso: Laurence podia não mais amá-la, no entanto não imaginaria a perspectiva de ela existir em algum outro lugar sem ele.

E ela é meu consolo. Jennifer empurrou a filha no balanço, vendo as pernas da menina voarem, os cachos balançarem ao vento. Isso é muito mais do que muitas mulheres têm. Como Anthony lhe dissera uma vez: era um consolo saber que tinha feito a coisa certa.

— Mamãe!

Dorothy Moncrieff perdera o chapéu, e Jennifer se distraíra por um momento procurando-o, as duas garotinhas andando com ela em volta dos balanços, do carrossel, espiando embaixo dos bancos até o verem na cabeça de outra criança.

— É feio roubar — disse Dorothy solenemente enquanto voltavam para o parquinho.

— É — disse Jennifer —, mas acho que o garotinho não estava roubando. Ele não devia saber que o chapéu era seu.

— Se a pessoa não sabe o que é certo e o que é errado, ela deve ser burra — anunciou Dorothy.

— Burra — ecoou Esmé, deliciada com a palavra.

— Bem, é possível — disse Jennifer.

Tornou a amarrar o cachecol da filha e mandou as meninas irem brincar, desta vez na caixa de areia, com instruções para que não jogassem areia uma na outra de jeito nenhum.

Meu querido Boot, começou ela, em mais uma das cem cartas imaginárias que escrevera nos últimos dois dias. *Por favor, não fique zangado comigo. Você deve saber que, se houvesse algum jeito de ir com você, eu iria...*

Ela não mandaria carta nenhuma. O que havia a dizer, além do que já dissera? Ele me perdoará com o tempo, disse a si mesma. Terá uma vida boa.

Tentou tirar de sua mente a pergunta óbvia: como ela viveria? Como poderia continuar, sabendo o que agora sabia? Tornou a ficar com os olhos vermelhos. Puxou o lenço do bolso e secou-os de novo, virando-se para não chamar atenção. Talvez desse uma passada no médico, afinal. Só uma ajudinha para conseguir atravessar os próximos dias.

Sua atenção foi atraída para a figura de casaco de tweed se encaminhando pela grama na direção do parquinho. Os pés da mulher moviam-se com determinação, com uma espécie de regularidade mecânica, apesar da lama da relva. Jennifer percebeu, espantada, que era a secretária de seu marido.

Moira Parker foi direto até ela e parou tão perto que Jennifer teve que dar um passo para trás.

— Srta. Parker?

Seus lábios estavam bastante contraídos; em seu olhar, um brilho de determinação.

— Sua governanta me disse onde a senhora estava. Posso dar uma palavrinha com a senhora?

— Hã... sim. Claro. — Virou-se rapidamente. — Queridas? Dottie? Esmé? Estarei logo ali.

As meninas a olharam, depois recomeçaram a cavar.

As duas caminharam alguns passos, Jennifer se posicionando de modo a poder enxergar as crianças. Prometera à babá dos Moncrieff que Dorothy estaria em casa às 16 horas, e faltavam apenas 15 minutos. Deu um sorriso forçado.

— O que foi, Srta. Parker?

Moira sacou uma pasta gorda de sua bolsa surrada.

— Isto é para a senhora — disse bruscamente.

Jennifer pegou a pasta. Abriu-a e imediatamente pôs a mão em cima dos papéis, pois o vento ameaçava levá-los embora.

— Não perca nenhum desses documentos. — Era uma instrução.

— Desculpe-me, mas... não estou entendendo. O que é isso?

— São as pessoas que ele subornou.

Como Jennifer continuou sem compreender, Moira continuou:

— Mesotelioma. Doença pulmonar. Essa é a lista de trabalhadores que ele subornou, porque queria esconder o fato de que essas pessoas contraíram uma doença terminal ao trabalharem para ele.

Jennifer levou a mão à cabeça.

— O quê?

— Seu marido. Os que já morreram estão embaixo. As famílias foram obrigadas a assinar uma renúncia formal ao direito de tomar qualquer medida para receber o dinheiro.

Jennifer tinha dificuldade para acompanhar o que a mulher dizia.

— Morreram? Renúncias?

— Ele as obrigou a isentá-lo de responsabilidade. Subornou todas elas. Os sul-africanos não receberam quase nada. Os operários de fábrica aqui foram mais caros.

— Mas o asbesto não faz mal a ninguém. São só uns encrenqueiros em Nova York que estão tentando responsabilizá-lo. Laurence me disse.

Moira parecia não ouvir. Correu a mão por uma lista na primeira folha.

— Estão em ordem alfabética. A senhora pode falar com as famílias se quiser. A maioria dos endereços está no alto. Ele está apavorado, teme que os jornais ponham a mão nisso tudo.

— São só os sindicatos... Ele me disse...

— Outras empresas estão tendo o mesmo problema. Escutei algumas conversas telefônicas que ele teve com a Goodasbest nos Estados Unidos. Eles estão financiando uma pesquisa que faz o asbesto parecer inofensivo.

A mulher falava tão depressa que a cabeça de Jennifer rodava. Ela olhou para as duas crianças, agora jogando punhados de areia uma na outra.

Moira Parker disse explicitamente:

— A senhora entende que ele estaria arruinado se alguém descobrisse o que ele fez? Um dia vai acabar vindo à tona. É inevitável. Com qualquer coisa é assim.

Jennifer segurou a pasta com muito cuidado, como se também aquele objeto pudesse estar contaminado.

— Por que está me dando isso? Por que acha que eu iria querer fazer algo que pudesse prejudicar meu marido?

Moira Parker agora assumira um ar quase culpado. Tinha a boca contraída numa fina linha vermelha.

— Por causa disto. — Pôs na mão de Jennifer uma folha de papel amassada. — Chegou poucas semanas depois do seu acidente. Tantos anos atrás. Ele não sabe que eu guardei.

Jennifer desdobrou a folha, o vento fustigando o papel contra seus dedos. Ela conhecia a letra.

> Jurei não tornar a procurá-la. Mas já faz seis semanas e não me sinto melhor. Estar sem você — a milhares de quilômetros de você — não me traz nenhum alívio. O fato de eu já não estar atormentado por sua proximidade, de já não precisar encarar diariamente minha incapacidade de ter a única coisa que eu realmente quero, não me curou. Piorou as coisas. Meu futuro parece uma estrada desolada e vazia.
>
> Não sei o que estou tentando lhe dizer, minha adorada Jenny. Talvez apenas que, se tiver o mais vago sentimento de que tomou a decisão errada, esta porta ainda está aberta.
>
> E, se sentir que foi a decisão acertada, saiba ao menos isso: em algum lugar deste mundo há um homem que a ama, que entende quão preciosa e inteligente e boa você é. Um homem que sempre a amou e que, por mais que ele tente evitar, desconfia que sempre a amará.
>
> Seu,
> B.

Jennifer ficou olhando para a carta enquanto a cor lhe fugia do rosto. Olhou para a data. Quase quatro anos antes. Logo após o acidente.

— Está me dizendo que isto estava com Laurence?

Moira Parker baixou os olhos.

— Ele me mandou fechar a caixa postal.

— Ele sabia que Anthony ainda estava vivo? — Ela tremia.

— Não sei de nada disso. — Moira levantou a gola do casaco. Conseguiu fazer um ar de desaprovação.

Uma pedra fria se instalara dentro de Jennifer. Ela se sentiu endurecer toda em volta dessa pedra.

Moira Parker fechou a bolsa.

— Enfim, faça o que quiser com isso tudo. Por mim, ele pode ser enforcado que eu pouco me importo.

E continuou falando sozinha enquanto se afastava, atravessando o parque de volta. Jennifer afundou num banco, ignorando as duas crianças, que agora esfregavam areia no cabelo uma da outra, muito felizes. Tornou a ler a carta.

Jennifer levou Dorothy Moncrieff para casa, entregando-a à babá, e pediu a Sra. Cordoza para ir com Esmé à loja de doces.

— Compre um pirulito para ela, e talvez um saco de balas.

Ficou na janela para vê-las descer a rua; cada passo da menina era um pulinho de ansiedade. Quando elas viraram a esquina, Jennifer abriu a porta do escritório de Laurence, um cômodo em que ela raramente entrava, e do qual Esmé era banida, para seus dedinhos curiosos não mexerem num daqueles muitos objetos valiosos.

Depois, nem sabia ao certo por que tinha entrado ali: sempre odiara as tristes estantes de mogno, cheias de livros que ele nunca lera, o cheiro entranhado de charuto, os troféus e os certificados por feitos que ela não conseguia reconhecer como tais — *Empresário da Távola Redonda do Ano, Melhor Atirador, Caça ao Cervo Cowbridge 1959, Troféu de Golfe 1962*. Ele raramente usava aquele escritório: era um teatro, uma sala em que, segundo prometia aos seus convidados, podiam "fugir das mulheres", um refúgio em que ele afirmava encontrar paz.

Havia duas poltronas confortáveis, uma de cada lado da lareira, com o assento quase intacto. Em oito anos, a lareira nunca fora acesa. Os finos copos lapidados sobre o aparador nunca tinham visto uma gota do bom uísque da garrafa de cristal ao lado. As paredes eram forradas de fotografias de Laurence cumprimentando colegas empresários, dignitários em visita, o ministro do Comércio da África do Sul, o duque de Edimburgo. Era um lugar para os outros, mais uma razão para que os homens o admirassem. *Laurence Stirling, sujeito sortudo.*

Jennifer ficou parada à porta ao lado da taqueira de golfe, o banquinho dobrável no canto. Um nó duro e apertado se formara em seu peito, bem no ponto da sua traqueia onde o ar deveria expandir os pulmões. Ela viu que não conseguia respirar. Pegou um taco de golfe e foi para o centro da sala. Deixou escapar um pequeno ruído, como o arquejo de um atleta ao fim de uma longa corrida. Ergueu o taco acima da cabeça, como se para imitar um *swing* perfeito, e deu uma tacada com toda força na garrafa de cristal. Voaram cacos de vidro para todo lado, e então ela deu outra tacada, nas paredes, espatifando as fotografias nas molduras, derrubando os troféus amassados. Acertou os livros encadernados em couro, os pesados cinzeiros de vidro. Golpeava tudo feroz e metodicamente, o corpo esguio alimentado por uma raiva que mesmo agora continuava a aumentar dentro dela.

Derrubou os livros, mandou longe as molduras de cima da lareira. Baixou o taco como se fosse um machado, rachando a pesada mesa georgiana, depois o impeliu para o lado, fazendo-o assobiar. Golpeou até ficar com os braços doloridos e o corpo coberto de suor, a respiração entrecortada, explosões pungentes. Finalmente, quando não sobrava mais nada para quebrar, ficou parada no meio da sala, pisando nos cacos de vidro rangentes, tirando uma mecha de cabelo suada da testa enquanto analisava o que havia feito. *A encantadora Sra. Stirling, mulher de temperamento doce. Comedida, calma, reprimida. Sua chama foi apagada.*

Jennifer Stirling deixou cair o taco entortado aos seus pés. Então, limpou as mãos na saia, espanou um caquinho de vidro, que deixou cair no chão, e se retirou da sala, fechando a porta às suas costas.

A Sra. Cordoza estava sentada na cozinha com Esmé quando Jennifer anunciou que elas iam sair de novo.

— A menina não quer o lanche? Vai ficar com fome.

— Eu não quero sair — interveio Esmé.

— Não vamos demorar, querida — disse a mãe, com tranquilidade. — Sra. Cordoza, pode tirar o resto do dia de folga.

— Mas eu...

— Sério. É melhor.

Ela pegou a filha, a mala que acabara de fazer e o saco de papel pardo com as balas, sem fazer caso da perplexidade da governanta. Depois, já estava saindo de casa, descendo as escadas e chamando um táxi.

Ela o viu logo que abriu as portas duplas, parado em frente a sua sala, falando com uma jovem sentada à mesa dele. Ouviu uma saudação, ouviu a própria resposta comedida, e se admirou um pouco por ser capaz de travar um diálogo tão normal.

— Como ela cresceu!

Jennifer olhou para a filha, que afagava seu fio de pérolas, depois para a mulher que falara.

— Sandra, não é? — disse ela.

— Sim, Sra. Stirling.

— Será que você se incomodaria de deixar Esmé brincar um pouquinho com a sua máquina de escrever enquanto dou um pulinho lá dentro para falar com o meu marido?

Esmé estava encantada de ser deixada à vontade no teclado da máquina, sendo mimada e adulada pelas mulheres que imediatamente a cercaram, empolgadas com um justificado desvio do trabalho. Então Jennifer afastou o cabelo do rosto e foi até a sala dele. Entrou na área da secretaria, onde ele estava parado.

— Jennifer. — Ele ergueu uma sobrancelha. — Eu não esperava você.

— Tem um minutinho? — perguntou ela.

— Vou precisar sair às 17 horas.

— Não vai demorar.

Ele a conduziu para dentro de sua sala, fechando a porta ao entrar em seguida, e indicou-lhe a cadeira. Pareceu um tanto irritado quando ela recusou a cadeira e deixou-se cair pesadamente na poltrona de couro dele.

— E então?

— O que eu fiz para você me odiar tanto?

— O quê?

— Eu sei da carta.

— Que carta?

— A que você interceptou no correio quatro anos atrás.

— Ah, isso — desdenhou ele, e parecia que ela estava lhe avisando que ele se esquecera de buscar alguma coisa no armazém.

— Você sabia, e me deixou pensar que ele tinha morrido. Fez com que eu pensasse que era *responsável*.

— Pensei que provavelmente tivesse morrido mesmo. E isso são águas passadas. Não vejo por que falar nesse assunto de novo.

Ele se inclinou e tirou um charuto da caixa de prata que havia sobre a mesa.

Ela pensou na caixa amassada no escritório dele em casa, coberta de cacos de vidro.

— A questão, Laurence, é que você me puniu dia após dia, deixou que eu me punisse. O que eu fiz para merecer isso?

Ele jogou um fósforo no cinzeiro.

— Você sabe muito bem o que fez.

— Você fez com que eu achasse que tinha *matado* ele.

— O que você pensou não tem nada a ver comigo. Bom, como eu disse, são águas passadas. Realmente não entendo por que...

— Não são águas passadas. Porque ele voltou.

Essa afirmação conseguiu a atenção dele. Ela desconfiava de que a secretária pudesse estar ouvindo atrás da porta, e manteve o tom de voz baixo.

— É isso mesmo. E estou indo embora para ficar com ele. E Esmé vai comigo, é claro.

— Não seja ridícula.

— Estou falando sério.

— Jennifer, nenhum tribunal na terra deixaria uma criança ficar com uma mãe adúltera, uma mãe que não é capaz de passar o dia sem vários vidros de remédios. Sr. Hargreaves seria testemunha da quantidade que você toma.

— Não tomo mais. Joguei tudo fora.

— É mesmo? — Ele tornou a consultar o relógio. — Parabéns. Então você conseguiu passar... 24 horas seguidas sem a ajuda de drogas? Tenho certeza de que os tribunais vão achar isso admirável. — Ele riu, satisfeito com a própria resposta.

— Acha que também iriam achar admirável o dossiê sobre as doenças pulmonares?

Ela notou a rigidez súbita da mandíbula dele, o lampejo de incerteza.

— O quê?

— Sua ex-secretária me deu isso. Tenho o nome de cada um dos seus funcionários que ficou doente e morreu nos últimos dez anos. O que eles tiveram mesmo? — Ela pronunciou a palavra com cuidado, enfatizando sua estranheza. — *Me-so-te-li-o-ma.*

A cor fugiu tão depressa do rosto dele que ela pensou que ele fosse desmaiar. Ele se levantou e foi até a porta. Abriu-a, olhou para fora e tornou a fechá-la com firmeza.

— Do que está falando?

— Tenho todas as informações, Laurence. Tenho até os comprovantes bancários do dinheiro que você pagou a essas pessoas.

Ele abriu uma gaveta e revirou-a. Quando se endireitou, estava abalado. Deu um passo em direção a Jennifer, e ela foi obrigada a encará-lo.

— Se me arruinar, Jennifer, você se arruína.

— Acha mesmo que eu me importo?

— Eu nunca lhe darei o divórcio.

— Ótimo — disse ela, a perturbação dele fortalecendo-lhe a determinação. — Então vai ser o seguinte: Esmé e eu vamos arranjar um lugar aqui perto para morar e você pode ir visitá-la. Você e eu seremos marido e mulher só no papel. Você me dará uma mesada razoável, para sustentá-la, e em troca eu garanto que esses documentos nunca venham a público.

— Está tentando me chantagear?

— Ah, eu sou muito tapada para fazer uma coisa dessas, Laurence, como você já me lembrou milhares de vezes esses anos todos. Não, só estou lhe dizendo como vai ser minha vida. Pode ficar com sua amante, a casa, sua fortuna e... sua *reputação*. Nenhum dos seus colegas de trabalho precisa saber. Mas nunca mais tornarei a pisar na mesma casa que você.

Ele realmente não tinha se dado conta de que ela sabia da amante. Ela viu a expressão de fúria e impotência estampada em seu rosto, misturada com uma ansiedade incontrolável. Então a tentativa de um sorriso conciliador sufocou aquela expressão.

— Jennifer, você está abalada. Deve ter sido um choque a volta desse sujeito. Por que não vai para casa e a gente conversa sobre isso mais tarde?

— Já deixei os documentos nas mãos de uma pessoa. Se acontecer alguma coisa comigo, ele já sabe o que fazer.

Laurence nunca olhara para ela com tanto ódio. Ela apertou a bolsa com mais força.

— Você é uma puta — disse ele.

— Com você, eu fui — disse ela calmamente. — Devo ter sido, porque certamente não fazia aquilo por amor.

Houve uma batida na porta, e a nova secretária entrou. O jeito como a moça olhava de um para outro deixava escapar certas informações. Aquilo aumentou a coragem de Jennifer.

— Enfim, acho que isso é tudo o que eu precisava lhe dizer. Agora vou embora, querido — despediu-se. Foi até ele e lhe deu um beijo no rosto. — Mantenho contato. Até logo, Srta... — Ela aguardou.

— Driscoll — completou a moça.

— Driscoll. — Fitou-a com um sorriso. — Claro.

Passou por ela, pegou a filha e, com o coração palpitando, abriu a porta dupla, esperando ouvir a voz, os passos dele às suas costas. Desceu de um pulo os dois lances de escada até onde o táxi continuava esperando.

— Aonde a gente vai? — perguntou Esmé enquanto Jennifer a sentava no banco a seu lado. Ela escolhia uma bala do punhado que tinha na mão, o butim conseguido com as secretárias.

Jennifer inclinou-se e abriu a janelinha, gritando para o motorista mais alto que o barulho do tráfego da hora do rush. De repente se sentia flutuar, triunfante.

— Para o hotel Regent, por favor. O mais depressa que puder.

Depois ela se lembraria dessa viagem de vinte minutos e se daria conta de que olhava as ruas cheias de gente, as vitrines chamativas das lojas com olhos de um turista, como se fosse um correspondente estrangeiro que nunca tivesse visto aquilo antes. Só notava alguns detalhes, uma impressão que se destacasse, sabendo que poderia não tornar a ver aquilo de novo. Sua vida tal como ela a conhecia acabara, e ela tinha vontade de cantar.

Foi assim que Jennifer Stirling deu adeus a sua vida antiga, aos dias em que caminhava por aquelas ruas carregada de sacolas de compras cheias de coisas que nada significavam para ela logo que chegava em casa. Era ali, na altura da Marylebone Road, que todo dia ela sentia crescer aquele aperto interior à medida que se aproximava da casa que, em vez de seu lar, tinha se transformado numa espécie de penitência diária.

Lá estava a praça, passando depressa, com aquela casa silenciosa, um mundo dentro do qual ela vivera, sabendo que não havia pensamento que ela pudesse exprimir, nada que pudesse fazer sem despertar as críticas de um homem que ela tornara tão infeliz que a única saída dele era continuar punindo-a com silêncio, humilhações incessantes e uma frieza que a deixava gelada, mesmo no auge do verão.

Um filho podia proteger a pessoa disso, mas só até certo ponto. E embora o que estivesse fazendo significasse que poderia cair em desgraça aos olhos do seu círculo de relações, ela poderia mostrar à filha que havia outra maneira de viver. Uma maneira que não envolvia um anestesiar-se permanente, que não significava viver a vida inteira desculpando-se por ser quem era.

Ela viu a vitrine onde as prostitutas costumavam se expor. As moças que batiam no vidro haviam sumido para algum outro local. Espero que estejam tendo uma vida melhor, pensou. Espero que tenham se libertado do que quer que as prendesse ali. Todo mundo merece essa chance.

Esmé continuava comendo suas balas, observando as ruas movimentadas pela outra janela. Jennifer passou o braço em volta da garotinha e puxou-a mais para perto. A menina desembrulhou mais uma bala e meteu-a na boca.

— Mamãe, aonde a gente vai?

— Encontrar um amigo, e depois partir para uma aventura, querida — respondeu ela, de repente fervendo de empolgação. Não tinha nada, pensou. *Nada*.

— Uma aventura?

— É. Uma aventura que deveria ter acontecido muito, muito tempo atrás.

A matéria da página 4 sobre as negociações para o desarmamento não daria uma manchete, pensou Don Franklin enquanto sua assistente elaborava alternativas. Ele torcia para que a mulher não tivesse posto cebola crua em seus sanduíches de salsicha de fígado. Cebola crua sempre lhe dava dor de estômago.

— Se passarmos o anúncio da pasta de dente para este lado, poderíamos preencher este espaço com o padre que dança? — sugeriu a assistente.
— Eu odeio essa matéria.
— E a resenha teatral?
— Já está na página 18.
— Olhe ali, chefe.

Esfregando a barriga, Franklin ergueu os olhos e viu uma mulher atravessando a redação com um passo acelerado. Vestia uma capa de chuva preta curta e trazia pela mão uma criança loura. Ver uma garotinha numa redação de jornal deixou Don constrangido, como se tivesse visto um soldado de anágua. Era uma aberração. A mulher parou para perguntar algo a Cheryl, que apontou para ele.

Ele tinha o lápis na boca enquanto ela se aproximava.

— Desculpe-me incomodá-lo, mas preciso falar com Anthony O'Hare — anunciou ela.

— E a senhora é?

— Jennifer Stirling. Sou amiga dele. Acabei de vir do hotel dele, mas disseram que ele já tinha pagado a conta e ido embora. — Ela possuía um olhar ansioso.

— A senhora trouxe o bilhete outro dia — lembrou Cheryl.

— Sim — disse a mulher. — Fui eu.

Don notou como Cheryl a olhava de alto a baixo. A menina segurava um pirulito parcialmente comido, que deixara um rastro melado na manga da camisa da mãe.

— Ele foi para a África — disse Don.

— O quê?

— Foi para a África.

Jennifer ficou completamente imóvel, a criança também.

— Não. — Sua voz ficou embargada. — Não é possível. Ele nem tinha decidido ainda.

Don tirou o lápis da boca e deu de ombros.

— As notícias voam. Ele foi embora ontem, conseguiu pegar o primeiro voo. Vai passar os próximos dias viajando.

— Mas eu preciso falar com ele.

— Não dá para entrar em contato agora. — Don via que Cheryl o observava. Duas das outras secretárias cochichavam.

A mulher empalidecera.

— Com certeza deve haver algum jeito de falar com ele. Ele não pode estar muito longe.

— Ele pode estar em qualquer lugar. É o Congo. Lá não tem telefone. Ele vai telegrafar quando puder.

— Congo? Mas por que cargas-d'água ele foi tão depressa? — Sua voz virara um sussurro.

— Quem sabe? — Don a olhou de forma perspicaz. — Vai ver que queria ir embora daqui. — Via que Cheryl remanchava, fingindo arrumar uma pilha de papéis ali perto.

A mulher parecia ter perdido a capacidade de raciocínio. Levou a mão ao rosto. Ele pensou, por um instante horrível, que ela talvez estivesse prestes a chorar. Se havia algo pior do que uma criança numa redação era uma mulher chorando com uma criança numa redação.

Ela respirou fundo, se acalmando.

— Se falar com ele, pode lhe pedir para me telefonar? — Meteu a mão na bolsa e tirou uma pasta recheada de documentos, depois vários envelopes amassados. Hesitou e enfiou os envelopes na pasta. — E dê isso a ele. Ele sabe o que significa. — Escreveu um bilhete, arrancou-o da agenda e meteu-o embaixo da aba. Colocou a pasta na mesa diante de Don.

— Claro.

Ela segurou-lhe o braço. Usava um anel com um brilhante do tamanho do célebre diamante Koh-i-noor.

— Vai mesmo entregar-lhe isso? É muito importante. Absurdamente importante.

— Entendo. Agora, se me dá licença, preciso continuar meu trabalho. Esta é a hora mais cheia do dia. Todo mundo aqui está às voltas com os prazos.

Ela contraiu o rosto.

— Desculpe-me. Por favor só me garanta que ele receba isso. Por favor.

Don confirmou com um gesto de cabeça.

Ela esperou, sem tirar os olhos do rosto dele, talvez tentando se convencer de que ele falara sério. Depois, dando uma última olhada na redação, como se para verificar que Anthony não estava mesmo lá, deu a mão à filha.

— Sinto muito tê-lo incomodado.

Parecendo de alguma forma menor do que quando entrara, ela se encaminhou lentamente para a porta, como se não tivesse ideia de para onde ir. As poucas pessoas reunidas em volta da mesa da subeditoria observavam-na se retirar.

— Congo — disse Cheryl logo depois.

— Preciso mandar a página 4 para a composição. — Don olhava fixo para a mesa. — Vamos com o padre dançarino.

* * *

A última carta de amor

Quase três semanas depois é que alguém pensou em limpar a mesa da subeditoria. Entre antigas provas de galé e folhas de carbono azul-escuro, havia uma pasta surrada.

— Quem é B.? — Dora, a secretária temporária, abriu a pasta. — Será que é a inicial de Bentinck? Ele não saiu há dois meses?

Cheryl, que estava discutindo sobre despesas de viagem ao telefone, deu de ombros sem se virar, mas tapou o bocal com a mão.

— Se não consegue saber de quem é, mande para a biblioteca. É lá que eu boto tudo o que parece não ter dono. Aí Don não pode gritar com você. — Pensou melhor. — Bem, poder, ele pode. Mas não por arquivar errado.

A pasta aterrissou no carrinho destinado ao arquivo, que continha as antigas edições do jornal *Who's Who* e do *Hansard*, e ficava nas entranhas do prédio.

Levaria quase quarenta anos para tornar a aparecer.

Parte 3

Vc e eu acabou

Homem para Mulher, por mensagem de texto

16

2003

Terça-feira. Red Lion? Que tal? Bjs, John

Ela espera por vinte minutos até ele chegar, gelado do frio lá fora e se desculpando. Uma entrevista de rádio se estendeu mais do que ele esperara: encontrou por acaso um engenheiro de som que conhecera na universidade e que quis saber o que ele andava fazendo. Seria grosseria ir embora correndo.

Mas não é grosseria me deixar esperando no pub, retruca ela mentalmente, só que, como não quer estragar o clima, sorri.

— Você está linda — diz ele, tocando no rosto dela. — Fez alguma coisa no cabelo?

— Não.

— Ah. Então só está linda como sempre. — E, com essa única frase, o atraso dele é esquecido.

Ele está com uma camisa azul-escura e um paletó cáqui. Ela uma vez brincou com ele que isso é uniforme de escritor. Discreto, apagado, caro. É a roupa com a qual ela o imagina quando não está com ele.

— Como estava Dublin?

— Uma correria. — Ele desenrola o cachecol do pescoço. — Tenho uma assessora de imprensa nova, Ros, e parece que faz parte de suas tarefas agendar algo para eu fazer de 15 em 15 minutos. Chegou a marcar intervalos para eu ir ao banheiro.

Ela ri.

— Está bebendo? — Ele faz sinal para um garçom ao ver o copo dela vazio.

— Vinho branco.

Ela não queria mais: está tentando diminuir, mas agora ele está aqui e ela sente aqueles nós no estômago que só o álcool pode aliviar.

Ele fala tranquilamente sobre a viagem, os livros vendidos, as mudanças na orla de Dublin. Ela o observa. Leu em algum lugar que as pessoas só veem mesmo o rosto de alguém nos primeiros minutos do encontro; depois, só enxergam uma impressão, colorida pela imagem que têm dela. Isso a consola nas manhãs em que acorda de cara inchada depois de beber demais, ou vendo tudo borrado por falta de sono. Você sempre será lindo para mim, disse-lhe ela mentalmente.

— Então não trabalha hoje?

Com grande esforço, ela volta à conversa:

— É minha folga. Trabalhei domingo, lembra? Mas vou dar um pulo no escritório assim mesmo.

— O que anda investigando?

— Ah, nada muito empolgante. Encontrei uma carta interessante e queria dar uma procurada no arquivo para o caso de ter outras parecidas.

— Uma carta?

— É.

Ele ergue uma sobrancelha.

— Não tem nada para contar, mesmo. — Ela dá de ombros. — É antiga. De 1960.

Não sabe por que está sendo reticente, mas se sentiria estranha mostrando a ele a emoção crua exposta naquela folha. Teme que ele pense que ela tenha lhe mostrado a carta por algum motivo oculto.

— Ah. A censura era muito mais rígida. Adoro escrever sobre essa época. É muito mais fácil criar tensão.

— Tensão?

— Entre o que desejamos e o que nos é permitido.

Ela olha para as próprias mãos.

— É. Sei tudo sobre isso.

— Sobre forçar os limites... todos aqueles códigos de conduta rígidos.

— Diga isso de novo. — Seus olhos encontram os dele.

— Não faça isso — murmura ele, sorrindo com malícia. — Não num restaurante. Safadinha.

A força das palavras. Ela sempre o pega.

Sente a pressão da perna dele na sua. Depois disso, eles vão para o apartamento dela, e ela vai tê-lo para si por pelo menos uma hora. Não é o suficiente, nunca é, mas a ideia do que vai acontecer, do corpo dele contra o dela, já a deixa tonta.

— Você... ainda quer comer? — pergunta ela devagar.
— Depende...
Eles se entreolham demoradamente. Para ela, não há nada no bar a não ser ele.
Ele se ajeita na cadeira.
— Ah, antes que eu esqueça, vou estar fora a partir do dia 17.
— Mais um tour? — As pernas dele envolvem as dela sob a mesa. Ela se esforça para se concentrar no que ele está dizendo. — Aqueles editores estão *mesmo* mantendo você ocupado.
— Não — diz ele, a voz neutra. — Férias.
Uma pausa mínima. E pronto. Uma dor de verdade, um impacto como um soco, bem abaixo das costelas. Sempre sua parte mais vulnerável.
— Que bom para você. — Ela puxa as pernas para trás. — Vai para onde?
— Barbados.
— *Barbados.* — Não consegue evitar o tom de surpresa na voz.
Barbados. Não acampar na Grã-Bretanha. Não o chalé de um primo distante em Devon, aquela região sempre debaixo de chuva. Barbados sugere um feriado em família. Sugere luxo de paisagens, areia branca, a esposa de biquíni. Sugere algo especial, uma viagem que insinua que o casamento deles ainda tem valor. Sugere que eles talvez façam sexo.
— Acho que lá não vai ter acesso à internet, e telefone será difícil. Só para você saber.
— Silêncio no rádio.
— É por aí.
Ela não sabe o que dizer. Intimamente, está furiosa com ele, embora tenha consciência de que não tem direito de estar. O que ele já lhe prometeu, afinal?
— Enfim. Não existem férias com criança pequena — diz ele, dando um gole na bebida. — Só mudança de lugar.
— É mesmo?
— Você não iria acreditar na quantidade de tralha que a gente tem que carregar. Carrinhos malditos, cadeira para refeição, fraldas...
— Nem quero saber.
Eles ficam calados até chegar o vinho. Ele serve uma taça e entrega a ela. O silêncio se expande, torna-se esmagador, catastrófico.
— Não posso evitar o fato de ser casado, Ellie — diz ele por fim. — Desculpe-me se isso a magoa, mas não posso deixar de sair de férias porque...
— ... fico com ciúmes — termina ela.
Ela odeia a impressão que causa ao dizer isso. Odeia a si mesma por estar ali sentada como uma adolescente emburrada. Mas ainda está assimilando

o significado de Barbados, a certeza de que por duas semanas tentará não imaginá-lo fazendo amor com a esposa.

É nessa hora que eu deveria cair fora, diz a si mesma, pegando a taça. É nessa hora que qualquer pessoa sensata reúne o que lhe resta de amor-próprio, anuncia que merece mais que isso e sai dessa relação, para descobrir alguém que possa se dar por inteiro a ela, não almoços encaixados na agenda e noites vazias e assombradas.

— Ainda quer que eu volte para você?

Ele a observa com cuidado, um pedido de desculpa estampado no rosto, o semblante de quem sabe o que está fazendo com ela. Este homem. Este campo minado.

— Quero — diz ela.

Há uma hierarquia em redações de jornais, e o pessoal do arquivo está lá embaixo. Não tão baixo quanto os atendentes da cantina ou os seguranças, mas muito longe dos colunistas, editores e repórteres, que englobam a seção da ação, a cara da publicação. São funcionários de apoio, invisíveis, desvalorizados, que estão ali para executar as ordens dos mais importantes. Mas parece que ninguém explicou isso ao homem de camiseta de mangas compridas.

— Hoje não estamos aceitando pedidos.

Ele aponta para o aviso colado no que costumava ser o balcão.

Lamentamos — arquivo inacessível até segunda-feira. Quase todas as solicitações podem ser atendidas on-line — favor tentar lá antes, e x3223 em caso de emergência.

Quando ela torna a erguer os olhos, ele não está mais lá.

Ela poderia ter ficado com raiva, mas continua pensando em John, lembrando-se dele balançando a cabeça enquanto vestia a camisa uma hora atrás.

— Uau — disse ele, colocando a camisa para dentro da calça. — Eu nunca tinha feito sexo raivoso.

— Não provoca — retrucou ela, petulante graças ao alívio temporário. Estava deitada em cima do edredom, olhando pela claraboia para a nuvem cinza de outubro. — É melhor que celibato raivoso.

— Gostei. — Ele se inclinou e a beijou. — Gosto bastante da ideia de você me usar. Um mero veículo para seu prazer.

Ela atirou um travesseiro nele. Ele andara com aquela expressão, mais manso, ainda dentro dela, uma ideia, uma lembrança do que acabara de se passar entre eles. *Dela.*

— Acha que seria mais fácil se o sexo não fosse tão bom? — perguntou ela, afastando o cabelo dos olhos.

— Sim. E não.

Porque você não estaria aqui se não fosse pelo sexo?

Ela se endireitou, de súbito constrangida.

— Certo — disse bruscamente. Deu-lhe um beijo no rosto, e depois, de quebra, na orelha. — Preciso ir para a redação. Feche a porta ao sair.

E foi de mansinho para o banheiro.

Ciente da surpresa dele, fechou a porta do banheiro e abriu a torneira de água fria para deixá-la escorrer ruidosamente pelo ralo. Sentou-se na borda da banheira e ficou escutando os passos dele na sala, talvez para pegar os sapatos, depois em frente à porta.

— Ellie? Ellie?

Ela não respondeu.

— Ellie, estou indo.

Ela esperou.

— Falo com você em breve, linda. — Ele deu duas batidinhas na porta e foi-se embora.

Ela ficou quase dez minutos ali sentada depois de ouvir a porta bater.

O homem reaparece quando ela ia saindo. Vem carregando duas caixas de pastas mal equilibradas e está quase abrindo a porta com o traseiro e desaparecendo de novo.

— Ainda por aqui?

— Você escreveu "emergência" errado. — Aponta para o aviso.

Ele olha.

— Simplesmente não consigo arranjar gente hoje em dia, você consegue? — Ele se vira para a porta.

— Não vá embora! Por favor! — Ela se debruça no balcão, brande a pasta que ele lhe deu. — Preciso olhar alguns dos seus jornais de 1960. E eu queria lhe perguntar uma coisa. Lembra-se de onde achou o material que me entregou?

— Mais ou menos. Por quê?

— Eu... Tinha uma coisa ali. Uma carta. Achei que poderia dar uma boa matéria se eu conseguisse inserir nela um pouquinho mais de substância.

Ele negou com um gesto de cabeça.

— Agora eu não posso pegar. Sinto muito, estamos no meio da mudança.

— Por favor, por favor, por favor! Preciso preparar alguma coisa até domingo. Sei que está muito ocupado, mas só preciso que me mostre. O resto eu faço.

Ele tem o cabelo despenteado, e sua camiseta de mangas compridas está toda empoeirada. Um cara estranho — parece que estava surfando nos livros, em vez de os empilhando.

Ele bufa, joga a caixa no fim do balcão.

— Tudo bem. Que tipo de carta?

— É essa. — Ela saca o envelope do bolso.

— Não é muita coisa para me guiar — diz ele, olhando aquilo. — Uma caixa postal e uma inicial.

Ele é seco. Ela se arrepende de ter feito aquela piada sobre a ortografia.

— Eu sei. Só pensei que, se tivesse mais alguma dessas lá, eu talvez conseguisse...

— Não tenho tempo para...

— Dê uma lida — insiste ela. — Vai. Só uma lida... — Ela para de falar de repente, como se lembrasse que não sabe o nome dele. Trabalha ali há dois anos e não sabe o nome de nenhum dos auxiliares do arquivo.

— Rory.

— Eu me chamo Ellie.

— Sei quem você é.

Ela ergue as sobrancelhas.

— Aqui embaixo a gente gosta de colocar rosto nos créditos. Acredite ou não, a gente também se fala. — Ele olha para a carta. — Estou bem ocupado, e correspondência pessoal não é o tipo de coisa que a gente guarda. Nem sei como isso foi parar ali. — Ele lhe devolve a carta, a encara. — Isso não é e-m-e-r-g-ê-n-c-i-a.

— Dois minutos. — Ela põe a carta na mão dele. — Por favor, Rory.

Ele pega o envelope da mão dela, tira a carta e lê, de má vontade. Ao terminar, olha para ela.

— Diga que não se interessou.

Ele dá de ombros.

— Sim! — Ela ri. — Você se interessou!

Ele abre o balcão e, com um ar resignado, faz sinal para ela passar.

— Vou colocar no balcão os jornais que você quer em dez minutos. Andei botando todo esse material solto em sacos de lixo para jogar fora, mas, tudo bem, pode passar. Você garimpa aí e vê se consegue achar alguma coisa útil. Mas não conte para meu chefe. E não espere que eu ajude.

Ela está há três horas ali. Esquece a pasta de 1960 do jornal e, em vez disso, fica sentada no canto do subsolo empoeirado, mal reparando no movimento de homens que passam por ela carregando caixas rotuladas com *Eleições 1967*, *Acidentes de Trem* ou *Junho-julho 1982*. Examina todos os sacos de lixo, separando resmas de papéis empoeirados, distraída por anúncios de remédios para resfriados, tônicos e marcas de cigarro há muito esquecidos, as mãos pretas de poeira e tinta de jornal velho. Está sentada num caixote emborcado, amontoando os papéis em pilhas caóticas à sua volta, procurando alguma coisa menor que o formato A3, algo manuscrito. Está tão perdida que se esquece de olhar o celular para ver se alguém lhe mandou mensagens. Até esquece, por um instante, da hora que passou em casa com John, coisa que normalmente não lhe sairia da cabeça por vários dias.

Lá em cima, o que resta da redação fala alto, digerindo e cuspindo as notícias do dia, suas listas de notícias mudando várias vezes a cada hora, reportagens inteiras escritas e descartadas, segundo as últimas alterações digitais das agências de notícias. Nos corredores escuros do subsolo, aquilo parece que acontece num continente diferente.

Quase às 17h30 Rory aparece com dois copinhos de isopor com chá. Entrega-lhe um, soprando no dele enquanto se recosta no arquivo vazio.

— Como está indo?

— Nada. Muitos tônicos revolucionários, ou resultados de jogos de críquete de times de faculdades obscuras de Oxford, mas nada de cartas de amor arrasadoras.

— Sempre será uma especulação.

— Eu sei. Era só um daqueles... — Ela leva o copo aos lábios. — Sei lá. Eu li a carta, e aquilo não me saiu da cabeça. Eu queria saber o que aconteceu. Como vai a mudança?

Ele senta num caixote perto dela. Tem as mãos encardidas de pó e uma mancha preta na testa.

— Quase lá. Não consigo acreditar que meu chefe não quis deixar isso nas mãos de profissionais.

O chefe do arquivo estava no jornal fazia milênios, e era lendário por ser capaz de dizer a data e o exemplar de qualquer edição a partir da descrição mais vaga.

— Por que não?

Rory suspirou.

— Tinha medo que colocassem alguma coisa no lugar errado ou perdessem uma caixa. Fico dizendo a ele que tudo vai acabar digitalizado um dia, mas você sabe como ele é em relação aos arquivos físicos...

— Quantos anos de edições?

— Acho que são oitenta de edições arquivadas, e mais ou menos uns sessenta de recortes e documentos relacionados. E o assustador é ele saber qual era o lugar de cada um.

Ela começa a colocar de volta alguns dos papéis num saco de lixo.

— Talvez eu devesse contar a ele sobre essa carta. Talvez ele saiba me dizer quem a escreveu.

Rory assobia.

— Só se você não se importar de devolvê-la. Ele não admite se desfazer de nada. Depois que ele vai para casa, o pessoal joga fora o que realmente não presta, senão teríamos que encher várias outras salas com esse lixo. Se ele soubesse que lhe dei aquela pasta, provavelmente me mandaria embora.

Ela faz uma careta.

— Então, eu nunca vou saber — diz ela, de um jeito teatral.

— Saber o quê?

— O que aconteceu com meus amantes desafortunados.

Rory reconsidera.

— Ela disse não.

— Ah, seu romântico!

— Ela tinha muito a perder.

Ela inclina a cabeça.

— Como sabe que a carta era para uma mulher?

— As mulheres não trabalhavam naquela época, certo?

— A data é 1960. Ainda não havia as chatas das sufragistas.

— Aqui. Deixe-me ver. — Ele estende a mão, pedindo a carta. — Tudo bem, então talvez ela trabalhasse. Mas tenho certeza de que falava alguma coisa sobre pegar um trem. Imagino que é muito menos provável que seja uma mulher a dizer que começaria um trabalho novo. — Ele torna a ler, apontando para as linhas. — Ele está chamando a mulher para ir com ele. Uma mulher não faria isso. Não naquela época.

— Você tem uma visão muito estereotipada de homens e mulheres.

— Não. Eu só passo muito tempo aqui, mergulhado no passado. — Faz um gesto amplo, indicando o ambiente ao redor. — E este é um país diferente.

— Vai ver a carta não era nem endereçada a uma mulher — brinca ela. — Vai ver era para outro homem.

— Improvável. A homossexualidade ainda era ilegal naquela época, não era? Haveria referências a segredo ou algo assim.

— Mas há, sim, referências a um segredo.

— É só um caso — diz ele. — Obviamente.

— O que é isso? A voz da experiência?

— Rá! Eu não. — Ele lhe devolve a carta, e bebe um pouco mais do chá.

Ele tem dedos compridos e quadrados. Mãos de trabalhador, não de um arquivista, pensa ela, distraída. Mas afinal como seriam as mãos de um arquivista?

— Então você nunca se envolveu com uma mulher casada? — Ela olha furtivamente o dedo dele. — Ou *é* casado e nunca teve nenhum caso?

— Não. E não. Nunca tive nenhum tipo de caso. Com uma pessoa comprometida, quero dizer. Gosto da minha vida sem complicações. — Ele faz um gesto de cabeça indicando a carta, que ela está colocando de novo na bolsa. — Essas coisas nunca acabam bem.

— O quê? Será que todo amor que não é simples e direto tem que ter um fim trágico? — Ela se dá conta do próprio tom defensivo.

— Não foi isso que eu disse.

— Foi, sim. Você disse que achava que ela tinha dito não.

Ele termina o chá, amassa o copo e joga-o no saco de lixo.

— Em dez minutos vamos fechar. É melhor você pegar o que quer. Mostre o que não teve tempo de olhar que vou tentar separar para você.

Enquanto ela junta seus pertences, ele acrescenta:

— Se isso serve de alguma coisa, acho mesmo que ela disse não. — A expressão dele é insondável. — Mas por que esse tem que ser o pior desfecho?

Amo você de qualquer jeito — mesmo que não exista nenhum eu ou nenhum amor ou mesmo nenhuma vida; amo você.

Zelda para Scott Fitzgerald, por carta

17

Ellie Haworth está vivendo o sonho. Muitas vezes diz isso para si mesma quando acorda de ressaca por causa do excesso de vinho branco, sentindo a dor da melancolia em seu pequeno apartamento perfeito que ninguém jamais bagunça na sua ausência. (No fundo ela quer um gato, mas teme se tornar um clichê.) Trabalha como articulista num jornal de circulação nacional, seu cabelo é obediente, seu corpo é no geral cheio e magro nos lugares certos e é bonita o bastante para chamar atenção — o que ela ainda finge que a ofende. Tem uma língua ferina — muito ferina, segundo a mãe —, presença de espírito, vários cartões de crédito e um carro pequeno do qual ela consegue cuidar sem ajuda masculina. Ao encontrar pessoas que conheceu na escola, consegue detectar inveja quando descreve sua vida: ainda não chegou na idade em que a falta de marido ou de filhos poderia ser vista como fracasso. Quando conhece um homem, consegue vê-lo listando seus atributos — bom emprego, belos seios, senso de humor —, como se ela fosse um prêmio a conquistar.

Se recentemente tem se dado conta de que o sonho está um pouco confuso, de que, desde que John apareceu, não tem mais a eficiência pela qual era famosa no trabalho, e de que a relação que antes achava estimulante começou a consumi-la de formas não exatamente invejáveis, ela opta por amenizar essa parte. Afinal, é fácil fazer isso quando se está cercado por iguais, jornalistas e escritores que exageram na bebida, saem muito à noite, têm casos insignificantes e desastrosos e parceiros infelizes em casa que, cansados da sua negligência, acabam tendo casos também. Ela é *dessa* turma, faz parte dessa legião, vive a vida das brilhosas páginas de revistas femininas, uma vida que ela perseguira desde que soubera que queria escrever. É bem-sucedida, solteira, egoísta. Ellie Haworth é o mais feliz que pode ser. Que qualquer um pode ser, aliás.

E ninguém consegue tudo, assim diz Ellie a si mesma, quando às vezes acorda tentando se lembrar de quem é o sonho que está vivendo.

* * *

— Feliz aniversário, velhota! — Corinne e Nicky estão esperando no café, acenando e apontando para uma cadeira quando ela entra correndo, a bolsa pelos ares. — Vem logo! Você está *muuuuito* atrasada. Já deveríamos estar no trabalho a essa hora.

— Desculpem-me. Não consegui sair na hora que eu queria.

As amigas se entreolham, e Ellie percebe que as duas desconfiam de que ela estava com John. Decide não lhes contar que na verdade estava esperando o correio. Queria ver se ele lhe mandara alguma coisa. Agora se sente uma boba pelos vinte minutos de atraso.

— Como é a sensação de ser idosa? — Nicky cortou o cabelo. Continua louro, mas agora está curto e repicado. Ela parece um anjo. — Pedi para você um *latte* com leite desnatado. Imagino que você vai precisar cuidar do peso daqui para a frente.

— Trinta e dois anos não é terceira idade. Ao menos é o que estou dizendo a mim mesma.

— Estou apavorada com isso — diz Corinne. — De alguma forma, aos 31 anos parece que a pessoa acabou de virar trintona, mas continua, quase tecnicamente, na casa dos 20. Trinta e dois parece sinistramente perto dos 35.

— E é óbvio que dos 35 é só um passo para os 40.

Nicky confere o cabelo no espelho atrás da banqueta.

— Puxa, feliz aniversário para vocês também — ironiza Ellie.

— Ah! Ainda amaremos você quando estiver toda enrugada e abandonada na sua enorme calcinha bege.

Elas colocam duas sacolas na mesa.

— Seus presentes. E não, você não pode trocar nenhum dos dois.

Elas souberam escolher com perfeição, como só amigas de muitos anos sabem. Corinne comprou meias de caxemira cinza, tão macias que Ellie fica louca para colocá-las nos pés na mesma hora. Nicky deu um vale de um salão de beleza proibitivamente caro.

— É para um tratamento facial antienvelhecimento — diz, maldosa. — Era isso ou Botox.

— E a gente sabe como você é com injeção.

Ellie está cheia de amor, de gratidão às amigas. Muitas vezes as três disseram ser a nova família umas das outras, falavam do medo que sentiam de sobrarem, solteiras e sozinhas, se as outras duas encontrassem antes seus respectivos companheiros. Nicky tem um namorado novo que, excepcionalmente, parece promissor. Tem boa situação financeira, é simpático e a envolve justo o suficiente para mantê-la interessada. Nicky passou dez anos fugindo de homens que se portam bem com ela. Corinne acaba de terminar um relacionamento de um ano. Ele era bonzinho, explica ela, mas acabaram se tornando irmãos.

— ... e eu esperava estar casada e com filhos antes que isso acontecesse.

Elas não falam a sério do medo de terem perdido o barco que suas tias e mães gostam tanto de mencionar. Não mencionam que quase todos os amigos homens estão agora em relacionamentos com mulheres cinco a dez anos mais jovens que elas. Fazem piada sobre envelhecer vergonhosamente. Têm em mente amigos gays que prometem ter filhos com elas "daqui a dez anos" se ambos estiverem solteiros, embora nenhuma das partes acredite nessa possibilidade.

— O que você ganhou dele?

— De quem? — pergunta Ellie inocentemente.

— Do Sr. Escritor. Ou o que ele lhe deu foi justamente o motivo do seu atraso?

— Ellie já tomou a injeção dela. — Corinne ri.

— Vocês duas são nojentas. — Ela toma um gole do café, que está morno. — Eu... ainda não o vi.

— Mas ele vai levá-la para sair, *não vai?* — pergunta Nicky.

— Acho que vai — responde ela.

De repente está furiosa com elas por olharem para ela assim, por já entenderem tudo. Está furiosa consigo mesma por não ter pensado em uma desculpa para ele. Está furiosa com ele por precisar de uma.

— Você falou com ele hoje, El?

— Não. Mas são só 8h30 ainda... Ih, meu Deus, vai ter uma reunião da redação às 10 horas e eu não tenho nenhuma boa ideia.

— Bem, manda ele para o inferno. — Nicky se debruça e a abraça. — A gente vai comprar um bolinho de aniversário para você, não vai, Corinne? Fique aqui e vou buscar um daqueles muffins com cobertura. Vamos fazer um chá de aniversário bem cedo.

É aí que ela ouve o sinal abafado do seu celular. Abre-o.

Feliz aniversário linda. Presente vem depois. Bj

— É ele? — pergunta Corinne.

— É. — Ela faz um esgar. — Meu presente vem depois.

— Como ele. — Nicky bufa, voltando para a mesa com o muffin confeitado. — Aonde ele vai levar você?

— Hã... a mensagem não diz.

— Mostre. — Nicky arranca o aparelho da mão dela. — Que diabo isso quer dizer?

— Nicky... — A voz de Corinne tem um tom de alerta.
— Bem, "Presente vem depois. Beijo". É meio vago, não?
— É aniversário dela.
— Exatamente. E é por isso que ela não deveria ter que decifrar mensagens de merda pela metade de um namorado desses. Ellie, querida, o que você está fazendo?

Ellie está paralisada. Nicky quebrou a regra tácita de que não devem dizer nada por mais tola que fosse uma relação: elas darão apoio; manifestarão preocupação através do que não é dito; não dirão coisas tipo "O que você está fazendo?".

— Está tudo bem — diz ela. — Mesmo.

Nicky olha para ela.

— Você tem 32 anos. Já está numa relação com esse homem, e apaixonada por ele, há quase um ano, e o que ganha de aniversário é uma mensagem de texto ridícula que pode ou não significar que você vai ter uma transa numa data não especificada no futuro? As amantes não devem pelo menos ganhar lingerie cara? Um fim de semana em Paris de vez em quando?

Corinne fez uma careta.

— Desculpe-me, Corinne, só estou dizendo a verdade, para variar. Ellie, querida, eu amo você de paixão. Mas, *realmente*, o que você está tirando disso?

Ellie olha para o café. O prazer de seu aniversário está minguando.

— Eu amo John — diz simplesmente.

— E ele ama você?

Ela sente um ódio súbito de Nicky.

— Ele sabe que você o ama? Você pode dizer isso a ele?

Ela ergue os olhos.

— Não tenho mais nada a dizer — declara Nicky.

A cafeteria fica em silêncio ao redor delas. Ou talvez esta seja apenas a sensação que dá.

Ellie se mexe desconfortavelmente na cadeira.

Corinne continua olhando furiosa para Nicky, que dá de ombros e levanta o bolinho.

— Mesmo assim. Feliz aniversário, hã? Alguém quer mais café?

Ela se senta à sua mesa diante do computador. Não há nada em cima do móvel. Nenhum bilhete informando que há flores na recepção. Nada de chocolate nem champanhe. Há 18 e-mails na sua caixa de entrada, sem incluir o spam. Sua mãe — que comprou um computador há um ano e ainda coloca ao final de todas as frases dos e-mails enviados um ponto de exclamação — mandou-lhe uma mensagem para lhe desejar feliz aniversário! e para lhe dizer que o cachorro passa bem depois de ter colocado a prótese de quadril! E que a cirurgia foi mais cara do que a da Vó Haworth!!! A secretária do editor de Reportagens Especiais mandou-lhe um lembrete da reunião desta manhã. E Rory, do arquivo, mandou um e-mail dizendo para ela dar um pulo lá embaixo mais tarde, mas não antes das 16 horas, pois até lá eles estarão no prédio novo. Não há nada enviado por John. Nem uns parabéns mal disfarçados. Ela desanima um pouco, e faz uma careta quando vê Melissa se encaminhando a passos largos para sua sala, seguida de perto por Rupert.

Está em maus lençóis, ela percebe, revirando sua mesa. Deixou-se ficar tão envolvida com a carta que não tem quase nada da edição de 1960 para apresentar, nenhum dos exemplos contrastantes que Melissa lhe pediu. Amaldiçoa-se por ter passado tanto tempo no café, ajeita o cabelo, agarra a pasta de papéis mais próxima — para *parecer* ao menos que está cheia de ideias — e corre para a reunião.

— Então, as páginas de saúde já estão prontas, não? E a gente tem o artigo da artrite? Eu queria aquele box lateral com os remédios alternativos. Algum artrítico entre as celebridades? Isso daria mais realidade às imagens. Essas estão meio sem graça.

Ellie está brincando com os papéis. São quase 11 horas. O que custava ele lhe mandar flores? Poderia pagar em espécie, se realmente tivesse medo de algo aparecer no seu cartão de crédito. Já fizera isso antes.

Talvez John esteja se cansando dela. Talvez a viagem a Barbados seja a maneira de tentar se reaproximar da esposa. Talvez lhe contar da viagem tenha sido a forma covarde de comunicar que ela já não é mais tão importante. Ela passa as mensagens armazenadas no celular, tentando ver se houve algum indício desse "esfriamento" nos torpedos que ele lhe mandou.

Belo artigo sobre os veteranos de guerra. Bj

Livre para almoçar? Estarei aí perto às 12h30. J.

Você é outra coisa. Não posso falar hoje à noite. Mando uma msg amanhã cedo. Bj

É quase impossível dizer se há alguma mudança de tom, há tão poucas coisas escritas. Ellie suspira, desanimada com o rumo dos seus pensamentos, com os comentários excessivamente francos da amiga. Que diabo ela está fazendo? Ela aceita tão pouco. Por quê? Porque teme que ele se sinta acuado se ela pedir mais, que ele ache que está sendo colocado contra a parede e tudo desmorone em volta dos dois. Ela sempre soube qual era o jogo. Não pode dizer que foi enganada.

Mas exatamente quão pouco seria razoável esperar que ela ganhasse? Uma coisa é a pessoa saber que é amada intensamente e que só está separada do outro pelas circunstâncias. Mas quando não há nem sinal *disso* para manter a relação...

— Ellie?

— Hã? — Ela levanta o olhar e vê dez pares de olhos nela.

— Você ia nos falar sobre as ideias para a próxima edição de segunda-feira. — O olhar de Melissa é ao mesmo tempo vazio e onisciente. — As páginas do ontem-e-hoje, lembra?

— Claro — diz ela, e folheia a pasta em seu colo para disfarçar o rubor. — Sim... Bem, achei que poderia ser divertido reproduzir as páginas das edições antigas. Como havia uma conselheira sentimental, podíamos comparar o de ontem com o de hoje, fazer um contraste.

— Sim — diz Melissa. — Foi isso que pedi para você fazer semana passada. Você ia me mostrar o que tinha achado.

— Ah. Desculpe-me. As páginas ainda estão no arquivo. O pessoal do arquivo é meio paranoico, eles querem ter certeza de que sabem onde tudo está, e com a mudança... — Ela gagueja.

— Por que não tirou uma cópia do material?

— Eu...

— Ellie, seu tempo está esgotando. Pensei que já tivesse resolvido isso há dias. — O tom de voz de Melissa é frio. Os outros ali presentes olham para baixo, não querem assistir à inevitável decapitação. — Prefere que eu dê a tarefa para outra pessoa? Uma das estagiárias, talvez?

Ela está vendo, pensa Ellie, que faz meses que este trabalho é só uma sombra no radar do meu dia. Ela sabe que estou com a cabeça em outro lugar — numa cama de hotel bagunçada, ou numa casa de família escondida, em constante conversa paralela com um homem que não está ali. Nada existe senão ele, e ela vira exatamente o que se passa dentro de mim.

Melissa olha para o teto.

Ellie percebe, com uma clareza repentina, a precariedade de sua situação.

— Eu, hã, tenho uma coisa melhor — diz de repente. — Achei que você iria gostar mais disso. — O envelope está no meio dos papéis; ela o entrega à chefe. — Eu estava tentando arranjar algumas pistas sobre isso.

Melissa lê a breve carta e franze o cenho.

— Você sabe quem escreveu isso?

— Ainda não, mas estou tentando descobrir. Pensei que seria uma grande matéria se eu conseguisse descobrir o que aconteceu com eles. Se terminaram juntos.

Melissa balança a cabeça.

— Sim. Parece um caso extraconjugal. Escândalo nos anos 1960, hein? A gente podia usar isso como pretexto para discutir como a moral mudou. Está perto de descobrir quem era o casal?

— Estou sondando.

— Descubra o que aconteceu, se eles foram condenados ao ostracismo.

— Se continuaram casados, é possível que não queiram publicidade — observa Rupert. — Essas coisas eram muito mais complicadas naquela época.

— Ofereça anonimato se for necessário — diz Melissa —, mas o ideal seria ter fotografias. Da época da carta, no mínimo. Isso dificultaria a identificação deles.

— Ainda não os encontrei. — Ellie sente pela tensão em sua pele que esta foi uma ideia ruim.

— Mas vai encontrar. Pegue um dos repórteres para ajudá-la se precisar. Eles são bons nesses lances investigativos. E, sim, quero isso para a semana que vem. Mas primeiro organize as páginas de consultório sentimental. Quero exemplos que eu possa colocar numa página dupla até o final do dia. Certo? Teremos outra reunião amanhã à mesma hora.

Ela já está se encaminhando para a porta, o cabelo impecavelmente tratado balançando como em um anúncio de xampu.

— É a Sra. Soletrando.

Ela o encontra sentado no refeitório. Ele tira os fones do ouvido quando Ellie se senta à sua frente. Ele está lendo um guia da América do Sul. Um prato vazio indica que acabou de almoçar.

— Rory, estou na maior encrenca.

— Escreveu "inconstitucionalissimamente com cinco "s"?

— Falei demais para a Melissa Buckingham e agora tenho que preparar a Maior História de Amor de Todos os Tempos para uma reportagem de página dupla.

— Você contou a ela da carta?

— Fui pega de surpresa. Precisava de algo. Pelo jeito como ela me olhava, pensei que eu já fosse ser transferida para o Obituário.

— Bem, isso vai ser interessante.

— Eu sei. E antes disso tenho que ler todas as páginas de consultório sentimental das edições de 1960 e descobrir o equivalente moral daqueles temas nos dias de hoje.

— Isso é simples, não?

— Mas é demorado, e eu tenho um monte de outras coisas para fazer. Mesmo que eu não descubra o que aconteceu com os meus amantes misteriosos. — Ela sorri, esperançosa. — Acho que não há nada que você possa fazer para me ajudar, não é?

— Lamento. Também estou atolado. Vou desencavar as pastas dos jornais de 1960 para você quando descer.
— Esse é o seu trabalho — protesta ela.
Ele ri.
— É. E o seu é escrever e pesquisar.
— É meu aniversário hoje.
— Parabéns, então.
— Ah, como você é fofo.
— E você está muito acostumada a conseguir tudo o que quer. — Ele sorri para ela, e ela o vê pegar seu livro e seu mp3 player e cumprimentá-la ao se encaminhar para a porta.

Você não tem ideia, pensa ela, enquanto a porta fecha após a passagem dele, de *como* está errado.

Tenho 25 anos e um emprego bem bom, mas não bom o bastante para fazer tudo o que eu gostaria de fazer — ter uma casa e um carro e uma esposa.

— Porque é claro que você adquire a esposa junto com a casa e o carro — resmunga Ellie para as letras esmaecidas. Ou quem sabe depois de uma máquina de lavar. Talvez isso deva ser prioridade.

Já reparei que muitos dos meus amigos estão casados e que o padrão de vida deles caiu bastante. Saio regularmente com uma garota há três anos e gostaria muito de me casar com ela. Já lhe pedi para esperar três anos, até podermos nos casar e viver numa situação bem melhor, mas ela diz que não vai me esperar.

Três anos, reflete Ellie. Não a culpo. Você não passa muito a impressão de que está apaixonado, não é?

Ou nos casamos este ano ou ela não casa mais comigo. Acho que esta é uma atitude irracional, pois já lhe mostrei que ela terá um padrão de vida bem inferior. Acha que há algum outro argumento que eu possa acrescentar aos que já apresentei?

— Não, colega — diz ela em voz alta, ao deslizar outra folha antiga de jornal sob a tampa da fotocopiadora. — Acho que você já foi bem claro.
Ellie volta para sua mesa, senta-se e puxa a carta manuscrita e amassada da pasta.

> *Meu querido e único amor... Se não vier, saberei que o que sentimos um pelo outro, seja lá o que for, não basta. Não a culpo, minha querida. Sei que a pressão das últimas semanas foi intolerável para você, e o peso disso me afeta profundamente. Odeio a ideia de poder lhe causar qualquer tristeza.*

Ela relê as palavras várias vezes. Têm paixão, força, mesmo depois de tantos anos. Por que tolerar o esnobe "Já lhe mostrei que ela terá um padrão de vida bem inferior" quando podemos ter "Saiba que meu coração, minhas esperanças, estão nas suas mãos"? Ela faz votos para que a namorada desconhecida do primeiro correspondente tenha se livrado dessa.

Ellie checa por alto os e-mails novos, depois as mensagens. Tem 32 anos. Ama um homem que é casado. Seus amigos começaram a sugerir que isso é ridículo — que ela é ridícula —, e ela os odeia porque sabe que têm razão.

Morde a ponta de um lápis. Pega a cópia da página de consultório sentimental e torna a largá-la.

Então, clica para abrir um novo e-mail na tela do computador e, antes de pensar muito, digita:

```
O único presente de aniversário que eu realmente quero
é saber o que significo para você. Preciso que a gente
tenha uma conversa honesta, e que eu consiga dizer o
que sinto. Preciso saber se temos algum futuro juntos.
```

Acrescenta:

```
Eu amo você, John. Nunca em toda a minha vida amei
alguém tanto quanto amo você, e isso está começando
a me deixar louca.
```

Seus olhos se encheram de lágrimas. Sua mão vai clicar em "enviar". O departamento encolhe em volta dela. Ela percebe vagamente Caroline, a editora de Saúde, batendo papo pelo telefone na mesa ao lado, o limpador das vidraças em seu berço oscilante do lado de fora da janela, o editor de Geral discutindo com um de seus repórteres em algum lugar do outro lado da sala, a placa que falta no carpete a seus pés. Não vê nada afora o cursor piscante, suas palavras, seu futuro, nus na tela à sua frente.

```
Nunca em toda a minha vida amei alguém tanto quanto
amo você.
```

Se eu fizer isso agora, pensa, estará decidido para mim. Será o meu jeito de assumir o controle. E se não for a resposta que eu quero, ao menos é uma resposta. Seu indicador descansa de leve no "enviar".

E nunca mais tocarei aquele rosto, beijarei aqueles lábios, sentirei aquelas mãos em mim de novo. Nunca mais ouvirei o jeito como ele diz Ellie Haworth, como se as próprias palavras fossem preciosas.

O telefone em sua mesa toca.

Ela tem um sobressalto, olha para o aparelho como se tivesse se esquecido de onde está, depois enxuga os olhos com a mão. Endireita-se, e então atende:

— Alô.

— Oi, aniversariante — diz Rory. — Venha aqui embaixo na prisão na hora da saída. Talvez eu tenha uma coisa para você. Aproveita e me traz um café. É o preço pelos meus serviços.

Ela põe o fone no gancho, volta para o computador e clica em "deletar".

— Então, o que encontrou?

Ela passa um copo de café por cima do balcão, que ele pega do outro lado. Ele tem um pouco de poeira na cabeça, e ela controla a vontade de bagunçar o cabelo dele para espanar, como se faria com uma criança. Ele já se sentiu tratado como criança por ela uma vez; ela não quer correr o risco de ofendê-lo de novo.

— Botou açúcar?

— Não — diz ela. — Pensei que você tomasse sem.

— É isso mesmo. — Ele se debruça por cima do balcão. — Olha... o chefe está de olho. Preciso ser discreto. A que horas você termina?

— Tanto faz — diz ela. — Falta pouco.

Ele esfrega o cabelo. A poeira forma uma nuvem de desculpas em volta dele.

— Pareço aquele personagem do *Charlie Brown*. Qual era?

Ela balança a cabeça, num gesto negativo.

— Chiqueirinho. Aquele envolto numa nuvem de sujeira... Estamos mexendo em caixas há décadas intocadas. Não consigo acreditar que algum dia vamos mesmo precisar dos "minutos parlamentares" de 1932, seja lá o que ele diga. Mas... No Black Horse? Daqui a meia hora?

— O pub?

— É.

— Talvez eu tenha outros planos...

Ela quer perguntar: "Será que você não pode simplesmente me dar o que já encontrou?" Mas até ela pode ver como vai soar.

— Só dez minutinhos. Tenho que encontrar uns amigos depois. Mas, sem problemas. Isso pode esperar até amanhã se você preferir.

Ela pensa no celular mudo e recriminador no seu bolso traseiro. Que alternativa tem? Correr para casa e esperar John ligar? Mais uma noite diante da TV, sabendo que o mundo está girando sem ela?

— Ah... Dane-se. Um drinque rápido seria ótimo.
— Meia caneca de michelada. Viva perigosamente.
— Michelada! Ha! Vejo você lá.

Ele sorri.

— Vou estar segurando uma pasta com a etiqueta "Ultrassecreto".
— Ah, é? Eu vou estar gritando: "Vê se me paga uma bebida decente, seu pão-duro. É meu aniversário."
— Nada de cravo vermelho na lapela? Só para eu poder identificar você?
— Nenhuma forma de identificação. Assim é mais fácil eu fugir se não gostar da sua cara.

Ele concorda com um aceno de cabeça.

— Sensato.
— E você nem vai me dar uma pista do que achou?
— Vai ser uma surpresa de aniversário!

E com isso ele vai embora, passando pelas portas duplas e se embrenhando nas entranhas do jornal.

O banheiro feminino está vazio. Ela lava as mãos, notando que agora que os dias do prédio estão contados, a companhia já não está ligando para abastecer o dosador de sabonete nem a máquina de absorventes internos. Na próxima semana, desconfia, os funcionários vão ter que começar a trazer um rolo de papel higiênico para casos de emergência.

Ela analisa o rosto, aplica um pouco de rímel e passa corretivo para disfarçar as bolsas embaixo dos olhos. Passa batom, depois esfrega a boca. Tem um ar cansado, e diz a si mesma que a iluminação ali é ruim, que esse semblante não é consequência inevitável de estar um ano mais velha. Então senta ao lado de uma pia, puxa o celular da bolsa e digita uma mensagem.

Só pra saber: "mais tarde" significa hj à noite? Estou tentando me programar. E.

Isso não dá uma impressão de dependência, possessão nem mesmo desespero. Sugere que ela é uma mulher com muitos convites, coisas para fazer, mas significa que o colocará em primeiro lugar se necessário. Ela relê a mensagem por mais cinco minutos, para garantir que acertou perfeitamente o tom, e a envia.

A resposta vem quase imediatamente. Seu coração palpita, como sempre acontece quando sabe que é ele.

Difícil dizer agora. Ligo depois se achar que vai dar. J.

Ela tem um acesso de ódio. Só isso?, quer gritar com ele. É meu aniversário, e o melhor que você pode fazer é "Ligo depois se achar que vai dar"?

Não precisa, digita ela em resposta, os dedos golpeando as pequenas teclas. **Vou me decidir sem vc.**

E, pela primeira vez em meses, Ellie Haworth desliga o telefone antes de enfiá-lo na bolsa.

Ela demora mais do que pretendia trabalhando no artigo das páginas do consultório sentimental, termina de redigir uma entrevista com uma mulher cujo filho tem uma espécie de artrite juvenil e, quando chega ao Black Horse, Rory está lá. Ela o vê do outro lado do bar, o cabelo agora sem poeira. Vai abrindo caminho por entre as pessoas na direção dele, pedindo desculpas pelas cotoveladas, já se preparando para dizer "Desculpe-me pelo atraso" quando percebe que ele não está sozinho. O grupo com ele não lhe é familiar. Não é gente do jornal. Ele está no centro, rindo. Vê-lo assim, fora de contexto, a desconcerta. Ela fica de costas para se recuperar.

— Ei! Ellie!

Ela dá um sorriso forçado e se vira.

Ele levanta a mão.

— Pensei que você não viesse.

— Fiquei presa. Desculpe-me. — Ela se une ao grupo e diz oi.

— Deixe-me pagar uma bebida para você. É aniversário da Ellie. O que você vai querer?

Ela aceita a enxurrada de parabéns dos desconhecidos, que terminam com sorrisos constrangidos, desejando não estar ali. Conversa fiada não estava no trato. Ela se pergunta, rapidamente, se pode ir embora, mas Rory já está no balcão do bar comprando uma bebida para ela.

— Vinho branco — diz ele, virando-se para lhe entregar uma taça. — Eu pediria champanhe, mas...

— Eu sempre consigo o que eu quero.

Ele ri.

— É. *Touché.*

— Obrigada assim mesmo.

Ele a apresenta aos amigos, recita uma lista de nomes que ela esquece antes mesmo que ele acabe.

— Então... — diz ela.
— Vamos ao trabalho. Vocês nos dão licença um minutinho — diz ele, e os dois vão até um canto mais vazio e mais calmo.

Só há uma cadeira ali, e ele faz sinal para ela se sentar, agachando-se a seu lado. Abre a mochila e saca uma pasta com a etiqueta *Asbesto/Estudos de caso: sintomas*.

— E isso é relevante porque...?
— Tenha paciência — diz ele, entregando-lhe a pasta. — Eu estava pensando sobre a carta que encontramos da última vez. Estava junto com um monte de papéis sobre asbesto, certo? Bem, lá embaixo tem um monte de coisas sobre asbesto: processos coletivos dos últimos anos principalmente. Mas decidi escarafunchar, e descobri um material muito mais antigo. Mais ou menos da mesma época que os trechos que lhe dei da última vez. Acho que deve ter se separado daquela primeira pasta. — Ele folheia os documentos com dedos experientes. — E — diz, puxando uma pasta de plástico transparente — achei isso.

O coração dela para. Dois envelopes. A mesma letra. O mesmo endereço, uma caixa postal da agência de correio da Langley Street.

— Você já leu essas?

Ele sorri.

— E eu tenho cara de controlado? Claro que li.
— Posso?
— À vontade.

A primeira só tem no cabeçalho um simples "Quarta-feira".

Compreendo o seu receio de ser mal interpretada, mas lhe digo que é infundado. Sim, fui um idiota naquela noite no Alberto's, e nunca conseguirei pensar no meu rompante sem me envergonhar, mas não foram as suas palavras que o provocaram. Foi a ausência delas. Você não entende, Jenny, que sou propenso a ver o melhor no que você diz e faz? Mas, assim como a natureza, o coração humano também abomina o vazio. E sendo um homem tolo e inseguro, uma vez que nós dois parecemos muito inseguros quanto ao que esse vazio realmente engloba, e não podemos falar sobre aonde ele vai dar, só me resta a certeza quanto ao que ele pode significar. Simplesmente preciso ouvir que isso significa para você o mesmo que significa para mim: em resumo, tudo.

Se essas palavras ainda a tocam, eu lhe dou uma opção mais fácil. Responda simplesmente com uma única palavra: sim.

Na segunda há a data, mas nenhuma saudação. A letra, embora reconhecível, é descuidada, como se tivesse sido escrita às pressas antes que o autor houvesse tido tempo para pensar.

> Jurei não tornar a procurá-la. Mas já faz seis semanas e não me sinto melhor. Estar sem você — a milhares de quilômetros de você — não me traz nenhum alívio. O fato de eu já não estar atormentado por sua proximidade, de já não precisar encarar diariamente minha incapacidade de ter a única coisa que eu realmente quero, não me curou. Piorou as coisas. Meu futuro parece uma estrada desolada e vazia.
> Não sei o que estou tentando lhe dizer, minha adorada Jenny. Talvez apenas que, se tiver o mais vago sentimento de que tomou a decisão errada, esta porta ainda está aberta.
> E, se sentir que foi a decisão acertada, saiba ao menos isso: em algum lugar deste mundo há um homem que a ama, que entende quão preciosa e inteligente e boa você é. Um homem que sempre a amou e que, por mais que tente evitar, desconfia que sempre a amará.
> Seu,
> B.

— Jenny — diz ele.

Ela não responde.

— Ela não foi — acrescenta ele.

— É. Você tinha razão.

Ele abre a boca para falar, mas algo na expressão dela, talvez, o faz mudar de ideia.

Ela deixa escapar um suspiro.

— Não sei por que — diz Ellie —, mas isso me deixou meio triste.

— Mas aí está a resposta. E tem também uma pista do nome se você realmente quiser escrever este artigo.

— Jenny — reflete ela. — Não é bem um ponto de partida.

— Mas, como a segunda carta foi encontrada nos arquivos sobre asbesto, talvez haja uma ligação. Acho que vale a pena examinar as duas pastas. Só para ver se há algo mais.

— Tem razão. — Ela pega a pasta da mão dele, cuidadosamente repõe a carta na pasta de plástico e coloca tudo na bolsa. — Obrigada — diz. — Mesmo. Sei que você está ocupado no momento e agradeço.

Ele a observa como quem examina um arquivo, procurando uma informação. Quando John a olha, ela pensa, é sempre com uma espécie de pedido de desculpas terno, por quem eles são, pelo que se tornaram.

— Você está mesmo com um ar triste.

— Ah... É que prefiro finais felizes. — Ela força um sorriso. — Quando você disse que tinha encontrado uma coisa, pensei que fosse algo mostrando que tudo acabou bem.

— Não leve isso muito a sério — diz ele, tocando seu braço.

— Ah, não me importo, mesmo — diz ela bruscamente —, mas o artigo ficaria muito melhor se a gente pudesse encerrá-lo com um tom pra cima. Melissa talvez nem queira que eu escreva se não terminar bem. — Ela afasta uma mecha de cabelo do rosto. — Você sabe como ela é... "Vamos manter o alto astral... os leitores já têm as desgraças das páginas de notícias."

— Tenho a sensação de que estraguei seu aniversário — diz ele.

Atravessam o salão, e ele tem que se inclinar para perto do ouvido dela e gritar.

— Não se preocupe — grita ela de volta. — É um final bem apropriado para o dia que eu tive.

— Venha com a gente — diz Rory, segurando-a pelo cotovelo para detê-la. — Vamos patinar no gelo. Uma pessoa desistiu e sobrou um ingresso.

— Patinar no gelo?

— É divertido.

— Eu tenho 32 anos! Não posso patinar no gelo!

É a vez dele de parecer incrédulo.

— Ah... Bom, então tudo bem. — Ele balança a cabeça, compreensivo. — Você não pode largar o seu andador...

— Pensei que patinar no gelo fosse coisa de criança. Adolescente.

— Então você não tem muita imaginação, Srta. Haworth. Termine seu vinho e venha conosco. Divirta-se um pouco. A menos que realmente não possa cancelar seu compromisso.

Ela apalpa o telefone, perdido na bolsa, tentada a religá-lo. Mas não quer ler a inevitável mensagem de desculpas de John. Não quer o resto da noite colorido pela ausência dele, pelas palavras dele, pelo desejo ávido de tê-lo.

— Se eu quebrar a perna — ameaça ela —, você está obrigado por contrato a me levar e me buscar no trabalho durante seis semanas.

— Seria interessante, já que não tenho carro. Você aceita ser carregada nas minhas costas?

Ele não é seu tipo. É sarcástico, meio ácido, provavelmente vários anos mais novo. Ellie desconfia que ele ganha significativamente menos que ela, talvez ainda divida um apartamento. Talvez nem saiba dirigir. Mas provavelmente é o melhor que vai arranjar como companhia às 18h45 do seu 32° aniversário, e Ellie decidiu que o pragmatismo é uma virtude desvalorizada.

— E se os patins desgovernados de alguém cortarem fora meus dedos, você vai ter que sentar na minha mesa e digitar para mim.

— Basta um dedo para isso. Ou um nariz. Caramba, vocês jornalistas são um bando de mimados — diz ele. — Certo, pessoal. Terminando as bebidas! Nos ingressos diz que temos que estar lá às 19h30.

Ao sair do metrô algum tempo depois, Ellie se dá conta de que a dor nas laterais do corpo não é de ter patinado — embora ela só tenha levado mais tombos quando estava aprendendo a andar —, mas de ter passado quase duas horas gargalhando. Patinar era cômico, estimulante, e ela percebeu, ao dar os primeiros passos no gelo, que raramente experimentara o prazer de se envolver por inteiro em atividades físicas simples.

Rory se saiu bem nos patins. A maioria dos amigos dele também.

— A gente vem aqui todo inverno — disse ele, apontando para o rinque temporário ao ar livre, todo iluminado e cercado de prédios comerciais. — Eles montam em novembro e a gente vem de 15 em 15 dias mais ou menos. É mais fácil se você bebe antes. Fica mais relaxado. Anda, vamos lá... solte as pernas. Só se incline um pouquinho para a frente.

Ele saiu patinando de costas na frente dela, os braços estendidos para dar-lhe apoio. Quando ela caía, ele ria sem piedade. Era libertador fazer isso com uma pessoa cuja opinião lhe importava tão pouco: se fosse John, ela ficaria nervosa até o nariz ficar vermelho por causa do gelo.

E ficaria o tempo todo pensando em quando ele teria que ir embora.

Eles chegaram à porta do prédio dela.

— Obrigada — diz ela a Rory. — Essa noite não estava indo nada bem, e acabei me divertindo muito.

— O mínimo que eu podia fazer, depois de estragar seu aniversário com aquela carta.

— Vou superar isso.

— Quem diria? Ellie Haworth tem coração.

— São só boatos.

— Você não é ruim, sabe — diz ele, um sorriso brincando em seu olhar. — Para uma macróbia.

Ela quer perguntar se ele se refere à patinação, mas subitamente fica nervosa com o que ele pode responder.

— E você é pura simpatia.

— Você é... — Ele olha furtivamente para a estação do metrô mais à frente na rua.

Ela se pergunta, por um instante, se não deve convidá-lo para entrar. Mas na mesma hora sabe que não vai dar certo. Sua cabeça, seu apartamento, sua vida estão cheios de John. Não há espaço para esse homem. Talvez o que ela realmente tenha por ele seja um sentimento fraternal, e o fato de ele não ser exatamente feio pode tê-la confundido.

Ele está analisando de novo sua fisionomia, e ela desconfia, irritada, de que este momento de deliberação está estampado em seu rosto.

— É melhor eu ir — diz ele, fazendo um gesto na direção de seus amigos.

— É — diz ela. — Mas obrigada mais uma vez.

— De nada. A gente se vê no trabalho.

Ele lhe dá um beijo no rosto, depois dá meia-volta e corre para a estação. Ela o vê se afastar, sentindo-se estranhamente abandonada.

Ellie sobe os degraus de pedra e procura a chave. Vai reler a carta recém-encontrada e examinar os papéis, em busca de pistas. Será produtiva. Canalizará suas energias. Sente uma mão no ombro e tem um sobressalto, abafando um grito.

John está no degrau abaixo dela, uma garrafa de champanhe e um buquê de flores descomunal embaixo do braço.

— Não estou aqui — diz ele. — Estou em Somerset, dando uma palestra para um grupo de escritores sem talento e que inclui pelo menos um chato de dar nos nervos. — Ele fica ali parado enquanto ela recupera o fôlego. — Pode dizer alguma coisa, desde que não seja "Vá embora".

Ela está muda.

Ele põe as flores e a champanhe no degrau e a puxa para seus braços. Seu beijo tem o calor de seu carro.

— Estou sentado ali há quase meia hora. Comecei a me apavorar, achando que você não viesse mais para casa.

Ela se derrete toda. Larga a bolsa, sente a pele, o peso, o tamanho dele, e se deixa cair contra aquele corpo. Ele segura seu rosto frio nas mãos quentes.

— Feliz aniversário — diz ele quando finalmente se separam.

— Somerset? — repete ela, meio atordoada. — Isso significa...?

— A noite toda.

É seu 32º aniversário, e o homem que ela ama está ali com champanhe e flores e vai passar a noite toda na sua cama.

— Então, posso entrar?

Ela franze o cenho para ele de um jeito que significa: Precisa mesmo perguntar? Depois pega as flores e a champanhe e sobe a escada.

Terça-feira não posso. Para dizer a verdade, já não me empolgo tanto com a ideia de a gente tirar o atraso... Acho que a sinceridade será menos ofensiva do que nos encontrarmos e então apenas não concordarmos em querer fazer isso de novo.

Homem a Mulher, por e-mail

18

— Ellie? Posso dar uma palavrinha com você?

Ela está colocando a bolsa embaixo da mesa, a pele ainda úmida do banho que tomou há menos de meia hora, os pensamentos em outro lugar. A voz de Melissa, vindo da sala de vidro, é dura, uma brutal volta à realidade.

— Claro.

Ela balança a cabeça e sorri educadamente. Alguém deixou um café para ela ali. Está morno: obviamente já está ali há algum tempo. Há um bilhete sob o copo, endereçado à patinadora medalhista olímpica Jayne Torvill, que diz: "Almoço?"

Ela não tem tempo de digerir isso. Já tirou o casaco, está entrando na sala de Melissa, notando com desânimo que a editora de Reportagens Especiais está de pé. Senta-se numa cadeira e espera Melissa lentamente dar a volta na mesa e se sentar também. A editora veste um jeans preto aveludado e uma camisa polo preta, e tem os braços e a barriga tonificados de quem faz várias horas de Pilates por dia. Usa o que as páginas de moda chamariam de "maxi bijuterias", que Ellie conclui ser apenas um jeito moderno de dizer "grandes".

Melissa deixa escapar um pequeno suspiro e olha para ela. Seus olhos têm um tom violeta incrível, e Ellie se pergunta por um momento se ela está usando lentes de contato. São do tom exato do colar.

— Esta não é uma conversa com a qual eu me sinta muito confortável, Ellie, mas tornou-se inevitável.

— Hum?

— São quase 10h45.

— Ah. É, eu...

— Eu gosto do fato de a nossa editoria ser considerada a mais tranquila do *Nation*, mas acho que todos concordamos que 9h45 é o horário máximo em que aceito ter a minha equipe nas suas mesas.

— Sim, eu...

— Gosto de dar aos meus redatores a chance de se prepararem para as reuniões. Assim eles podem ler os jornais do dia, checar os sites, conversar, inspirar e ser inspirados. — Ela gira um pouco no assento, abre um e-mail. — É um privilégio estar em reunião, Ellie. Uma chance que muitos outros redatores ficariam muito felizes de ter. É difícil acreditar que você esteja preparada profissionalmente se chega aqui em cima da hora.

Ellie sente a pele formigar.

— De cabelo molhado.

— Desculpe-me, Melissa. Tive que esperar o bombeiro em casa e...

— Por favor, Ellie — diz ela baixinho. — Prefiro que você não insulte minha inteligência. E, a menos que seja capaz de me convencer que um bombeiro foi à sua casa a cada dois dias esta semana, acho que devo concluir que você não está levando muito a sério este trabalho.

Ellie engole em seco.

— Nosso portal na internet significa que não há mais lugar para se esconder neste jornal. O desempenho de cada redator pode ser julgado não só pela qualidade do seu trabalho em nossas páginas impressas mas também pelo número de acessos on-line que suas matérias tiveram. Seu desempenho, Ellie — ela consulta um pedaço de papel à sua frente —, decaiu quase quarenta por cento em um ano.

Ellie não consegue dizer nada. Sua garganta seca. Os outros editores e redatores estão se reunindo em frente à sala de Melissa, segurando cadernos enormes e copinhos de isopor. Ela os vê olhando furtivamente pelo vidro para ela, uns curiosos, outros vagamente constrangidos, como se soubessem o que está acontecendo ali dentro. Ela se pergunta se seu trabalho já foi um tópico de conversa mais amplo e se sente humilhada.

Melissa está debruçada na mesa.

— Quando a contratei, você era ávida. Estava sempre à frente. Por isso a escolhi, em detrimento de vários outros repórteres que, francamente, teriam vendido a avó para estar no seu lugar.

— Melissa, eu...

— Não quero saber o que está acontecendo na sua vida, Ellie. Não quero saber se você tem problemas pessoais, se alguém próximo a você morreu, se está atolada em dívidas. Nem quero saber se você está com uma doença grave. Só quero que faça o trabalho para o qual é paga. Você já deve saber a essa altura que jornais não perdoam. Se você não entregar as matérias, a gente não consegue os anúncios nem, aliás, a tiragem em circulação. Se não conseguirmos essas coisas, estamos todos no olho da rua, uns mais cedo que outros. Estou me fazendo entender?

— Claro, Melissa.
— Ótimo. Acho que não há por que você participar da reunião hoje. Organize-se, e nos vemos na reunião de amanhã. Como está aquele artigo das cartas de amor?
— Bem. — Ela está de pé, tentando dar a impressão de que sabe o que está fazendo.
— Ok. Pode me mostrar amanhã. Por favor, quando sair peça aos outros para entrarem.

Pouco depois de 12h30 ela desce correndo os quatro lances de escada para o arquivo. Ainda está deprimida, as alegrias da noite anterior foram esquecidas. O arquivo parece um depósito vazio. As estantes em volta do balcão estão agora sem nada, o papel com o aviso escrito errado foi tirado, sobrando apenas duas tiras de fita adesiva. Atrás do segundo conjunto de portas duplas, ela ouve móveis sendo arrastados. O chefe do arquivo corre um dedo por uma lista de números, os óculos equilibrados na ponta do nariz.
— Rory está por aí?
— Está ocupado.
— Pode dizer a ele que não vou poder ir almoçar com ele?
— Não sei direito onde ele está.
Ela se sente aflita com a possibilidade de Melissa ver que ela não está em sua mesa.
— Bem, você vai vê-lo mais tarde? Preciso dizer a ele que tenho que acabar essa matéria. Pode dizer que eu passo aqui no fim do dia?
— Seria melhor você deixar um bilhete.
— Mas você disse que não sabia onde ele estava.
Ele ergue os olhos, o cenho franzido.
— Desculpe-me, mas estamos na fase final de nossa mudança. Não tenho tempo de ficar dando recados.
Ele parece impaciente.
— Ótimo. Vou lá em cima no DP desperdiçar o tempo de alguns funcionários perguntando o número do celular dele, que tal? Só para ter certeza de que não vou dar um bolo no Rory, para *ele* não perder tempo.
Ele levanta a mão.
— Se eu o vir, aviso.
— Ah, não se incomode. Desculpe-me por tê-lo aborrecido.
Ele vira-se lentamente para ela e a encara com o que sua mãe chamaria de um olhar antiquado.

— Nós aqui do arquivo podemos ser considerados algo não muito distante de irrelevantes pela sua laia, Srta. Haworth, mas, na minha idade, já não sirvo muito para office boy. Perdoe-me se isso atrapalha a sua vida social.

Ela se lembra, com um sobressalto, da afirmação de Rory de que todos os funcionários do arquivo conseguem ligar os nomes às pessoas. Ela não sabe o nome desse homem.

Enrubesce quando ele some ao passar pelas portas. Está irritada consigo mesma por agir como uma adolescente geniosa, e irritada com o velho por ser tão imprestável. Irritada com a bronca de Melissa, que lhe impede de sair para um almoço animado num dia que começou tão bem. John ficou com ela até quase 9 horas. O trem vindo de Somerset só chegaria às 10h45, disse ele, portanto não havia por que ir correndo para casa. Ela lhe preparou ovos mexidos com torrada — praticamente a única coisa que sabe fazer bem — e ficou ali sentada na cama em êxtase, roubando bocadinhos do prato enquanto ele comia.

Antes disso eles só tinham passado a noite inteira juntos uma vez, logo no começo da relação, quando John se dizia obcecado por ela. A noite passada fora como aqueles primeiros dias: ele fora terno, afetuoso, como se tivesse ficado mais sensível aos sentimentos dela por causa das férias iminentes.

Ela não tocou no assunto, aliás: se este último ano lhe ensinara algo, foi a viver no presente. Ela agora mergulha em cada momento, recusando-se a tirar-lhe o brilho pensando no seu preço. A queda viria — sempre vinha —, mas ela em geral reunia recordações suficientes para amortecê-la um pouco.

Ela está parada na escada, pensando nos braços sardentos dele envolvendo-a, no rosto sonolento dele em seu travesseiro. Foi perfeito. Perfeito. Uma vozinha dentro dela se pergunta se algum dia — bastaria ele pensar bem sobre isso — John vai perceber que eles podem ter isso por toda a vida.

É um curto trajeto de táxi até o correio da Langley Street. Antes de sair do escritório, ela tem o cuidado de comunicar à secretária de Melissa:

— Aqui está o número do meu celular se ela quiser falar comigo — diz, a voz transbordando de profissionalismo. — Vou demorar mais ou menos uma hora.

Embora seja hora de almoço, o correio não está cheio. Ela se encaminha para a frente de uma fila inexistente e aguarda obedientemente que a voz eletrônica chame:

— Guichê número 4, por favor.

— Posso falar com alguém sobre caixas postais, por favor?

— Só um minuto. — A mulher desaparece, depois volta, indicando-lhe para ir para o lado, onde há uma porta. — Margie vai vir falar com você.

Uma jovem mete a cabeça pela abertura da porta. Usa um crachá com seu nome, uma corrente grande com um crucifixo e sapatos tão altos que Ellie se pergunta como ela consegue ficar de pé, que dirá passar o dia inteiro trabalhando com aquilo. A jovem sorri, e Ellie pensa como é raro alguém ainda sorrir para você na cidade.

— Isso vai parecer meio estranho — começa Ellie —, mas tem algum jeito de descobrir quem alugou uma caixa postal anos atrás?

— A rotatividade costuma ser grande. De quando está falando?

Ellie se pergunta quanto deve contar a ela, mas Margie parece simpática, então ela adota seu tom confidencial. Saca da bolsa as cartas, cuidadosamente encerradas numa pasta de plástico transparente.

— É meio estranho. São umas cartas de amor que eu achei. Estão endereçadas para uma caixa postal daqui e eu queria devolvê-las.

Ela consegue captar o interesse de Margie. Não deve ser nada mau para a moça tratar desse assunto em vez dos tradicionais pagamentos de benefícios e devoluções de catálogos.

— Caixa postal 13. — Ellie aponta para o envelope.

A fisionomia de Margie demonstra reconhecimento.

— Treze?

— Você conhece?

— Ah, sim. — Margie contrai os lábios, como se estivesse considerando quanto do que sabe está autorizada a dizer. — Essa caixa postal está alugada para a mesma pessoa há... hã... quase quarenta anos. Não que o tempo em si seja incomum.

— Então o que é?

— O fato de nunca ter recebido nenhuma carta. Nem mesmo uma. Já entramos em contato com a cliente várias vezes para perguntar se gostaria de encerrá-la. Ela diz que quer mantê-la aberta. Bom, o problema é dela se quer desperdiçar dinheiro. — Margie olha a carta. — Carta de amor, é? Ah, que triste.

— Pode me dar o nome dela? — Ellie sente a barriga contrair de tensão. Essa pode ser uma história ainda melhor do que tinha imaginado.

A moça nega com um gesto de cabeça.

— Desculpe-me, não posso. Sigilo de dados cadastrais, essas coisas.

— Ah, por favor! — Ela pensa na expressão de Melissa se conseguir voltar com um Amor Proibido Que Durou Quarenta Anos. — Por favor. Você não tem ideia de quanto isso é importante para mim.

— Sinto muito, muito mesmo, mas está além da minha alçada.

Ellie pragueja baixinho e olha para trás, para a fila que se formou de repente atrás dela. Margie está voltando para sua porta.

— Obrigada assim mesmo — diz Ellie, lembrando-se dos bons modos.
— De nada.
Na fila, uma criança pequena chora, tentando fugir de dentro do carrinho.
— Espere aí. — Ellie está remexendo na bolsa.
— Sim?
Ela sorri.
— Será que eu podia... sabe... deixar uma carta nessa caixa postal?

Prezada Jennifer,

Por favor, desculpe-me por minha intrusão, mas encontrei por acaso uma correspondência pessoal que acredito ser sua, e gostaria de ter a oportunidade de devolvê-la.

Abaixo estão os meus telefones de contato.

Atenciosamente,

Ellie Haworth

Rory lê. Estão sentados no pub em frente ao *Nation*. Está escuro, mesmo no início da tarde, e sob as lâmpadas de vapor de sódio ainda se veem caminhões de mudança verdes em frente ao portão, homens de macacão subindo e descendo os degraus largos da entrada. Já são quase parte da paisagem há semanas.
— O que foi? Acha que usei o tom errado?
— Não.
Ele está sentado ao lado dela, uma perna descansando no pé da mesa diante deles.
— O que foi, então? Você está fazendo aquela cara de novo.
Ele sorri.
— Não sei, não me pergunte. Não sou jornalista.
— Ah, vai. O que quer dizer essa cara?
— Ah, não faz você se sentir um pouco...
— O quê?
— Não sei... É muito pessoal. E você vai pedir que ela lave a roupa suja em público.
— Talvez ela fique feliz com a oportunidade. Assim quem sabe o encontra de novo. — Há um tom de desafio e otimismo em sua voz.
— Ou ela pode estar casada, e há quarenta anos eles tentem esquecer o caso.
— Duvido. Além disso, como você sabe que é roupa suja? Eles podem estar juntos agora. A história pode ter tido um final feliz.

— E ela manteve a caixa postal aberta durante quarenta anos? Isso não teve um final feliz. — Ele devolve a carta. — Ela pode até ser doente da cabeça.

— Ah, então ser apaixonado por alguém só significa ser maluco. Óbvio.

— Manter uma caixa postal durante quarenta anos, sem receber uma única carta, está longe de ser um comportamento normal.

Ele tem razão, ela admite. Mas pensar em Jennifer e sua caixa postal vazia tomou conta da imaginação dela. E ainda mais importante: é o mais próximo que ela tem de um artigo decente.

— Vou pensar — diz ela. E não conta a ele que já postou a carta, esta tarde.

— Então — diz ele —, se divertiu ontem à noite? Não está muito doída hoje?

— O quê?

— A patinação.

— Ah. Um pouco.

Ela estica as pernas, sentindo dores nas coxas, e cora um pouco quando encosta o joelho no dele. Eles já fazem piadas internas. Ela é Jayne Torvill; ele é o humilde arquivista, a postos para cumprir suas ordens. Ele lhe envia mensagens de texto com erros de ortografia propositais: *Será q a intelijente senhora quer beber alguma coiza com o umilde arquivista mais tarde?*

— Ouvi dizer que você desceu para falar comigo.

Ela o olha rapidamente, e ele está sorrindo de novo. Ela faz uma careta.

— Seu chefe é muito ranzinza. Sinceramente. Foi como se eu tivesse pedido que ele sacrificasse o primogênito quando eu só estava tentando mandar um recado para você.

— Ele é gente boa — diz Rory, franzindo o nariz. — Só está estressado. Muito estressado. Este é o último projeto antes de ele se aposentar e ele tem 40 mil documentos para transferir do prédio na ordem certa, além dos que estão sendo escaneados para armazenamento digital.

— Estamos todos ocupados, Rory.

— Ele só quer deixar o arquivo perfeito. É daquele tipo, sabe: tudo para o bem do jornal. Gosto dele. Uma raça em extinção.

Ela pensa em Melissa, a dos olhos frios e sapatos altos, e não pode deixar de concordar.

— Ele sabe tudo o que há para saber sobre este jornal. Você devia falar com ele alguma hora.

— Ah, sim. Porque ele evidentemente foi com a minha cara.

— Garanto que ele iria com a sua cara se você tivesse sido mais simpática.

— Como eu falo com você?

— Não. Eu disse simpática.

— Você vai ficar no lugar dele?

— Eu? — Rory leva o copo à boca. — Não. Quero viajar. América do Sul. Esse emprego era para ser só um trabalho de férias para mim. Não sei como acabei ficando 18 meses.

— Você já está aqui há 18 meses?

— Quer dizer que não reparou em mim antes? — Ele faz uma careta como se estivesse magoado, e ela torna a corar.

— Eu só... pensei que teria visto você antes.

— Ah, vocês jornalistas só veem o que querem. Somos os parasitas invisíveis, ali só para cumprir suas ordens.

Ele está sorrindo, e falou sem raiva, mas ela sabe que essas palavras têm um desagradável fundo de verdade.

— Então eu sou uma jornalista egoísta, indiferente, cega às necessidades dos verdadeiros trabalhadores e grosseira com velhos decentes que têm uma ética de trabalho — reflete ela.

— É mais ou menos isso. — Então ele a encara e muda de expressão. — O que vai fazer para se redimir?

É incrivelmente difícil sustentar o olhar dele. Ela está tentando elaborar uma resposta quando ouve o celular.

— Desculpe-me — murmura, procurando o aparelho na bolsa. Clica no símbolo do envelope.

Só queria dizer oi. Fora para férias amanhã, falo com você qdo voltar, se cuida. Bjs J.

Ela está desapontada. "Dizer oi" depois das intimidades sussurradas da noite anterior? Do gozo desinibido juntos? Ele quer "dizer oi"?

Ela relê a mensagem. John nunca diz muito pelo celular, ela sabe. Ele lhe explicou no início que era muito arriscado, no caso de a esposa pegar o aparelho antes que ele deletasse alguma mensagem incriminadora. E tem algo de carinhoso em "se cuida", não tem? Ele está dizendo que lhe quer bem. Ela se pergunta, mesmo enquanto se acalma, até que ponto ela estica essas mensagens, encontrando todo um significado nas escassas palavras que ele lhe envia. Ela acredita que eles são tão ligados um ao outro que isso basta, que ela entende o que ele realmente quer dizer. Mas às vezes, como hoje, duvida que haja realmente alguma coisa além da concisão.

Como responder? Ela não pode nem dizer "boas férias", se quer que tudo dê errado por lá, que sua mulher tenha intoxicação alimentar, que seus filhos não parem de chorar e que o tempo esteja um horror, confinando-os todos dentro de casa de mau humor. Quer que ele fique lá sentado sentindo saudade, saudade, saudade...

Se cuida vc também bjs

Quando ela ergue a vista, Rory está olhando fixamente para o caminhão de mudança lá fora, como se fingisse não estar interessado no que acontece ao seu lado.
— Desculpe-me — diz ela, guardando o telefone na bolsa. — Coisa de trabalho. — E percebe na mesma hora por que não lhe diz a verdade. Ele poderia ser um amigo, já é um amigo: por que ela não lhe contaria sobre John? Em vez disso, porém, comenta: — Por que acha que ninguém mais escreve cartas de amor como essa? — Puxa uma da bolsa. — Quero dizer, hoje temos torpedos e e-mail e essas novidades, mas ninguém escreve por esses meios usando uma linguagem assim, certo? Ninguém expõe mais as coisas, como o nosso amante desconhecido expunha.
O caminhão de mudança foi embora. Na frente do prédio do jornal há uma vaga, vazia, a goela escura da entrada sob as lâmpadas de vapor de sódio, os funcionários remanescentes lá dentro, fazendo modificações de última hora na primeira página.
— Talvez sim — diz ele, e seu rosto perdeu aquela suavidade momentânea. — Ou talvez, no caso dos homens, seja impossível saber o que se deve dizer.

A academia no Swiss Cottage já não fica perto da casa de nenhuma delas, tem aparelhos que vivem com defeito e uma recepcionista autoritária que elas se perguntam se foi colocada ali por alguma espécie de oposição, mas nem ela nem Nicky podem se dar o trabalho de passar pelo processo interminável de se desfiliar e descobrir uma academia nova. Esse lugar acabou virando o ponto de encontro semanal delas. Já faz tempo que as duas amigas não arfam lado a lado em bicicletas ergométricas, nem se sujeitam às orientações de desdenhosos personal trainers de 20 anos. Agora, após algumas braçadas sem entusiasmo para cima e para baixo na pequena piscina, elas passam quarenta minutos sentadas na banheira quente ou na sauna para conversar, tendo se convencido de que essas coisas "fazem bem à pele".
Nicky chega atrasada: está se preparando para uma conferência na África do Sul e ficou presa no trabalho. Nenhuma das duas jamais faz qualquer comentário sobre o atraso da outra: aceitam que isso acontece, que qualquer inconveniente causado pela carreira é incensurável. Além disso, Ellie nunca entendeu bem o que Nicky faz.
— Vai estar quente por lá? — Ela ajeita a toalha no banco quente da sauna enquanto Nicky enxuga os olhos.

— Acho que sim. Mas não sei quanto tempo vou ter para curtir. Minha nova chefe é workaholic. Eu estava querendo tirar uma semana de férias na volta, mas ela diz que não pode abrir mão de mim.

— Como ela é?

— Ah, ela é legal, não força a barra para mostrar autoridade nem nada. Mas realmente faz hora extra todos os dias e não entende por que não fazemos o mesmo. Eu queria o velho Richard de volta. Adorava as nossas sextas-feiras de almoços prolongados.

— Não conheço ninguém que consiga ter um horário de almoço direito hoje em dia.

— Só vocês jornalistas. Pensei que fosse tudo almoço regado a álcool, com gente importante.

— Rá. Não com a minha chefe no meu pé.

Ela conta a história da bronca que levou de manhã, e Nicky arregala os olhos em solidariedade.

— Você tem que tomar cuidado — diz. — Parece que ela está de olho em você. Esse artigo está indo bem? Será que isso vai fazer ela relaxar um pouco?

— Não sei se vai dar em algo. E me sinto meio mal de usar algumas coisas desse material. — Ela esfolia o pé. — As cartas são lindas. E muito intensas. Se alguém tivesse escrito uma carta assim para mim eu não ia querer que fosse a público.

Ela ouve a voz de Rory ao dizer isso, e descobre que já não sabe direito o que pensa. Não estava preparada para o fato de ele não gostar da ideia de as cartas serem publicadas. Está acostumada a todo mundo no *Nation* ter a mesma mentalidade. *O jornal primeiro. Como antigamente.*

— Eu iria querer reproduzi-la enorme e botá-la num outdoor. Não conheço ninguém que ainda receba cartas de amor — diz Nicky. — Minha irmã recebia, quando o noivo dela se mudou para Hong Kong nos anos 1990 pelo menos duas por semana. Ela uma vez me mostrou. — Ela bufa de raiva. — Adivinha só: quase todas eram sobre quanto ele sentia saudade da bunda dela.

Elas param de rir quando outra mulher entra na sauna. Trocam sorrisos educados, e a mulher se instala na parte mais alta, estendendo cuidadosamente a toalha para deitar em cima.

— Ah, encontrei Doug no fim de semana passado.

— Como ele está? Lena já está buchuda?

— Ele perguntou por você, na verdade. Está preocupado que você tenha ficado chateada. Disse que vocês discutiram.

O suor escorreu para dentro dos olhos de Ellie, fazendo-os arder com os vestígios do rímel.

— Ah, está tudo bem. Ele só... — Ela espia a mulher mais em cima. — Ele vive em outro mundo.
— Um mundo em que ninguém nunca tem um caso.
— Ele veio com uma conversa meio... moralista. A gente teve uma discussão por causa da mulher do John.
— O que tem ela?
Ellie se mexe desconfortavelmente na toalha.
— Não se preocupem comigo — chega até elas a voz da mulher. — Tudo o que se entreouve aqui é assunto proibido. — Ela ri, e as duas lhe sorriem educadamente de volta.
Ellie baixa o tom de voz.
— Sabe, até que ponto eu devo levar em conta os sentimentos dela.
— Acho que quem precisa fazer isso é John.
— Sim. Mas você conhece Doug. O Homem Bonzinho. — Ellie afasta o cabelo do rosto. — Ele tem razão, Nicky, mas eu nem conheço a mulher. Ela não é uma pessoa real. Então por que eu deveria me importar com o que acontece com ela? Ela tem a única coisa que eu desejo de verdade, a única coisa que me faria feliz. E não é possível que ela seja tão apaixonada por ele e dê tão pouca atenção ao que ele precisa e deseja, né? Afinal, se eles fossem tão felizes, ele não estaria comigo, estaria?
Nicky nega com um gesto de cabeça.
— Sei lá. Quando teve filho, a minha irmã passou seis meses meio atordoada.
— O caçula dele tem quase 2 anos.
Ela mais sente do que ouve o dar de ombros de desdém de Nicky. É a desvantagem perene das boas amigas. Elas nunca deixam você sair impune de nada.
— Sabe, Ellie — diz Nicky, deitando de costas no banco e botando as mãos atrás da cabeça. — Moralmente, eu não me interessaria se eles estão bem juntos ou não, mas você não parece feliz.
Novamente aquele gesto defensivo.
— Eu *estou* feliz.
Nicky levanta uma sobrancelha.
— Tudo bem. Estou mais feliz e mais infeliz do que já estive com qualquer outra pessoa se é que isso faz sentido.
Diferentemente de suas duas melhores amigas, Ellie nunca viveu com um homem. Até os 30, ela colocou casamentoefilhos — sempre foi uma só palavra — no rol de coisas que faria mais tarde, muito depois de ter se firmado na carreira, assim como beber moderadamente e fazer um plano de previdência.

Não queria acabar como algumas de suas colegas de escola, aos 20 e poucos anos já exaustas e empurrando carrinhos de bebê, dependendo financeiramente de maridos que pareciam desprezar.

Seu último namorado se queixou de ter passado quase toda a relação acompanhando-a enquanto ela corria de um lugar para outro "rosnando num telefone celular". Ele ficou ainda mais irado por ela ter achado graça nisso. Mas, desde que chegou aos 30, passou a ser um pouco menos divertido. Quando ela visitava os pais em Derbyshire, eles se esforçavam muito para não mencionar namorados, a tal ponto que isso se tornara apenas mais uma forma de pressão. Ela sabe muito bem ficar sozinha, diz a eles e aos outros. E era verdade, até ela conhecer John.

— Ele é casado, amor? — pergunta a mulher, através do vapor.

Ellie e Nicky trocam um olhar disfarçadamente.

— É — diz Ellie.

— Se isso faz você se sentir melhor, eu me apaixonei por um homem casado e vamos fazer quatro anos de casados terça-feira que vem.

— Parabéns — dizem elas em uníssono.

Ellie está consciente de que parece uma palavra estranha para se usar nessas circunstâncias.

— Somos muito felizes. Claro que a filha do meu marido não fala mais com ele, mas tudo bem. Somos felizes.

— Quanto tempo ele levou para deixar a mulher? — pergunta Ellie, sentando-se.

A mulher está prendendo o cabelo num rabo de cavalo. Ela não tem busto, pensa Ellie, e mesmo assim ele largou a mulher por ela.

— Doze anos — responde. — Isso significou que não pudemos ter filhos, mas, como eu disse, valeu a pena. Somos muito felizes.

— Estou feliz por você — diz Ellie quando a mulher desce. A porta de vidro se abre, deixando entrar uma lufada de ar frio enquanto ela sai, e então ficam as duas, sentadas na cabine quente e sombria.

Há um silêncio breve.

— Doze anos — diz Nicky, esfregando o rosto com a toalha. — Doze anos, uma filha afastada e nada de filhos. Bem, aposto que isso faz você se sentir muito melhor.

Dois dias depois, o telefone toca. São 9h15 e ela está a sua mesa, levantando-se para atender, de modo que a chefe possa ver que ela está ali trabalhando. A que horas Melissa vem trabalhar? Ela parece ser sempre a primeira a chegar e a última a sair na editoria, e ainda assim está sempre com o cabelo e a maquiagem impecáveis, as roupas cuidadosamente escolhidas. Ellie desconfia de que ela tem hora com um personal trainer às 6 horas da manhã, e faz uma escova em algum cabeleireiro exclusivo uma hora depois. Será que Melissa tem vida pessoal? Alguém mencionou uma vez uma filha pequena, mas Ellie não consegue acreditar.

— Reportagens Especiais — diz ela, olhando distraidamente para a sala de vidro. Melissa está ao telefone, andando de lá para cá, passando a mão no cabelo.

— Esse é o número de Ellie Haworth? — Uma voz cristalina: uma relíquia de uma época anterior.

— É. Sou eu mesma.

— Ah. Acho que você me mandou uma carta. Meu nome é Jennifer Stirling.

O que eu fiz? Aquela quinta-feira você disse que não queria que eu fosse embora. Suas palavras, não minhas. E depois nada. Cheguei a pensar que você tivesse sofrido um acidente! S***** disse que você já fez isso antes, e eu não quis acreditar nela, mas agora me sinto uma idiota.

Mulher para Homem, por carta

19

Ela caminha com energia, a cabeça baixa para se proteger da chuva torrencial, praguejando por não ter sido previdente e não ter trazido um guarda-chuva. Os táxis seguem na esteira dos ônibus com janelas embaçadas, lançando graciosos leques de água no meio-fio.

Está em St. Johns Wood numa tarde chuvosa de sábado, tentando não pensar nas areias brancas de Barbados, em uma mão grande e sardenta passando protetor solar nas costas de uma mulher. É uma imagem que lhe vem à cabeça com uma frequência punitiva, e tem vindo nesses seis dias desde que John viajou. O mau tempo parece uma piada cósmica à sua custa.

O prédio ergue-se cinzento em uma calçada larga arborizada. Ela sobe os degraus de pedra, aperta o número 8 no interfone e aguarda, impaciente, trocando o peso do corpo de um pé encharcado para outro.

— Olá?

A voz é clara, mais jovem do que ela imaginou.

Graças a Deus Jennifer Stirling sugeriu hoje: a ideia de passar um sábado inteiro sem trabalho e sem as amigas, que parecem estar todas ocupadas, era terrível.

Aquela mão sardenta de novo.

— É Ellie Haworth. A respeito das cartas.

— Ah. Pode subir. Estou no quarto andar. Talvez você tenha que esperar um pouco pelo elevador. É lentíssimo.

É o tipo de construção em que Ellie raramente entra, numa área que ela mal conhece. Seus amigos moram em apartamentos novos, com cômodos minúsculos e garagens subterrâneas, ou em pequenos apartamentos dúplex espremidos entre casas geminadas vitorianas. Este prédio transpira dinheiro antigo e impenetrabilidade a modismos. Traz-lhe à mente a imagem da "viúva endinheirada" — John talvez usasse essa expressão —, e ela sorri.

O chão do saguão é coberto por um tapete turquesa-escuro, uma cor de outra época. O corrimão de latão que acompanha os quatro degraus de mármore tem a pátina de tons profundos típica do polimento frequente. Ela se lembra do saguão do próprio prédio, com seus montes de correspondências negligenciadas e suas bicicletas largadas.

O elevador sobe rangendo, imponente, os quatro andares, e ao sair ela pisa num corredor ladrilhado.

Ellie vê a porta aberta.

— Olá?

Depois que a vê, não sabe bem o que tinha imaginado: uma senhora encurvada piscando muito e talvez com um belo xale em uma casa cheia de animais de cristal.

Jennifer Stirling não é essa mulher. Pode até ter mais de 60 anos, mas é magra e ainda empertigada. Apenas seu cabelo grisalho, usado de lado e pouco acima dos ombros, sugere sua idade verdadeira. Ela está vestindo um suéter de caxemira azul-escuro e um casaco de lã acinturado sobre uma calça bem-cortada que está mais para algo desenhado por Dries van Notem do que para uma peça comprada na loja de departamentos Marks & Spencer. Tem uma echarpe verde-esmeralda enrolada no pescoço.

— Srta. Haworth?

Ela sente que a mulher a observou discretamente, talvez avaliando-a, antes de dizer seu nome.

— Sim. — Ellie estende a mão. — Chame-me de Ellie, por favor.

A expressão da Sra. Stirling relaxa um pouco. Qualquer que fosse o teste, Ellie parece ter passado; ao menos por ora.

— Entre. Veio de longe?

Ellie a acompanha pelo apartamento. Mais uma vez, suas expectativas não se realizam. Nada de animais de cristal. A sala é enorme, de decoração leve e escassamente mobiliada. Sobre o assoalho de madeira clara há um par de tapetes persas grandes e dois sofás chesterfield de damasco um em frente ao outro com uma mesa de centro de vidro. Os únicos outros móveis são ecléticos e finíssimos: uma cadeira que ela desconfia ser cara, moderna e dinamarquesa, e uma mesinha antiga, incrustada de nogueira. Fotografias de família, crianças pequenas.

Ellie, que nunca ligou muito para decoração de interiores, de repente sabe exatamente como gostaria que fosse sua casa.

— Seu apartamento é lindo.

— É bem simpático, não é? Mudei para cá em... 1968, acho. Era um prédio antigo bem desleixado, mas achei que seria um bom lugar para a minha filha crescer, já que ela precisava morar numa cidade. Dá para ver o Regent's Park daquela janela. Posso guardar seu casaco? Gostaria de um café? Você está toda molhada.

Ellie se senta enquanto Jennifer Stirling desaparece na cozinha para buscar a bebida. Nas paredes, que são de um tom de creme bem claro, há várias peças grandes de arte moderna. Ellie observa Jennifer Stirling quando ela volta para a sala, e não se admira que ela tenha inspirado tamanha paixão no escritor de cartas desconhecido.

Em uma das fotografias na mesa há uma de uma jovem belíssima, em uma pose como se fosse para um retrato de Cecil Beaton; então, talvez alguns anos depois, ela está olhando para um bebê recém-nascido em seu colo, a expressão mostrando a exaustão, o assombro e a alegria aparentemente comuns a todas as novas mães — seu cabelo, embora ela tivesse acabado de dar à luz, impecavelmente penteado.

— É muita gentileza sua ter todo esse trabalho. Devo dizer, fiquei intrigada com a sua carta.

Uma xícara de café é colocada diante de Ellie, e Jennifer Stirling se senta à sua frente, mexendo a própria bebida com uma pequena colher de prata com um grão de café vermelho esmaltado na ponta.

Nossa, pensa Ellie. A cintura dela é mais fina que a minha.

— Estou curiosa para saber o que é essa correspondência. Acho que não jogo nada fora acidentalmente há anos. Em geral picoto tudo. Meu contador me deu uma dessas máquinas infernais no Natal passado.

— Bem, não fui realmente eu quem achou. Um amigo meu estava arrumando o arquivo no jornal *Nation* e encontrou uma pasta.

A atitude de Jennifer Stirling muda.

— E essas aqui estavam lá dentro.

Ellie tira cuidadosamente da bolsa a pastinha com as três cartas. Observa a expressão da Sra. Stirling ao pegá-las.

— Eu as teria mandado para a senhora — prossegue —, mas...

Jennifer Stirling está sentada, segurando as cartas reverentemente com as duas mãos.

— Eu não sabia direito... o que... bem, não sabia se a senhora iria sequer querer vê-las.

Jennifer não diz nada. Constrangida, Ellie toma um gole na xícara. Não tem noção de há quanto tempo está ali sentada, tomando café, mas evita olhar para a anfitriã, não sabe bem por quê.

— Ah, eu quero essas cartas, sim.

Quando Ellie ergue o olhar, algo aconteceu com a expressão de Jennifer.

Ela não está com lágrimas nos olhos exatamente, mas tem a aparência aflita de alguém tomado por intensa emoção.

— Você leu, imagino.

Ellie vê que ela está corando.

— Desculpe-me. Estavam numa pasta com coisas sem qualquer relação. Eu não sabia que acabaria descobrindo a dona delas. Achei bonitas — acrescenta sem jeito.

— São mesmo, não são? Bem, Ellie Haworth, poucas coisas me surpreendem na minha idade, mas você conseguiu me surpreender hoje.

— Não vai lê-las?

— Não preciso. Sei o que está escrito.

Ellie aprendeu há muito tempo que a habilidade mais importante no jornalismo é saber exatamente quando ficar calado. Mas agora está ficando cada vez mais constrangida ao observar uma velha senhora que de algum jeito desapareceu da sala.

Quando o silêncio se torna opressivo, ela fala com bastante cautela.

— Desculpe-me se a perturbei. Eu não sabia ao certo o que fazer, já que não sabia qual era sua...

— ... situação — completa Jennifer, e sorri. Ellie torna a pensar na beleza do rosto dela. — Foi muito diplomático da sua parte. Mas essas cartas não causam embaraço. Meu marido morreu há muitos anos. É uma das coisas que nunca nos dizem sobre a velhice. — Dá um sorriso amargo. — Que os homens morrem muito antes.

Por algum tempo elas ficam ouvindo a chuva, o barulho dos ônibus quando freiam na rua.

— Bem — continua Sra. Stirling —, me diga uma coisa, Ellie. O que a levou a se esforçar tanto para me devolver essas cartas?

Ellie pondera se menciona ou não o artigo. Seus instintos dizem "não".

— Porque eu nunca li nada igual?

Jennifer Stirling a observa atentamente.

— E... eu também tenho um amante — diz, sem saber bem por quê.

— Um "amante"?

— Ele é... casado.

— Ah. Então essas cartas falaram a você.

— Sim. A história toda. É aquela coisa de querer o que não se pode ter. E de nunca conseguir dizer o que realmente se sente. — Ela está olhando para baixo, falando com as próprias pernas. — O homem com quem estou envolvida, John... não sei realmente o que ele pensa. Não conversamos sobre o que está acontecendo entre nós.

— Acho que ele não é original nisso — comenta Sra. Stirling.
— Mas seu amante dizia. Boot.
— Sim. — Mais uma vez, ela está mergulhada em outra época. — Ele me dizia tudo. É incrível receber uma carta assim. Saber que se é amada tão plenamente. Ele sempre foi fenomenal com as palavras.

A chuva fica torrencial por uns minutos e bate contra o vidro das janelas, as pessoas gritando lá embaixo na rua.

— Ando meio obcecada com seu caso de amor, se isso não parecer muito estranho. Eu queria desesperadamente que vocês dois se reencontrassem. Tenho que perguntar, vocês... vocês algum dia reataram?

O jargão moderno parece errado, impróprio, e Ellie subitamente se sente inibida. Há alguma coisa de deselegante no que perguntou, pensa. Ela exagerou um pouco.

Quando Ellie está prestes a se desculpar, e a se preparar para se retirar, Jennifer fala:

— Gostaria de mais um cafezinho, Ellie? Acho que não faz muito sentido você ir embora com essa chuva toda.

Jennifer Stirling está sentada no sofá estofado de seda, o café esfriando no colo, e conta a história de uma jovem esposa no sul da França, de um marido que, em suas palavras, não devia ser pior que quaisquer outros da época. Um homem muito do seu tempo, em quem a expressão foi reprimida — virou para ele sinal de fraqueza, inadequado. E ela conta a história da antítese dele, um homem ranzinza, dogmático, estragado, que a desestabilizou desde a primeira noite em que ela o conheceu, num jantar com amigos em noite de lua cheia.

Ellie está arrebatada, imagens se formando em sua mente, tentando não pensar no gravador que ligou dentro da bolsa. Mas já não se sente mais deselegante.

A Sra. Stirling fala animadamente, como se estivesse há décadas querendo contar tudo isso. Diz que é uma história cujas peças ela montou ao longo dos anos, e Ellie, embora não entenda inteiramente o que está sendo dito, não quer interromper para lhe pedir que esclareça.

Jennifer Stirling conta do súbito desbotamento de sua vida dourada, das noites insones, da culpa, da atração apavorante e irrevogável exercida por alguém proibido, de como é terrível perceber que a vida que se está levando talvez seja a errada.

Enquanto ela fala, Ellie rói as unhas, se perguntando se é isso que John está pensando, nesse momento, em alguma praia ensolarada distante.

Como ele pode amar a esposa e fazer o que faz com ela? Como ele pode não sentir essa atração?

A história fica cada vez mais sombria, a voz dela, cada vez mais baixa. Jennifer conta de um acidente de carro numa estrada molhada, de um homem inocente morto, e dos quatro anos em que foi uma sonâmbula no casamento, desempenhando seu papel apenas com a ajuda de remédios e com o nascimento da filha.

Ela se interrompe, pega um porta-retratos às suas costas e o entrega a Ellie. Uma mulher loura e alta está em pé, de short, e há um homem com o braço em volta dela. A seus pés descalços, duas crianças e um cão. Ela parece em um anúncio da Calvin Klein.

— Esmé não deve ser muito mais velha que você — diz. — Ela mora em São Francisco com o marido, que é médico. São muito felizes. — Com um sorriso irônico, acrescenta: — Que eu saiba.

— Ela sabe das cartas?

Ellie coloca a moldura com cuidado na mesa de centro, tentando não sentir raiva da desconhecida Esmé por sua genética espetacular, sua vida aparentemente invejável.

Dessa vez, Sra. Stirling hesita antes de falar.

— Nunca contei essa história a ser humano algum. Que filha iria querer ouvir que a mãe estava apaixonada por outro que não o pai dela?

Então conta de um encontro casual, anos depois, do choque glorioso de descobrir que estava onde deveria.

— Você compreende? Eu tinha passado tanto tempo me sentindo deslocada... E de repente lá estava Anthony. E eu senti isso. — Bate no peito. — Senti que estava em casa. Que era ele.

— Sim — diz Ellie, sentada na pontinha do sofá. O rosto de Jennifer Stirling está iluminado. De repente Ellie consegue ver a jovem que ela foi. — Conheço esse sentimento.

— O terrível foi, claro, que, tendo tornado a encontrá-lo, eu não estava livre para fugir com ele. Divórcio era uma questão muito diferente naquela época, Ellie. Terrível. O nome da pessoa era arrastado na lama. Eu sabia que meu marido me destruiria se eu tentasse sair de casa. E eu não podia deixar Esmé. Ele, Anthony, tinha deixado o filho para trás, e acho que nunca se recuperou disso.

— Então a senhora nunca deixou seu marido? — Ellie sente um desapontamento crescente.

— Deixei, graças a essa pasta que você achou. Ele tinha uma secretária esquisita havia muito tempo, Srta. Fulana. — Faz uma careta. — Nunca consegui me lembrar do nome dela. Acho que era apaixonada por ele. E um dia, por alguma razão, ela me entregou os meios de acabar com ele. Ele soube que não podia tocar em mim já que eu tinha aquelas pastas.

Ela descreve o encontro com a secretária sem nome, o choque do marido quando ela lhe revelou o que sabia, no escritório dele.

— Os arquivos do asbesto.

Pareciam tão inócuos no apartamento de Ellie! Sua força foi diminuída pelos anos e pela perspectiva do tempo.

— Claro que ninguém sabia sobre o asbesto na época. Achávamos que era uma coisa maravilhosa. Foi um choque horrível descobrir que a empresa de Laurence tinha destruído tantas vidas. Por isso criei a fundação quando ele morreu. Para ajudar as vítimas. Aqui está.

Ela pega um folheto numa escrivaninha. Este detalha um esquema de ajuda legal para quem sofre de mesotelioma ocasionado pelo trabalho.

— O fundo agora não tem muito dinheiro sobrando, mas ainda oferecemos ajuda legal. Tenho amigos na profissão que oferecem seus serviços de graça, aqui e lá fora.

— A senhora ainda recebeu dinheiro do seu marido?

— Recebi. Foi nosso acordo. Conservei o nome dele, e virei uma dessas esposas bastante reclusas que nunca acompanhavam os maridos em nenhum evento. Todo mundo presumiu que eu tivesse me retirado da sociedade para criar Esmé. Isso não era raro naquela época, entende. Ele simplesmente levava a amante para todos os eventos sociais. — Ela ri, balançando a cabeça. — Naquela época, o mais impressionante eram esses dois pesos e duas medidas.

Ellie se imagina nos braços de John no lançamento de algum livro dele. Ele sempre teve o cuidado de não encostar nela em público, não dar nenhuma indicação do relacionamento deles. Ela no íntimo torce para que sejam flagrados se beijando, ou que sua paixão seja tão visível que eles virem alvo de fofocas maliciosas.

Ela ergue os olhos e vê que Jennifer Stirling a observa.

— Quer mais um pouco de café, Ellie? Supondo que você não esteja com pressa para ir a algum lugar.

— Não estou, não. Seria ótimo. Quero saber o que aconteceu.

Sua expressão muda. Seu sorriso desaparece. Há um breve silêncio.

— Ele voltou para o Congo — diz. — Viajava para os lugares mais perigosos. Estavam acontecendo coisas terríveis com os brancos lá naquela época, e ele não estava muito bem de saúde... — Jennifer já não parece dirigir suas palavras a Ellie. — Os homens muitas vezes são bem mais frágeis do que parecem, não?

Ellie digere o que ela acabou de falar, tentando não sentir o amargo desapontamento que esta informação parece induzir.

Esta não é a sua vida, diz a si mesma com firmeza. *Esta não tem que ser a sua tragédia.*

— Qual era o nome dele? Imagino que não fosse Boot.

— Não. Essa era nossa piadinha. Já leu Evelyn Waugh? O nome verdadeiro dele era Anthony O'Hare. Na verdade, é estranho contar isso tudo depois de todo esse tempo. Ele foi o amor da minha vida, mas não tenho nenhuma fotografia dele, poucas recordações. Se não fosse pelas cartas, eu poderia achar que imaginei tudo. Por isso é que você trazê-las de volta é um presente tão grande.

Ellie sente um nó na garganta.

O telefone toca, arrancando-as dos seus pensamentos.

— Com licença — diz Jennifer.

Ela vai até o saguão, pega o telefone, e Ellie a ouve atender, a voz imediatamente calma, imbuída de uma distância profissional. — Sim — diz ela.

— Sim, ainda fazemos. Quando ele recebeu o diagnóstico?... Sinto muito...

Ellie anota o nome no bloco e o guarda de novo na bolsa. Verifica o gravador: estava ligado durante todo o tempo, o microfone ainda posicionado. Satisfeita, fica ali sentada mais alguns minutos, olhando as fotos de família, compreendendo que Jennifer vai demorar um pouco. Não parece justo apressar alguém que está nitidamente sofrendo de uma doença pulmonar. Ela arranca uma página do bloco, escreve um bilhete e pega o casaco. Vai até a janela.

Lá fora, o céu clareou e poças azuis brilham na calçada. Então se encaminha para a porta e fica ali parada com o bilhete.

— Um momentinho, por favor. — Jennifer tapa o bocal com a mão. — Desculpe-me — diz. — Devo demorar um pouquinho. — Sua voz sugere que elas não continuarão a conversa hoje. — É uma pessoa que precisa pedir indenização.

— Podemos voltar a conversar? — Ellie estende o papel. — Meu contato está aqui. Eu quero muito saber...

Jennifer confirma com um gesto de cabeça, sua atenção ainda parcialmente na pessoa ao telefone.

— Sim, claro. É o mínimo que posso fazer. E mais uma vez obrigada, Ellie.

Ellie está saindo, o casaco pendurado no braço. Então, quando Jennifer está levando o fone ao ouvido, ela vira-se.

— Diga só uma coisa, rapidinho. Quando ele foi embora de novo, Boot, o que a senhora fez?

Jennifer Stirling baixa o fone, os olhos límpidos e calmos.

— Fui atrás dele.

Não houve nenhum caso entre nós. Se você tentar sugerir o contrário, deixarei claro que foi tudo imaginação sua.

Homem para Mulher, por carta, 1960

20

— Senhora? Aceita uma bebida?

Jennifer abriu os olhos. Passara quase uma hora segurando os braços da poltrona enquanto o avião da BOAC ia sacudindo a caminho do Quênia. Nunca gostara muito de voar, mas a agitação da turbulência fizera disparar a tensão a bordo do Comet e até os veteranos em África cerravam os dentes a cada pulo. Ela fez uma careta quando seu traseiro se levantou do assento e um gemido aflito partiu da popa do avião. O cheiro de cigarros acesos às pressas criara um ambiente enfumaçado na cabine.

— Sim — respondeu. — Obrigada.

— Vou lhe dar um duplo — disse a aeromoça, com uma piscadela. — Vamos ter muita turbulência na rota.

Ela bebeu metade da dose de um gole só. Parecia que havia areia em seus olhos após uma viagem que se estendia já fazia quase 48 horas. Antes de partir, ela passara várias noites em claro em Londres, sem querer pensar, em contradições internas quanto a definir como loucura o que estava tentando fazer; era o que todo mundo parecia achar.

— Aceita uma? — O empresário ao seu lado estendeu uma latinha, a tampa inclinada para ela. Tinha mãos enormes, os dedos parecendo linguiças curadas.

— Obrigada. O que é isso? Bala de menta? — perguntou.

Ele sorriu por baixo do denso bigode branco.

— Ah, não. — Seu sotaque era carregado, africânder. — É para acalmar os nervos. Mais tarde você vai agradecer.

Ela retirou a mão.

— Não, obrigada. Já me disseram que turbulência não é nada de que se deva ter medo.

— Isso mesmo. É com a turbulência no chão que se precisa tomar cuidado.

Como ela não riu, ele a olhou por um momento.
— Para onde vai? Um safári?
— Não. Preciso pegar uma conexão para Stanleyville. Fui informada de que não havia um voo direto de Londres.
— Congo? Por que quer ir lá, senhora?
— Estou tentando encontrar um amigo.
A voz dele era incrédula.
— *Congo?*
— Sim.
Ele a olhava como se ela fosse maluca. Ela se endireitou um pouco no assento, soltando os braços da poltrona por um momento.
— A senhora não lê os jornais?
— Um pouco, mas faz dias que não leio. Ando muito... ocupada.
— Muito ocupada, hã? Moça, é melhor a senhora voltar para a Inglaterra. — Ele deu uma risadinha. — Garanto que não vai chegar ao Congo.

Ela virou-lhe o rosto, pela janela do avião olhou para as nuvens, as montanhas cobertas de neve ao longe lá embaixo, e se perguntou, por um instante, se havia a mínima chance, naquele momento, de ele estar 3 mil metros abaixo dela. Você não tem ideia da distância que já percorri até aqui, respondeu ela mentalmente ao homem ao seu lado.

Duas semanas antes, Jennifer Stirling saíra atordoada da redação do *Nation*, ficara parada na escada segurando a mãozinha gorducha da filha, e se dera conta de que não tinha noção do que fazer. Começara a soprar um vento fresco, e as folhas corriam ao longo dos bueiros, numa trajetória sem rumo que espelhava a sua. Como Anthony podia ter desaparecido? Por que não deixara nenhum recado? Ela se lembrou da aflição dele no lobby do hotel e receou já saber a resposta. As palavras do jornalista gordo rodavam em sua cabeça. O mundo parecia balançar, e por um momento ela pensou que fosse desmaiar.

Então Esmé reclamara porque precisava gastar um penny. A solicitação mais imediata de uma criança pequena arrastara-a dos seus pensamentos para as coisas práticas.

Ela reservara um quarto no Regent, onde ele havia ficado, como se algo nela acreditasse que, se ele resolvesse voltar, seria mais fácil achá-la naquele hotel. Ela precisava acreditar que ele iria querer encontrá-la, saber que ela estava livre afinal.

O único quarto disponível era uma suíte no quarto andar, e ela a aceitara logo. Laurence não se atreveria a chiar por causa de dinheiro. E enquanto Esmé ficou sentada toda feliz diante da TV enorme, parando às vezes para pular na cama imensa, ela passou o resto da noite andando de um lado para outro, pensando furiosamente, tentando descobrir a melhor maneira de transmitir uma mensagem para um homem que estava em algum lugar na vastidão da África Central.

Finalmente, enquanto a filha dormia ao seu lado chupando o dedo, encolhida embaixo da colcha do hotel, Jennifer ficou deitada olhando para ela e ouvindo os ruídos da cidade, contendo lágrimas de impotência e se perguntando se conseguiria, caso se concentrasse bastante, de alguma maneira enviar para ele uma mensagem telepática. *Boot. Por favor, me ouça. Preciso que você volte para mim. Não posso fazer isso sozinha.*

Passou o segundo e terceiro dias, enquanto era dia claro, focada em Esmé, levando-a ao Museu de História Natural, para tomar chá na Fortnum & Mason. Foram comprar roupas na Regent Street — ela não fora organizada o bastante para mandar lavar no hotel as que tinham trazido — e pediram no quarto sanduíches de frango assado, que chegaram numa salva de prata. Às vezes Esmé perguntava onde estavam a Sra. Cordoza e o pai, e Jennifer tranquilizava-a dizendo que logo ela iria vê-los. Sentia-se grata pelas pequenas solicitações contínuas da filha, na maioria realizáveis, pelas rotinas impostas por chá, banho e cama. Mas, assim que a menina adormecia, ela fechava a porta do quarto e era invadida por uma espécie de pavor negro. *O que fizera?* A cada hora que se passava, mais se dava conta da dimensão — e da futilidade — dos seus atos. Jogara fora sua vida, levara a filha para morar num quarto de hotel — e para quê?

Ligou mais duas vezes para o *Nation*. Falara com o homem ríspido e barrigudo, e agora reconhecia a voz dele, sua maneira brusca de falar. Ele lhe disse que, sim, daria o recado assim que O'Hare ligasse. Da segunda vez ela teve a nítida impressão de que ele não dizia a verdade.

— Mas ele já deve ter chegado lá, com certeza. Os jornalistas não ficam todos no mesmo lugar? Será que alguém não pode dar um recado a ele?

— Não sou secretária. Eu disse à senhora que daria seu recado, e vou dar, mas aquilo lá é uma zona de guerra. Imagino que ele tenha outras coisas em que pensar.

E a ligação era interrompida.

A suíte virou uma bolha isolada cujos únicos visitantes eram a camareira e o rapaz do serviço de quarto. Ela não se atrevia a ligar para ninguém, nem para os pais nem para os amigos, pois ainda não sabia como se explicar. Comia com esforço e mal conseguia dormir. À medida que sua confiança desaparecia, sua ansiedade crescia.

Convencia-se cada vez mais de que não podia ficar sozinha. Como sobreviveria? Nunca fizera nada sozinha. Laurence faria de tudo para isolá-la. Seus pais a deserdariam. Ela lutou contra a vontade de pedir uma bebida alcoólica, que poderia anestesiar seu sentimento de fracasso cada vez maior. E, a cada dia que passava, era possível distinguir melhor a vozinha que ecoava em sua cabeça: *Você sempre poderia voltar para Laurence.* Para uma mulher como ela, cuja única habilidade era ser decorativa, que outra opção havia?

Assim, entre crises e tropeços, numa reprodução surreal da vida normal, os dias passavam. No sexto dia ela ligou para casa, achando que Laurence estaria no trabalho. A Sra. Cordoza atendeu no segundo toque, tão obviamente aflita que ela se sentiu mal.

— Onde a senhora está? Deixe-me levar suas coisas. Deixe-me ver Esmé. Ando tão preocupada...

Dentro de Jennifer, alguma coisa cedeu em alívio.

Em menos de uma hora a governanta chegou ao hotel com coisas de Jennifer dentro de uma mala. O Sr. Stirling, contou-lhe a Sra. Cordoza, não dissera nada a não ser que ela não deveria esperar ninguém na casa por alguns dias.

— Ele me pediu para arrumar o escritório. E quando olhei lá dentro... — ela levou a mão ao rosto — eu não sabia o que pensar.

— Está tudo bem. Mesmo. — Jennifer não tinha coragem de explicar o que acontecera.

— Eu gostaria de ajudá-la do jeito que puder — continuou a Sra. Cordoza —, mas acho que ele não...

Jennifer tocou o braço dela.

— Está tudo bem, Sra. Cordoza. Pode acreditar em mim, a gente adoraria ter a senhora aqui, mas acho que isso poderia ser difícil. E Esmé terá que ir em casa visitar o pai muito em breve, quando tudo estiver mais calmo, então talvez seja melhor para todos que a senhora esteja por lá para tomar conta dela.

Esmé mostrou à Sra. Cordoza suas coisas novas e foi para o seu colo ganhar um carinho. Jennifer pediu um chá e as duas sorriram sem jeito enquanto ela servia sua ex-governanta, numa inversão dos antigos papéis.

— Muito obrigada por vir — disse Jennifer quando a Sra. Cordoza se levantou para sair. Tinha uma sensação de perda diante da sua partida iminente.

— Informe sobre o que decidir fazer — respondeu a Sra. Cordoza ao vestir o casaco.

Ela olhava fixamente para Jennifer, os lábios contraídos formando uma linha de ansiedade, e Jennifer, num impulso, abraçou-a. Os braços da Sra. Cordoza a envolveram e a apertaram, como se ela estivesse tentando imbuir Jennifer de força, e parecia que ela havia compreendido quanto Jennifer precisava sentir aquilo de alguém. As duas ficaram assim no meio do quarto alguns minutos. Então, talvez meio sem jeito, a governanta se afastou. Tinha o nariz vermelho.

— Não vou voltar — disse Jennifer, ouvindo suas palavras ecoarem no ar parado com uma força inesperada. — Vou encontrar um lugar para nós duas. Mas não vou voltar.

A senhora mais velha confirmou com um gesto de cabeça.

— Eu ligo amanhã. — Jennifer escreveu alguma coisa num pedaço de papel de carta do hotel. — Pode dizer a ele onde estamos. Acho que é melhor ele saber.

Naquela noite, depois que pôs Esmé na cama, ela telefonou para todos os jornais da Fleet Street perguntando se podia mandar mensagens para seus correspondentes, pensando na hipótese remota de eles toparem com Anthony na África Central. Telefonou para um tio, que, segundo se lembrava, já trabalhara lá, e perguntou se ele ainda sabia os nomes de alguns hotéis. Pedira à telefonista internacional que ligasse para dois hotéis, um em Brazzaville, outro em Stanleyville, e deixou recados com recepcionistas, um dos quais lhe disse desconsoladamente:

— Senhora, não temos brancos aqui. Há problemas na nossa cidade.

— Por favor — disse ela —, basta lembrar o nome dele. Anthony O'Hare. Diga-lhe "Boot". Ele vai saber o que é.

Mandara também outra carta para o jornal, para ser encaminhada a ele:

Perdoe-me. Por favor, volte para mim. Estou livre, e esperando por você.

Entregara a carta na recepção, dizendo a si mesma ao fazer isso que, uma vez enviada, a carta estava enviada. Ela não deveria pensar na trajetória daquela mensagem, nem imaginar onde estaria nos dias ou semanas seguintes. Fizera o que podia, e agora era hora de focar na construção de uma nova vida, ficar pronta para quando uma das muitas mensagens chegasse a ele.

O Sr. Grosvenor estava sorrindo daquela forma desagradável de novo. Parecia um cacoete, e ela tentou fingir que não via. Era o 11ª dia.

— Se puder assinar aqui — apontou com um dedo de unha muito bem--cuidada —, e aqui. Então, claro, precisaremos da assinatura do seu marido *aqui*. — Ele tornou a sorrir, os lábios tremendo um pouco.

— Ah, o senhor terá que mandar os documentos para ele diretamente — disse ela.

Em volta deles, o salão de chá do hotel Regent estava cheio de mulheres, cavalheiros aposentados, todos os que haviam fugido das compras na tarde úmida de quarta-feira.

— Como?

— Já não vivo com meu marido. Comunicamo-nos por carta.

Isso o deixou perplexo. O sorriso desapareceu, e ele agarrou os documentos no colo, como se tentasse reorganizar as ideias.

— Acredito que já tenha lhe dado o endereço residencial dele. Aqui. — Apontou para uma das cartas na pasta. — E vamos poder nos mudar segunda-feira que vem, correto? Minha filha e eu estamos cansadas da vida de hotel.

Na rua, em algum lugar, a Sra. Cordoza estava com Esmé no balanço. Ela agora aparecia diariamente enquanto Laurence estava no trabalho. "Há tão pouca coisa para fazer na casa sem a senhora", dissera ela. Jennifer, ao ver seu rosto se iluminar quando ela abraçara Esmé, sentira que preferia de longe estar com as duas no hotel a estar na casa vazia da praça.

O Sr. Grosvenor franziu o cenho.

— Ah, Sra. Stirling, posso simplesmente definir claramente... Está dizendo que a senhora não vai morar na propriedade *com* Sr. Stirling? É só que o senhorio é um cavalheiro respeitável. Ele achou que estaria alugando para uma família.

— Ele está alugando para uma família.

— Mas a senhora acabou de dizer...

— Sr. Grosvenor, pagaremos 24 libras por semana por este período curto de aluguel. Sou uma mulher casada. Tenho certeza de que um homem como o senhor concordaria em que não é da conta de ninguém, a não ser da nossa, se o meu marido frequenta a casa e *se* de fato mora comigo lá.

Ele tinha a mão erguida num gesto de conciliação e a pele do pescoço em volta do colarinho estava vermelha. Começou se desculpar, gaguejando:

— É só...

Foi interrompido por uma mulher chamando o nome dela com urgência. Jennifer se mexeu na cadeira e viu Yvonne Moncrieff atravessando com altivez o salão de chá lotado, já entregando o guarda-chuva molhado a um garçom desprevenido.

— Então você está aqui!

— Yvonne, eu...

— Onde tem andado? Eu não tinha a menor ideia do que estava acontecendo. Saí do hospital semana passada e aquela sua governanta não quis me dizer nada. E aí Francis disse... — Ela parou, percebendo até onde sua voz chegara. O salão de chá ficara em silêncio e os rostos em volta dela guardavam expressões de interesse.

— Quer nos dar licença, Sr. Grosvenor? Acho que terminamos — disse Jennifer.

Ele já estava de pé, já pegara a pasta e agora a fechava com ênfase.

— Vou entregar aqueles documentos ao Sr. Stirling hoje à tarde. E manterei contato. — Encaminhou-se para o lobby.

Depois que ele se afastou, Jennifer pôs a mão no braço da amiga.

— Desculpe-me — disse. — Há muito que explicar. Tem um tempinho para ir lá em cima?

Yvonne Moncrieff passara quatro semanas no hospital: duas antes e duas depois do parto de Alice. Andara tão exausta quando voltara para casa que levara mais uma semana para calcular quanto tempo fazia que não via Jennifer. Fora duas vezes na casa ao lado, para ser informada apenas que a Sra. Stirling não se encontrava lá no momento. Uma semana depois, resolvera descobrir o que se passava.

— Sua governanta se limitava a balançar a cabeça para mim, dizendo que eu tinha que falar com o Larry.

— Acho que ele deve ter dado ordem para ela não dizer nada.

— Sobre o quê? — Yvonne jogou seu casaco na cama e sentou-se numa das cadeiras estofadas. — Por que cargas-d'água está morando aqui? Você e Larry brigaram?

Yvonne estava com olheiras arroxeadas, mas seu cabelo continuava impecável. Era estranho como ela já parecia distante, uma relíquia de outra vida, pensou Jennifer.

— Eu larguei Larry.

Os olhos grandes de Yvonne passearam pelo seu rosto.

— Larry ficou bêbado lá em casa na noite retrasada. Muito bêbado. Achei que fossem problemas com os negócios, e fui me deitar com o bebê, deixando os homens à vontade. Quando Francis subiu, eu estava adormecida, mas o ouvi dizer que Larry contara que você tinha um amante, e que tinha perdido completamente o juízo. Achei que eu tinha sonhado.

— Bem — disse ela lentamente —, uma parte disso é verdade.

Yvonne levou a mão à boca.

— Meu Deus; Reggie não.

Jennifer balançou a cabeça, deu um sorriso.

— Não. — Suspirou. — Yvonne, senti muito sua falta. Eu queria tanto falar com você... — Contou a história à amiga, omitindo alguns detalhes, mas permitindo que quase toda a verdade viesse à tona. Era Yvonne, afinal. As palavras simples, ecoando no quarto silencioso, pareciam dar uma falsa ideia da dimensão do que ela havia passado nas últimas semanas. Tudo mudara; tudo. Ela terminou com um floreio: — Vou encontrá-lo de novo. Sei que vou. Só tenho que explicar.

Yvonne ouvira com atenção, e Jennifer ficou impressionada ao perceber quanto sentira falta de sua presença mordaz e franca.

Finalmente Yvonne deu um sorriso amarelo.

— Tenho certeza de que ele a perdoaria.
— O quê?
— Larry. Tenho certeza de que ele a perdoaria.
— Larry? — Jennifer recostou-se na cadeira.
— É.
— Mas eu não quero ser perdoada.
— Você não pode fazer isso, Jenny.
— Ele tem uma amante.
— Ah, você pode se livrar dela! É só a secretária dele, por favor. Diga a ele que quer recomeçar do zero. Diga que é isso que ele tem que fazer também.

Jennifer quase tropeçou nas palavras:

— Mas eu não quero Larry, Yvonne. Não quero ser casada com ele.
— Prefere esperar por um repórter playboy sem um tostão no bolso que talvez nem volte?
— Prefiro.

Yvonne meteu a mão na bolsa, acendeu um cigarro e soprou uma longa espiral de fumaça para o meio do quarto.

— E quanto à Esmé?
— O que tem Esmé?
— Como ela vai lidar com isso, de crescer sem pai?
— Ela terá um pai. Vai vê-lo sempre. Na verdade, vai passar este fim de semana lá. Escrevi sobre isso e ele respondeu, confirmando.
— Você sabe que, na escola, implicam muito com os filhos de pais divorciados. A menina Allsop está num estado deplorável.
— Nós não vamos nos divorciar. Nenhum dos colegas dela precisa saber de nada.

Yvonne continuava tragando o cigarro com determinação.

Jennifer adotou um tom mais brando:

— Por favor, tente entender. Não tem por que Laurence e eu não podermos morar em casas separadas. A sociedade está mudando. Não precisamos ficar presos a uma coisa que... Tenho certeza de que Laurence vai ser bem mais feliz sem mim. E isso não precisa afetar nada. Mesmo. Você e eu podemos continuar do mesmo jeito. Aliás, eu estava pensando em reunir as crian-

ças essa semana. Quem sabe levá-las ao Madame Tussauds. Sei que Esmé está louca para ver a Dottie...
— Madame Tussauds?
— Ou ao Kew Gardens. Só que o tempo...
— Pare. — Yvonne levantou uma mão elegante. — Pare. Não consigo ouvir mais uma palavra. Nossa. Você é mesmo a mulher mais incrivelmente egoísta que já conheci.

Ela apagou o cigarro, se levantou e pegou o casaco.
— O que pensa que a vida é, Jennifer? Uma espécie de conto de fada? Acha que só você se cansa do seu marido? Você se comporta dessa maneira e ainda espera que a gente simplesmente continue junto de você enquanto você zanza por aí como se... como se nem fosse casada! Se quer viver num estado de degeneração moral, tudo bem. Mas você tem uma filha. Um marido e uma filha. E não pode esperar que as outras pessoas tolerem seu comportamento.

O queixo de Jennifer caiu.

Yvonne virou as costas, como se nem conseguisse olhar para ela.
— E eu não serei a única a achar isso. Sugiro que você pense com muito cuidado no que vai fazer agora. — Pendurou o casaco no braço e se retirou.

Três horas depois, Jennifer havia tomado sua decisão.

Ao meio-dia, o aeroporto Embakasi era um tumulto. Tendo pegado sua mala na esteira trepidante, Jennifer conseguiu abrir caminho até o banheiro, jogou água fria no rosto e trocou de blusa. Prendeu o cabelo, pois o calor já deixava seu pescoço molhado. Quando saiu dali, em segundos já tinha a blusa colada nas costas.

O aeroporto estava lotado de pessoas paradas em filas desorganizadas ou em grupos, umas gritando com as outras em vez de conversar. Ela ficou por um instante paralisada, observando as africanas com suas roupas coloridas se acotovelarem equilibrando na cabeça malas e enormes sacolas de roupa suja amarradas com corda. Empresários nigerianos fumavam pelos cantos, a pele brilhando, enquanto criancinhas corriam, entrando e saindo das rodas de gente sentada no chão. Uma mulher empurrando um carrinho de mão passava vendendo bebidas. Os quadros de embarque revelavam que vários voos estavam atrasados e não davam nenhuma pista de quando a informação seria atualizada.

Comparado ao barulho de dentro do prédio do aeroporto, o lado de fora estava calmo. O mau tempo tinha se dissipado por completo, o calor secando todo vestígio de umidade, de modo que Jennifer pôde ver as montanhas arroxeadas ao longe. A pista estava vazia, salvo pelo avião em que chegara. Embaixo dele, um homem solitário varria melancolicamente. Do outro lado do reluzente prédio modernista fora construído um pequeno jardim de pedra, pontilhado de cactos e plantas suculentas. Ela admirou as pedras cuidadosamente arrumadas, e se perguntou por que alguém teria se dado aquele trabalho num lugar tão caótico.

Como os balcões da Boac e da East African Airways estavam fechados, ela tornou a abrir caminho pela multidão, pediu um café na lanchonete e se sentou a uma mesa, rodeada pelas malas dos outros, por cestos de vime e um galo bravo, as asas amarradas ao corpo com uma gravata escolar.

O que diria a ele? Imaginou-o em algum clube de correspondentes, talvez a quilômetros da ação de verdade, onde os jornalistas se reuniam para beber e discutir os acontecimentos do dia. *Será que ele estaria bebendo?* Era um mundinho pequeno, ele lhe dissera. Assim que chegasse em Stanleyville, encontraria alguém que o conheceria. Alguém saberia lhe dizer onde ele estava. Ela se imaginou chegando, exausta, no clube, uma imagem recorrente que a fizera ir em frente nos últimos dias. Podia vê-lo muito claramente, parado embaixo de um ventilador zumbindo, talvez conversando com um colega, e depois, espantado ao vê-la. Ela entenderia a expressão dele: nas últimas 48 horas nem ela mesma conseguia se reconhecer.

Nada em sua vida a preparara para o que fizera. Nada sugerira que ela poderia ser capaz. No entanto, desde o momento em que embarcara no avião, apesar de todo o medo, era curioso como se sentira eufórica, como se estivesse fazendo a coisa certa: viver talvez fosse isso. E nem que fosse só por aquele momento de emoção intensa, sentia uma afinidade estranha com Anthony O'Hare.

Ela o encontraria. Tomara a frente das coisas, em vez de se deixar ser arrastada pelos acontecimentos. Decidiria o próprio futuro. Procurou não pensar em Esmé, dizendo a si mesma que esse esforço valeria a pena quando pudesse apresentá-la a Anthony.

Finalmente, um jovem com um elegante uniforme bordô tomou assento no balcão da Boac. Ela deixou o café onde estava e foi até o balcão quase correndo.

— Preciso de uma passagem para Stanleyville — disse, procurando o dinheiro na bolsa. — No próximo voo. Precisa do meu passaporte?

O jovem ficou olhando para ela.

— Não, senhora — disse ele, a cabeça balançando energicamente de um lado para outro. — Não há voos para Stanleyville.

— Mas me informaram que vocês têm uma linha direta.

— Lamento. Todos os voos para Stanleyville estão suspensos.

Ela olhou para ele, frustrada, até ele se repetir, depois foi arrastando a mala para o balcão da EAA. A moça ali lhe deu a mesma resposta.

— Não, senhora. Não tem nenhum voo saindo, por causa dos tumultos. — Ela falava com sotaque. — Só chegando.

— Bem, quando vão voltar a sair? Preciso chegar ao Congo com urgência.

Os dois membros da equipe trocaram um olhar mudo.

— Nada de voos para o Congo — repetiram.

Ela não chegara tão longe para receber olhares inexpressivos e recusas. *Não posso desistir dele agora.*

Lá fora, o homem continuava para cima e para baixo na pista com sua vassoura gasta.

Foi então que ela viu um homem branco atravessando o terminal com um passo enérgico e uma postura empertigada de funcionário público, carregando uma pasta de couro. Tinha um triângulo de suor nas costas do paletó de linho cor creme.

Ele a viu quando ela o viu. Mudou de rumo e veio na direção dela.

— Sra. Ramsey? — Estendeu a mão. — Sou Alexander Frobisher, do consulado. Onde estão os seus filhos?

— Não. Meu nome é Jennifer Stirling.

Ele fechou a boca e pareceu tentar avaliar se ela cometera um equívoco. Tinha a cara inchada, acrescentando talvez alguns anos à sua verdadeira idade.

— Preciso muito da sua ajuda, Sr. Frobisher — continuou ela. — Preciso chegar no Congo. Sabe se há um trem que eu possa pegar? Fui informada de que não há voos. Na verdade, ninguém me diz muita coisa.

Ela estava ciente de que o próprio rosto também brilhava devido ao calor, que seu penteado já começara a se desfazer.

Quando ele falou, foi como se tentasse explicar algo a alguém transtornado.

— Senhora...

— Stirling.

— Sra. Stirling, ninguém está entrando no Congo. Não sabe que há...

— Sim, sei que tem havido tumulto por lá. Mas preciso encontrar uma pessoa, um jornalista, que chegou lá faz umas duas semanas talvez. É importantíssimo. O nome dele é...

— Senhora, não tem mais nenhum jornalista no Congo. — Ele tirou os óculos e conduziu-a para a janela. — A senhora faz alguma ideia do que aconteceu?

— Mais ou menos. Bem, não, estou vindo da Inglaterra. Tive que pegar uma rota bem tortuosa.

— A guerra agora já arrastou o governo dos Estados Unidos bem como o nosso e o de outros países. Até três dias atrás, estávamos em crise com 150 reféns brancos, incluindo mulheres e crianças, enfrentando execução por rebeldes simbas. Temos tropas belgas lutando com eles nas ruas de Stanleyville. Já chega a cem o número de civis dados como mortos.

Ela mal o ouvia.

— Mas eu posso pagar. Pago o que for. Preciso chegar lá.

Ele a pegou pelo braço.

— Sra. Stirling, estou lhe dizendo que a senhora não vai conseguir chegar no Congo. Não há trens, não há voos, não há estradas. Os soldados foram levados de avião. Mesmo se houvesse transporte, eu não poderia autorizar um cidadão britânico, *uma mulher britânica*, a entrar numa zona de guerra. — Ele escreveu algo em seu caderno. — Vou lhe arranjar um lugar onde esperar e ajudá-la a reservar seu voo de regresso. A África não é lugar para uma mulher branca desacompanhada. — Ele suspirou com um ar cansado, como se ela tivesse acabado de duplicar seu fardo.

Jennifer pensava.

— Quantos morreram?

— Não sabemos.

— Tem os nomes deles?

— Só tenho uma lista muito rudimentar no momento. Está longe de ser abrangente.

— Por favor. — Seu coração tinha quase parado. — Por favor, deixe-me ver. Preciso saber se ele...

Ele sacou um papel amassado da pasta.

Ela o examinou, com a vista tão cansada que os nomes, em ordem alfabética, pareciam fora de foco. *Harper. Hambro. O'Keefe. Lewis.* O dele não estava ali.

O dele não estava ali.

Olhou para Frobisher.

— Tem os nomes das pessoas feitas reféns?

— Sra. Stirling, nem sequer temos ideia de quantos cidadãos ingleses havia na cidade. Olhe. — Pegou outro papel e o entregou a ela, acertando com a mão livre um mosquito que pousara na sua nuca. — Este é o último comunicado enviado a lorde Walston.

Ela começou a ler, as frases saltando do papel.

Cinco mil mortos só em Stanleyville... Acreditamos que ainda restem em território ocupado pelos rebeldes 27 cidadãos britânicos... Não podemos indicar quando serão alcançadas as áreas onde estão os súditos britânicos, mesmo se as conhecêssemos com um mínimo de exatidão.

— Há soldados belgas e americanos na cidade. Estão agindo para retomar Stanleyville. E temos uma aeronave Beverley disponível para resgatar os que quiserem ser resgatados.

— Como posso ter certeza de que ele está neste avião?

O homem coçou a cabeça.

— Não pode. Algumas pessoas parecem não querer ser resgatadas. Preferem ficar no Congo. Elas podem ter lá suas razões.

Ela de repente se lembrou do editor gordo. *Quem sabe? Vai ver queria ir embora daqui.*

— Se seu amigo quiser sair, ele vai sair. — O homem enxugou o rosto com um lenço. — Mas, se quiser ficar, é perfeitamente possível que desapareça. No Congo isso é fácil.

Ela ia falar algo, mas foi cortada por um burburinho que correu pelo aeroporto quando surgiu uma família pelo portão de desembarque. Primeiro vieram duas crianças pequenas, mudas, com os braços e a cabeça envolvidos em ataduras, os rostos envelhecidos prematuramente. Uma mulher loura, com um bebê no colo, tinha o olhar assustado, o cabelo por lavar e a expressão tensa. Ao vê-los, uma mulher bem mais velha desvencilhou-se do marido, que tentava contê-la, e rompeu a barreira aos gritos, puxando-os para junto dela. A família praticamente não se mexeu. Então a jovem mãe, caindo de joelhos, começou a chorar, a boca aberta numa exclamação de dor, encostando a cabeça no ombro gordo da mulher mais velha.

Frobisher guardou os documentos de volta na pasta.

— Os Ramsey. Com licença. Preciso cuidar deles.

— Onde eles estavam? — perguntou ela, observando o avô pôr a garotinha nos ombros. — No massacre?

Ver o rosto das crianças, imobilizado por algum choque, havia feito seu sangue gelar.

Ele lhe lançou um olhar firme.

— Sra. Stirling, por favor, precisa ir agora. Tem um voo da East African Airways saindo hoje à noite. A menos que tenha amigos muito bem relacionados nesta cidade, não posso insistir com mais veemência para que embarque nele.

Ela levou dois dias para voltar para casa. E, a partir daquele momento, sua vida nova começou. Yvonne cumpriu sua palavra. Não tornou a entrar em contato com ela, e, na única ocasião em que Jennifer esbarrou com Violet, esta ficou tão visivelmente constrangida que parecia injusto insistir em falar com ela. Jennifer se importou menos do que esperara: as duas pertenciam a uma vida antiga, que ela quase não reconhecia como sua.

Quase todos os dias a Sra. Cordoza ia ao novo apartamento, encontrando desculpas para passar umas horas com Esmé, ou ajudar em algumas tarefas domésticas, e Jennifer viu que dependia mais da companhia da ex-governanta do que das antigas amigas. Numa tarde chuvosa, enquanto Esmé dormia, ela contou à Sra. Cordoza sobre Anthony, e a Sra. Cordoza confidenciou mais um pouco sobre seu marido. Então, corando, falou também de um homem simpático que lhe mandara flores do restaurante a duas ruas dali.

— Eu não ia incentivá-lo — disse baixinho, enquanto passava roupa —, mas já que tudo...

Laurence se comunicava por bilhetes, fazendo a Sra. Cordoza de emissária.

Gostaria de levar Esmé ao casamento do meu primo em Winchester este sábado. Farei com que ela esteja de volta às 19 horas.

Eram bilhetes distantes, formais, comedidos. Às vezes Jennifer os lia e se admirava de poder ter sido casada com aquele homem.

Toda semana ela ia ao correio da Langley Street para verificar se havia algo na caixa postal. Toda semana voltava para casa tentando não se sentir desanimada pelo "Não" da gerente da agência.

Mudou-se para o apartamento alugado, e, quando Esmé começou a escola, arranjou um emprego não remunerado no Serviço de Aconselhamento ao Cidadão, a única organização que não parecia se preocupar com sua falta de experiência. Ela aprenderia o trabalho, disse o supervisor. "E, pode acreditar, aprenderá bem depressa."

Menos de um ano depois, ofereceram-lhe um cargo remunerado no mesmo local. Ela aconselhava as pessoas sobre como lidar com assuntos práticos, tais como administração de finanças, discussões referentes a aluguel — havia muitos maus senhorios —, desintegração familiar.

No início ela ficava exausta com a ladainha sem fim de problemas, as desgraças humanas que desfilavam por ali, mas aos poucos, à medida que foi ganhando mais segurança, percebeu que não era a única pessoa que tinha destruído a própria vida. Reavaliou-se e percebeu que se sentia contente por estar onde estava, onde fora parar, que sentia certo orgulho quando alguém voltava para lhe dizer que ela havia ajudado.

Dois anos depois, ela e Esmé tornaram a se mudar, para o apartamento de dois quartos em St. Johns Wood, comprado com um dinheiro fornecido por Laurence e uma herança que Jennifer recebera de uma tia. Quando as semanas viraram meses, e depois anos, ela passou a aceitar que Anthony O'Hare não voltaria. Ele não respondia às suas mensagens. Ela ficou abalada uma única vez, quando os jornais deram alguns detalhes do massacre no hotel Victoria, de Stanleyville. Então, passou a não ler mais nenhum jornal.

Ligara para o *Nation* só uma vez mais. Uma secretária atendera, e, quando ela informara seu nome, na esperança de que dessa vez Anthony pudesse estar lá, ouviu:

— É aquela tal de Jennifer de novo?

E a resposta:

— Não era com essa aí que ele não queria falar?

Ela então desligara.

Só tornou a ver o marido sete anos depois. Esmé ia entrar para o internato, um prédio que ocupava uma grande área, de tijolos aparentes, em Hampshire, com o aspecto desorganizado de uma casa de campo muito aconchegante. Jennifer tirara a tarde de folga do trabalho para levá-la de carro, e elas foram no seu Mini novo. Ela estava com um terninho cor de vinho e esperara que Laurence fizesse um comentário desagradável sobre a roupa — ele nunca gostara dessa cor. *Por favor, não na frente de Esmé*, pensou. *Por favor, vamos agir de maneira civilizada.*

Mas o homem sentado no lobby não se parecia nada com o Laurence de que ela se lembrava. Na verdade, a princípio ela não o reconheceu. Ele tinha a pele cinzenta, o rosto encovado. Parecia vinte anos mais velho.

— Oi, pai. — Esmé o abraçou.

Ele fez um aceno de cabeça para Jennifer, mas não estendeu a mão.

— Jennifer — disse.

— Laurence. — Ela tentava disfarçar o choque.

O encontro foi rápido. A diretora, uma jovem com um olhar analítico, não fez referência ao fato de eles morarem em casas separadas. Talvez isso fosse um hábito mais comum agora, pensou Jennifer. Naquela semana, ela vira quatro mulheres no Serviço que estavam querendo se divorciar.

— Bem, vamos fazer tudo o que pudermos para garantir que Esmé seja feliz aqui — disse Sra. Browning. Ela possuía olhos bondosos, achou Jennifer. — Ajuda muito se foram as meninas que escolheram vir para o internato, e me parece que ela já tem amigas aqui, então tenho certeza de que vai se acostumar logo.

— Ela lê muito Enid Blyton — disse Jennifer. — Desconfio que ache que num internato tudo são festas à meia-noite.

— Ah, acontecem algumas. A cantina fica aberta às sextas-feiras à tarde mais ou menos com esse propósito. Geralmente fazemos vista grossa, desde que as festinhas não fiquem animadas demais. Gostamos que as meninas sintam que há algumas vantagens em ser internas.

Jennifer relaxou. Laurence escolhera a escola, e os receios dela pareceram infundados. As semanas seguintes seriam difíceis, mas ela se acostumara com as ausências periódicas de Esmé, quando ela ficava com o pai. Além disso, tinha o trabalho para mantê-la ocupada.

A diretora se pôs de pé e estendeu a mão.

— Obrigada. Telefonaremos, claro, se houver algum problema.

Quando a porta se fechou às costas dos dois, Laurence começou a tossir, uma tosse áspera, forte, que fez Jennifer cerrar os dentes. Ela ia falar alguma coisa, mas ele levantou a mão como se para lhe dizer que não o fizesse. Os dois desceram lentamente a escadaria, lado a lado, como se não fossem separados. Ela poderia ter andado duas vezes mais depressa, mas parecia cruel fazer isso, diante da dificuldade de respirar e do nítido desconforto dele. Finalmente, sem conseguir aguentar, ela parou uma menina que passava e perguntou se ela se importaria de buscar um copo d'água. Minutos depois, a menina voltou, e Laurence se sentou pesadamente numa cadeira de mogno no corredor revestido de madeira para beber.

Jennifer agora tinha coragem suficiente para deixar os olhos pousarem nele.

— Isso é...? — perguntou.

— Não. — Ele inspirou fundo uma vez, sentindo dor. — São os charutos, aparentemente. Estou perfeitamente ciente da ironia.

Ela sentou-se ao lado dele.

— Você deve saber que tomei providências para que não falte nada a vocês duas.

Ela olhou de soslaio para ele, mas ele parecia estar pensando.

— Criamos uma boa menina — disse ele por fim.

Pela janela, eles podiam ver Esmé conversando com duas outras meninas no gramado. Como se tivesse soado um sinal inaudível, as três atravessaram o gramado correndo, as saias voando.

— Desculpe-me — disse ela, virando-se para ele. — Por tudo.

Ele deixou de lado o copo, e se levantou da cadeira. Ficou parado um minuto, de costas para ela, concentrando-se nas meninas do lado de fora, depois virou-se para Jennifer e, evitando seu olhar, fez um pequeno aceno de cabeça.

Ela o observou sair pela porta principal com um andar rígido e atravessar os gramados, se encaminhando para o carro onde sua amiga esperava, a filha pulando ao lado dele. Acenava com entusiasmo enquanto o Daimler conduzido por um motorista descia a estradinha de acesso.

Dois meses depois, Laurence faleceu.

eu odeio você e sei que você ainda gosta de mim mas eu não gosto de você eu não estou nem aí para o que seus amigos idiotas dizem você me faz tocar suas mãos por razões idiotas vc por acaso diz que me abraçou eu nunca nunca mesmo vou voltar a gostar de você EU ODEIO VOCÊ EU ODEIO MAIS QUE TUDO NESSE MUNDO INFERNAAAAAL prefiro sair com uma aranha ou um rato a sair com vc vc é muuuuuuito feio e muito gordo!!!

Mulher para Homem, por e-mail

21

Não parou de chover a noite inteira, as nuvens cinzentas eram carregadas e deslizavam pelo horizonte da cidade até a noite as engolir. O aguaceiro ininterrupto confina as pessoas às suas casas, alagando a rua, e só se ouve um ou outro carro passando nas poças, ou o gorgolejar dos esgotos transbordando, ou os passos enérgicos de alguém querendo chegar em casa.

Não há nenhuma mensagem em sua secretária eletrônica, nenhum envelope piscante avisando que há um torpedo em seu celular. Seus e-mails estão limitados a trabalho, anúncios de Viagra genérico, e um de sua mãe dando os detalhes sobre a recuperação do cachorro após a prótese de quadril. Ellie está sentada de pernas cruzadas no sofá, tomando a terceira taça de vinho tinto e relendo as cartas das quais tirou cópia antes de devolver. Faz quatro horas que deixou o apartamento de Jennifer Stirling, mas sua cabeça ainda está a mil. Ela vê o desconhecido Boot, temerário e arrasado, no Congo numa época em que europeus brancos eram chacinados.

"Li as notícias dos assassinatos, da chacina de um hotel inteiro em Stanleyville" dissera Jennifer, "e chorei de medo."

Ela imagina Jennifer indo ao correio semana após semana numa busca vã por uma carta que nunca chega. Uma lágrima cai na manga de sua blusa e ela funga enquanto a limpa.

O caso de amor deles, pensa ela, significava alguma coisa. Ele foi um homem que se expôs diante da mulher que amava. Procurava entendê-la e tentava protegê-la até dela mesma. Quando não pôde tê-la, foi para o outro lado do mundo e, muito provavelmente, se sacrificou. E ela passou quarenta anos de luto por ele. O que Ellie tem? Ótimo sexo, talvez uma vez a cada dez dias, e um monte de e-mails evasivos. Aos 32 anos, sua carreira está em banho-maria, suas amigas sabem que em termos de vida romântica ela está perdendo tempo, e a cada dia fica mais difícil se convencer de que esta é a vida que escolheu.

São 21h15. Ela sabe que não deve beber mais, mas está zangada, melancólica e niilista. Serve-se de mais vinho, chora e relê a última carta. Assim como Jennifer, agora acha que já sabe todas de cor. As palavras ali escritas têm uma ressonância terrível.

> *Estar sem você — a milhares de quilômetros de você — não me traz nenhum alívio. O fato de eu já não estar atormentado por sua proximidade, de já não precisar encarar diariamente minha incapacidade de ter a única coisa que eu realmente quero, não me curou. Piorou as coisas. Meu futuro parece uma estrada desolada e vazia.*

Ela está meio que apaixonada por este homem. Imagina John, ouve-o dizendo essas palavras, e o álcool faz os dois se fundirem numa só imagem borrada. Como uma pessoa transforma sua vida, de prosaica a algo épico? Com certeza precisa ser corajosa o suficiente para amar, não? Ela tira o celular da bolsa, um impulso sinistro e ousado se insinuando dentro dela. Abre o aparelho e envia uma mensagem, teclando com dedos desajeitados:

Ligue por favor. Só uma vez. Preciso saber de você. Bj

Aperta "enviar" já sabendo que acabara de cometer um erro colossal. Ele vai ficar furioso. Ou não responderá. Ela não sabe o que é pior. Sua cabeça afunda nas mãos e ela chora pelo desconhecido Boot, por Jennifer, por oportunidades perdidas e uma vida desperdiçada. Chora por si mesma, porque ninguém jamais vai amá-la como ele amou Jennifer, e porque desconfia que está estragando o que poderia ser uma vida perfeitamente boa, ainda que comum. Chora porque está bêbada e há poucas vantagens de se morar sozinha a não ser poder chorar aos soluços sem inibição quando quiser.

Ela se sobressalta ao ouvir o interfone, levantando a cabeça e continuando imóvel até soar de novo. Por um instante de insensatez ela se pergunta se é John, em resposta à sua mensagem. Reanimada, corre para o espelho do saguão, esfregando freneticamente as manchas vermelhas no rosto, e atende o interfone.

— Alô?

— Tudo bem, sabichona. Como se escreve "visita que aparece sem ser convidada"?

Ela apenas pisca.

— Rory?

— Não, não é assim.

Ela morde o lábio e se encosta na parede. Há um silêncio momentâneo.
— Está ocupada? Eu estava só passando. — A voz dele é alegre, exuberante. — Tudo bem... eu estava na linha de metrô certa.
— Pode subir. — Ela desliga e joga água fria no rosto, tentando não se sentir decepcionada quando era tão óbvio que não poderia ser John.

Ouve-o subindo os degraus de dois em dois, depois empurrando a porta que ela deixou entreaberta.

— Vim arrastar você para a gente beber alguma coisa. Opa! — Ele olha para a garrafa de vinho vazia, e então, um pouquinho mais demoradamente, para o rosto dela. — Ah. Tarde demais.

Ela dá um sorriso forçado.

— Não foi uma noite legal.
— Ah.
— Tudo bem se você quiser ir embora. — Ele está usando um cachecol cinza. Parece caxemira. Ela nunca teve um suéter de caxemira. Como chegou aos 32 anos sem nunca ter tido um suéter de caxemira? — Para dizer a verdade, provavelmente minha companhia não é das melhores agora.

Ele dá mais uma olhada na garrafa de vinho.

— Bem, Haworth — diz, desenrolando o cachecol do pescoço —, isso nunca me deteve antes. Que tal eu ferver uma água?

Ele faz um chá, revirando a minúscula cozinha à procura de saquinhos de chá, leite, colheres. Ela pensa em John, que ainda na semana passada fizera a mesma coisa, e torna a ficar com os olhos cheios d'água. Então Rory se senta e coloca a caneca diante dela, e, enquanto ela bebe o chá, ele fala com uma desenvoltura atípica sobre seu dia, o amigo com quem acabou de tomar um drinque e que sugeriu uma rota oblíqua pela Patagônia. O amigo — ele o conhece desde criança — virou uma espécie de viajante competitivo.

— Você sabe o tipo. A gente diz que está indo para o Peru. Ele fala: "Ah, esquece a trilha de Machu Picchu, passei três noites com os pigmeus na selva de Atacanta. Eles me deram um dos parentes para eu jantar quando a nossa carne de babuíno acabou."

— Legal. — Ela está encolhida no sofá, com a caneca na mão.
— Adoro esse cara, mas acho que não consigo aguentar seis meses com ele.
— É esse o tempo que você vai passar fora?
— Espero que sim.

Ela recebe outro tranco angustiante. Certo, Rory não é John, mas tem sido uma compensação ter um homem para convidá-la para sair de vez em quando.

— E então, o que está havendo?

— Ah... tive um dia estranho.

— Hoje é sábado. Achei que moças como você fossem tomar um *brunch* e fofocar, depois comprar sapatos.

— Não há nenhum estereótipo nisso. Fui falar com Jennifer Stirling.

— Quem?

— A senhora da carta.

Ela vê a surpresa dele. Ele se inclina.

— Uau. Ela ligou mesmo. O que aconteceu?

De repente ela volta a chorar: as lágrimas em abundância.

— Desculpe-me — murmura, procurando lenços de papel. — Desculpe-me. Não sei por que estou sendo tão ridícula.

Sente a mão dele no ombro, um braço envolvendo-a. Ele cheira a pub, a desodorante, a cabelo limpo e a rua.

— Ei — ele está dizendo baixinho —, ei... Nem parece você.

Como você saberia?, pensa ela. Ninguém sabe o que eu pareço. Nem eu tenho certeza se sei.

— Ela me contou tudo. A história inteira deles. Ah, Rory, é de cortar o coração. Eles se amavam tanto e continuaram sentindo falta um do outro até ele morrer na África e ela nunca mais tornar a vê-lo.

Ela chora tanto que mal dá para entender suas palavras.

Ele a abraça, abaixando a cabeça para escutar.

— Falar com uma senhora deixou você assim tão triste? Um caso de amor de quarenta anos atrás que não deu certo?

— Você precisava estar lá. Precisava ouvir o que ela disse. — Ela lhe conta um pouco da história e enxuga os olhos. — Ela é tão bonita e elegante e triste...

— Você é bonita e elegante e triste. Tudo bem, talvez elegante não.

Ela encosta a cabeça no ombro dele.

— Nunca pensei que você fosse... Não leve a mal, Ellie, mas você me surpreendeu. Nunca pensei que essas cartas pudessem afetar tanto você.

— Não são só as cartas. — Ela funga.

Ele espera. Está encostado no sofá agora, mas sua mão continua pousada de leve no pescoço dela – e Ellie quer, ela percebe, que continue assim.

— Então? — A voz dele é meiga, inquisitiva.

— Tenho medo...

— De?

Ela fala bem baixinho.

— Tenho medo de que ninguém me ame tanto assim.

O álcool a deixou inquieta. Os olhos dele ficaram doces, a boca se contrai um pouco para baixo, como se expressando solidariedade. Ele a observa enxugar de leve os olhos. Por um momento ela acha que ele vai beijá-la, mas, em vez disso, ele pega uma carta e lê para ela:

> Quando eu voltava para casa esta noite, fui surpreendido por uma briga que tinha começado dentro de um bar e continuado na rua. Dois homens se agrediam, incitados por partidários bêbados, e de repente me vi envolvido naquele barulho e naquele caos, no meio de xingamentos e garrafas voando. Uma sirene da polícia soou ao longe. Homens fugiam para todo lado, carros desviavam cantando pneu para fugir da confusão. E a única coisa em que eu conseguia pensar era no jeito como o canto da sua boca se curva quando você sorri. E tive uma sensação extraordinária de que, naquele exato momento, você estava pensando em mim também.
> Talvez isso lhe pareça fantasioso. Talvez você estivesse pensando no teatro, ou na crise econômica, ou em comprar cortinas novas. Mas de repente me dei conta, no meio daquela pequena cena de loucura, que ter alguém que nos entenda, que nos deseje, que nos veja como uma versão melhorada de nós mesmos é o presente mais incrível. Mesmo que não estejamos juntos, saber que, para você, eu sou este homem é uma fonte de vida para mim.

Ela fechou os olhos para escutar a voz de Rory, docemente recitando as palavras. Ellie imagina como Jennifer deve ter se sentido sendo amada, adorada, desejada.

> Não sei ao certo como conquistei o direito. Não me sinto totalmente seguro desse direito mesmo agora. Mas a própria chance de pensar em seu rosto lindo, seu sorriso, e saber que alguma parte disso poderia me pertencer talvez seja a coisa mais importante que me aconteceu na vida.

As palavras cessaram. Ela abre os olhos e vê Rory bem pertinho.
— Para uma mulher inteligente — diz ele —, você é de uma burrice extraordinária. — Ele estende a mão, limpa uma lágrima dela com o polegar.
— Você não sabe... — começa ela. — Não entende...
— Acho que sei o suficiente.
Antes que ela possa tornar a falar, ele a beija. Ela estaca por um instante apenas, e aquela mão sardenta está ali de novo, atormentando-a. *Por que eu deveria ser fiel a alguém que provavelmente está fazendo sexo selvagem em plenas férias neste exato minuto?*
E então Rory tem a boca colada na dela, as mãos segurando seu rosto, e ela o beija também, sua mente determinadamente vazia, o corpo apenas agrade-

cido pelos braços que a envolvem, pelos lábios dele nos dela. *Apague tudo*, implora-lhe em silêncio. *Reescreva esta página*. Ela se ajeita, vendo com uma admiração vaga que, apesar de toda sua desesperada saudade de John, pode querer muito este homem. E então não consegue pensar em mais nada.

Ellie acorda olhando para dois pares de cílios escuros. Que cílios escuros, pensa, naqueles poucos segundos antes de a consciência se instalar, os de John são castanhos. Ele tem um cílio branco no canto externo do olho esquerdo, e ela tem quase certeza de que ninguém a não ser ela já reparou nisso.

Pássaros cantam. Um carro acelera com insistência na rua. Há um braço por cima de seu quadril nu. É surpreendentemente pesado, e, quando ela se mexe, uma mão pressiona momentaneamente o seu traseiro, como se num reflexo para não deixá-la sair dali. Ela olha para os cílios, lembrando-se dos acontecimentos da noite anterior. Ela e Rory no chão em frente ao sofá. Ele buscando o edredom quando percebeu que ela estava com frio. O cabelo dele, cheio e macio em suas mãos, o corpo dele, surpreendentemente largo, por cima do dela, a cama dela, a cabeça dele desaparecendo embaixo do edredom. Ela sente um vago arrepio ao se lembrar e ainda não consegue determinar bem como se sente.

John.

Uma mensagem de texto.

Café, pensa ela, querendo se agarrar ao que é seguro. Café e croissants. Sai com cuidado de sob Rory, sem desgrudar os olhos de seu rosto adormecido. Levanta o braço dele, pousa-o delicadamente no lençol. Ele acorda e ela fica paralisada. Vê sua própria confusão espelhada nos olhos dele.

— Ei — diz ele, a voz rouca de quem dormiu pouco. A que horas acabaram adormecendo? Quatro? Cinco? Ela se lembra deles rindo do dia clareando lá fora. Ele esfrega o rosto, apoia-se pesadamente num cotovelo. Tem o cabelo em pé de um lado, o queixo áspero e escuro. — Que horas são?

— Quase 9 horas. Vou dar um pulinho na rua para comprar um café decente. — Ela vai de costas até a porta, consciente de sua nudez na claridade muito forte da manhã.

— Tem certeza? — pergunta ele enquanto ela desaparece. — Não quer que eu vá?

— Não, não. — Ela está enfiando uma calça jeans que achou em frente à porta da sala. — Pode deixar.

— O meu sem leite, por favor.

Ela ouve quando ele afunda de novo nos travesseiros, resmungando alguma coisa sobre sua cabeça.

Sua calcinha está embaixo do aparelho de DVD. Pega-a depressa, mete-a no bolso. Veste uma camiseta, se agasalha com uma jaqueta e, sem parar para ver como ficou, desce a escada. Encaminha-se num passo decidido para o café local, já discando um número no seu celular.
Acorda. Atende o telefone.
A esta altura, está parada na fila. Nicky atende no terceiro toque.
— Ellie?
— Ai, meu Deus, Nicky. Fiz uma coisa horrível.
Começa a falar mais baixo, para a família que entrou atrás dela não ouvir. O pai está calado, e a mãe tenta conduzir duas crianças pequenas para uma mesa. O rosto pálido e sombrio dos dois indica que tiveram uma noite acordados.
— Não desligue. Estou na academia. Vou atender lá fora.
Na academia? Às 9 horas da manhã de um domingo? Ela ouve a voz de Nicky tendo como fundo sonoro o tráfego de alguma rua distante.
— Horrível como? Assassinato? Estupro de menor? Não me diga que ligou para a mulher do cara lá para contar que é amante dele?
— Dormi com aquele cara do trabalho.
Um breve silêncio. Ela ergue os olhos e vê a atendente olhando para ela, sobrancelhas erguidas. Ela tapa o bocal do telefone.
— Ah, dois cafés pequenos, por favor, um deles com leite, e também croissants. Dois não, três.
— O Cara do Arquivo?
— É. Ele apareceu lá em casa ontem à noite e eu estava de porre e me sentindo um lixo e ele leu uma daquelas cartas de amor e... sei lá...
— Então?
— Então que eu transei com outra pessoa!
— Foi horrível?
Os olhos de Rory, semicerrados de prazer. Sua cabeça inclinada nos seus seios. Beijos, beijos sem fim.
— Não. Foi... bem bom. Muito bom.
— E qual é o problema então?
— Eu deveria estar com John.
A atendente está trocando olhares com o Pai Exausto. Ellie percebe que os dois estão ali, calados, muito interessados na sua conversa.
— Dá 6,63 — diz a moça, com um sorrisinho.
Ellie vai pegar o dinheiro no bolso e acaba pegando a calcinha da noite passada. O Pai Exausto tosse — ou talvez tenha sido um ataque de riso suprimido. Ela se desculpa, o rosto ardendo, entrega o dinheiro e vai para a ponta do balcão, onde fica cabisbaixa esperando seu café.

— Nicky...

— Ah, pelo amor de Deus, Ellie. Você tem transado com um homem casado que quase com certeza ainda transa com a mulher dele. Ele não faz nenhuma promessa, quase não leva você a lugar nenhum, não está planejando se separar...

— Você não sabe.

— Sei, sim. Sinto muito, amor, mas eu apostaria minha minúscula e horrorosa casa hipotecada. E se você está me dizendo que acabou de fazer um sexo ótimo com um cara legal que é solteiro e gosta de você e parece querer estar com você, não vou começar a implorar por Prozac. Ouviu bem?

— Ouvi — diz ela baixinho.

— Agora, volte para seu apartamento, acorde-o e faça um sexo animal com ele, depois encontre comigo e com Corinne amanhã no café e conte tudo para a gente.

Ela sorri. Que bom comemorar estar com alguém em vez de ter sempre que justificar.

Ela pensa em Rory deitado na sua cama. Rory dos cílios muito compridos e dos beijos gostosos. Seria muito ruim passar a manhã com ele? Ela pega o café e volta para casa, admirada com a rapidez com que suas pernas se movem.

— Não se mexa! — grita ela ao subir as escadas, tirando os sapatos. — Estou levando café na cama para você.

Ela larga o café no chão em frente ao banheiro e entra ali, limpa o rímel dos olhos e joga água fria no rosto, depois se perfuma toda. Por fim, destampa a pasta de dente e põe um pouquinho na língua, enxaguando a boca.

— Isso é para você não pensar em mim como uma desalmada e egoísta que abusa de homens. E vai ficar me devendo um café no trabalho. Naturalmente, volto ao meu eu desalmado e egocêntrico amanhã.

Ela sai do banheiro, entra no quarto. A cama está vazia, o edredom afastado. Ele não pode estar no banheiro, ela acabou de sair de lá.

— Rory? — chama ela no silêncio.

— Aqui.

A voz dele vem da sala. Ela vai pelo corredor pisando de mansinho.

— Você deveria ficar na cama — adverte. — Não é café na cama se você...

Ele está em pé no meio da sala, botando o casaco. Está vestido, calçado, não mais com o cabelo em pé.

Ela para à porta. Ele não a encara.

— O que está fazendo? — Ela estende o café. — Pensei que a gente fosse tomar café.

— Sim. Bem, acho melhor eu ir andando.
Ela sente um calafrio. Algo está errado.
— Por quê? — pergunta ela, tentando sorrir. — Não demorei nem 15 minutos. Você tem mesmo um compromisso às 9h20 da manhã de um domingo?
Ele olha para o chão, aparentemente conferindo se está com as chaves no bolso. Encontra-as e revira-as na mão. Quando finalmente olha para ela, seu rosto é inexpressivo.
— Ligaram para cá enquanto você estava na rua. Ele deixou um recado. Eu não queria escutar, mas é bem difícil num apartamento pequeno.
Algo frio e pesado pousa no fundo do estômago de Ellie.
— Rory, eu...
Ele levanta a mão.
— Eu disse a você uma vez que não gosto de relações complicadas. Isso incluiria, hum, transar com uma pessoa que está transando com outra. — Ele passa por ela, ignorando o café que ela segura. — A gente se vê, Ellie.
Ela ouve os passos dele se afastando no corredor. Ele não bate a porta, mas o modo como a fecha tem um desconfortável jeito de irreversibilidade. Ela se sente anestesiada. Põe o café cuidadosamente na mesa e, em seguida, vai até a secretária eletrônica e aperta "play".
A voz de John, baixa e harmoniosa, enche a sala:
— Ellie, não posso falar muito. Só queria saber se você está bem. Não sei direito o que você quis dizer ontem à noite. Também estou com saudades. Mas olha... por favor não mande mensagem. É... — Um suspiro curto. — Olha, mando uma mensagem logo que a gente... logo que eu voltar. — O ruído do fone desligando.
Ellie deixa as palavras dele reverberarem no apartamento silencioso, depois se joga no sofá e fica completamente imóvel, enquanto o café esfria ao seu lado.

Caro Sr. B.
Re; 48 T. Avenue

... para reiterar, entendo que a compra da casa agora será só em seu nome e não enviarei mais correspondência alguma a ser assinada para seu endereço atual até seu regresso no dia 14.

Carta aberta por engano por Mulher

22

para: Phillip O'Hare, phillipohare@thetimes.co.uk
de: Ellie Haworth, elliehaworth@thenation.co.uk

Peço desculpas por contatá-lo desta maneira, mas espero que, sendo também jornalista, você entenda. Estou tentando localizar um Anthony O'Hare que, suponho, teria a mesma idade que seu pai, e, numa coluna do *Times* de maio último você por acaso mencionou que tinha um pai de mesmo nome.
Este Anthony O'Hare teria passado algum tempo em Londres no início dos anos 1960 e muito tempo no exterior, especialmente na África Central, onde talvez tenha falecido. Sei muito pouco sobre ele além de que tinha um filho com seu nome.
Se você é ele, ou se sabe o que aconteceu com ele, poderia fazer a gentileza de responder a este e-mail? Temos uma conhecida em comum que o conheceu muitos anos atrás e que gostaria muito de descobrir o que aconteceu com Anthony. Reconheço que isso é um palpite, pois não é um nome incomum, mas preciso de toda ajuda que conseguir.
Um abraço,
Ellie Haworth

O prédio é novo e situa-se numa parte da cidade que Ellie não visita desde que era uma coleção aleatória de depósitos decadentes, seguidos de restaurantes de comida para viagem pouco atraentes que ela preferiria morrer de fome a ingerir. Tudo o que havia naquele quilômetro quadrado foi arrasado, varrido, as ruas congestionadas substituídas por vastas praças impecavelmente reformadas, postes de amarração de aço, um ou outro reluzente prédio comercial, muitos ainda com as redes de proteção dos andaimes do seu nascimento expostas.

Eles estão lá numa visita organizada para se familiarizarem com as novas mesas, os novos computadores e as centrais telefônicas antes da mudança definitiva, que será na segunda-feira. Ellie segue o grupo da sua editoria pelos vários departamentos enquanto o jovem com a prancheta e um crachá escrito "Coordenador da Transferência" lhes fala das áreas de produção, as centrais de informações e os banheiros. À medida que cada espaço novo é explicado, Ellie observa as variadas reações do seu grupo, a empolgação de alguns dos mais jovens, que gostam das linhas retas e modernistas do novo local. Melissa, que nitidamente já esteve ali várias vezes, interrompe de vez em quando com informações que julga terem sido omitidas pelo homem.

— Não tem onde se esconder! — brinca Rupert ao examinar o espaço amplo e livre.

Ela identifica o fundo de verdade no comentário. A sala de Melissa, no canto sudeste, é toda cercada por vidro, e de lá dá para ver todo o "eixo" da Reportagens Especiais. Ninguém no departamento além dela tem uma sala própria, e parece que essa decisão irritou vários de seus colegas.

— E aqui é onde vocês vão sentar.

Todos os redatores ficarão numa única mesa, enorme e oval, de cujo centro saem cabos ligados umbilicalmente a uma série de monitores de tela plana.

— Quem vai ficar onde? — pergunta um dos colunistas.

Melissa consulta sua lista.

— Eu estava organizando isso. Alguns dos lugares ainda não estão certos. Mas Rupert, você fica aqui. Arianna, ali. Tim, ao lado da cadeira ali. Edwina... — Ela aponta para um espaço. Isso faz Ellie lembrar as aulas de educação física na escola. O alívio quando a pessoa era escolhida e colocada num time ou no outro. Só que quase todos os assentos têm dono e seu nome ainda não foi chamado.

— Hum... Melissa? — aventura-se ela. — Onde eu vou sentar?

Melissa olha rapidamente para outra mesa.

— Algumas pessoas vão ter que dividir a mesa. Não faz sentido todo mundo estar alocado numa estação de trabalho por tempo integral. — Ela fala sem olhar para Ellie.

Ellie sente os dedos contraídos dentro dos sapatos.

— Está dizendo que eu não tenho lugar para sentar?

— Não, estou dizendo que algumas pessoas vão dividir uma estação de trabalho.
— Mas eu estou no jornal todos os dias. Não entendo como isso vai funcionar. — Ela deveria levar a chefe para um canto, perguntar-lhe em particular por que Arianna, que não está no jornal não faz nem um mês, tem uma mesa e ela não. Deveria tirar esse ligeiro tom de angústia da voz. Deveria ficar quieta. — Não entendo por que sou a única redatora que não...
— Como eu disse, Ellie, as posições ainda não estão certas. Sempre vai ter um lugar para você trabalhar. Bem. Vamos ver agora a editoria Geral. Eles vão vir para cá, claro, no mesmo dia que nós...
E a conversa está encerrada. Ellie vê que sua reputação está muito pior do que pensara. Seu olhar cruza com o de Arianna: ela percebe que a menina nova desvia a vista depressa, e finge verificar se há mais mensagens inexistentes no celular.

O arquivo já não é mais no subsolo. O novo "centro de recursos de informação" fica dois andares acima, num átrio em volta de uma coleção de vasos de plantas imensas suspeitosamente exóticas. Há uma ilha no meio, atrás da qual ela reconhece o gerente ranzinza, que está falando baixinho com um homem muito mais jovem. Ela olha para as prateleiras, que são divididas cuidadosamente em áreas digital e de cópia física. Toda a sinalização nas novas salas é em caixa baixa, o que, ela desconfia, provocou uma úlcera no subeditor-chefe.
Não poderia ser mais diferente do arquivo antigo, apertado e empoeirado, cheirando a jornal velho e cheio de pontos cegos. De repente ela se sente nostálgica.
Não tem certeza do motivo de ter ido até ali, só sabe que se sente magneticamente atraída para Rory, talvez por querer descobrir se está ao menos em parte perdoada ou falar com ele sobre a decisão de Melissa a respeito da mesa. Então se dá conta de que ele é uma das poucas pessoas com quem pode discutir isso. O chefe do arquivo a vê.
— Desculpe-me — diz ela, levantando a mão. — Só estou dando uma olhadinha.
— Se está procurando por Rory, ele está no prédio antigo.
Na sua voz não há antipatia.
— Obrigada — diz ela, tentando dar à palavra um tom de desculpas. Parece-lhe importante agora não afastar mais ninguém. — Está ótimo aqui. Você... você fez um bom trabalho.
— Está quase concluído — diz ele, e sorri.
Parece mais jovem com esse sorriso, menos cansado. No rosto dele ela percebe algo que nunca viu antes: alívio, mas também gentileza. Como podemos julgar mal as pessoas, ela pensa.

— Posso ajudá-la em alguma coisa?
— Não, eu...
Ele torna a sorrir.
— Como eu disse, ele está no prédio antigo.
— Obrigada. Vou... vou deixar você em paz. Dá para ver que está ocupado.
Ela vai até uma mesa, pega um guia xerocado de como usar o arquivo e, dobrando-o cuidadosamente, guarda-o na bolsa ao sair.

Passa a tarde inteira a sua mesa em-breve-defunta, digitando o nome de Anthony O'Hare repetidamente num site de busca. Já fez isso várias vezes e sempre fica espantada com o número de Anthony O'Hares que existe, ou já existiu, no mundo. Há Anthony O'Hares adolescentes em redes sociais, Anthony O'Hares falecidos há muito tempo sepultados em cemitérios da Pensilvânia, suas vidas estudadas por genealogistas amadores. Um deles é físico e trabalha na África do Sul; outro, escritor independente de ficção fantástica; um terceiro foi vítima de um ataque a um pub em Swansea. Ela investiga cada homem, conferindo idade, identidade, por via das dúvidas.

Seu telefone soa, indicando que ela recebeu uma mensagem. Ao ver o nome de John, sente, confusa, uma ponta de decepção por não ser Rory.
— Reunião.
A secretária de Melissa está parada à sua mesa.

Desculpe-me por não poder falar muito aquela noite. Só queria que soubesse que estou com saudade. Ansioso para ver você. Bj J.

— Tudo bem. Desculpe-me — diz ela. A secretária continua ao seu lado. — Desculpe-me. Já vou.
Ela relê a mensagem, separando cada frase, só para garantir que, pela primeira vez, não está exagerando as coisas. Mas lá está: *Só queria que soubesse que estou com saudade.*
Ela junta seus papéis e, com o rosto em brasa, entra na sala, logo antes de Rupert. É importante não ser o último. Ela não quer ser o único redator sem lugar para sentar dentro da sala de Melissa, já basta fora dali.
Ocupa um lugar em silêncio enquanto as matérias dos dias seguintes são dissecadas, seu progresso considerado. As humilhações da manhã desvaneceram. Nem mesmo o fato de Arianna ter conseguido uma entrevista com uma atriz notoriamente reclusa a desconcerta. Sua mente exulta com as palavras que inesperadamente lhe caíram no colo: *Só queria que soubesse que estou com saudade.*

O que significa isso? Ela não se atreve a ter esperanças de que seu desejo tenha se tornado realidade. A esposa de biquíni bronzeada efetivamente sumiu. A fantasmagórica mão sardenta com seus dedos a massageá-la agora é substituída por nós de dedos, brancos de frustração. Ela imagina John e a esposa discutindo durante todo um feriado que reservaram sobretudo como uma última tentativa de salvar o casamento. Ela o vê exausto, furioso, no íntimo satisfeito de receber sua mensagem mesmo que precise alertá-la para não mandar outra.

Não vá se enchendo de esperanças, alerta a si mesma. Isso pode ser um alarme falso. Todo mundo acaba uma temporada de férias de saco cheio do parceiro. Talvez ele só queira garantir que ainda tem a fidelidade dela. Mas mesmo enquanto dá conselhos a si mesma, ela sabe em que versão quer acreditar.

— E a matéria das cartas de amor, Ellie?

Ai, meu Deus.

Ela mexe nos papéis em seu colo, adota um tom seguro.

— Bem, consegui mais informações. Encontrei a mulher. Definitivamente há material suficiente para um artigo.

— Ótimo. — As sobrancelhas de Melissa se erguem com elegância, como se Ellie a tivesse surpreendido.

— Mas... — Ellie engole em seco — ... não sei ao certo quanto devemos usar. O assunto parece... meio delicado.

— Os dois estão vivos?

— Não. Ele já morreu. Ou ao menos ela acha que sim.

— Então mude o nome da mulher. Não vejo problema nenhum. Você está usando cartas que ela deve ter esquecido.

— Ah, acho que não esqueceu. — Ellie tenta escolher cuidadosamente as palavras. — Na verdade, parece se lembrar muito bem delas. Pensei que seria melhor se eu as usasse como um gancho para examinar a linguagem do amor. Sabe, como as cartas de amor mudaram com o passar do tempo.

— Sem incluir as cartas propriamente ditas.

— Sim. — Ao responder, Ellie se sente imensamente aliviada. Não quer que as cartas de Jennifer sejam publicadas. Ela a vê agora, sentada no sofá de sua casa, toda animada contando a história que guardou em segredo durante décadas. Não quer aumentar o sentimento de perda dela. — Bom, talvez eu possa encontrar outros exemplos.

— Até terça-feira.

— Bem, deve haver livros, compilações...

— Quer que a gente publique material já publicado?

A sala agora está em silêncio em volta delas. É como se ela e Melissa Buckingham existissem dentro de uma bolha tóxica. Tem consciência de que nada que faça vai satisfazer essa mulher.

— No tempo que você já está trabalhando nisso, a maioria dos redatores escreveria pelo menos três artigos de 2 mil palavras. — Melissa batuca com a ponta da caneta na mesa. — Apenas escreva o artigo, Ellie. — Sua voz é gelada e cansada. — Apenas escreva, mantenha o anonimato, e seu contato provavelmente nunca vai saber de que cartas você está falando. E, tendo em vista o tempo que você já gastou nisso, imagino que dê uma reportagem extraordinária.

Seu sorriso, concedido ao resto da sala, é resplandecente.

— Certo. Vamos em frente. Não recebi uma lista da Saúde. Alguém tem uma?

Ela o vê quando está saindo do prédio. Ele faz uma piada para Ronald, o segurança, desce a escada com tranquilidade e se afasta. Está chovendo, e ele leva uma pequena mochila às costas, a cabeça abaixada para se proteger do frio.

— Ei. — Ela corre até alcançá-lo.

Ele a olha.

— Oi — diz ele com neutralidade. Está se encaminhando para o metrô e não diminui o passo ao alcançar a escada de acesso à estação.

— Será que... você não quer beber alguma coisa rapidinho?

— Estou ocupado.

— Para onde vai?

Ela tem que levantar a voz para ser ouvida acima do estrondoso barulho de passos, da acústica vitoriana do sistema de transporte subterrâneo.

— Para o prédio novo.

Estão rodeados de pessoas que estão indo trabalhar. Seus pés quase saem do chão ao ser arrastada escada abaixo naquele mar de gente.

— Uau. Deve ser hora extra.

— Não. Só estou ajudando o chefe com umas coisas que faltam para ele não se esgotar completamente.

— Eu o vi hoje. — Como Rory não responde, ela acrescenta: — Ele foi simpático comigo.

— Ah. É, ele é gente boa.

Ela consegue caminhar ao lado dele até as roletas. Ele chega para o lado para dar passagem aos outros.

— É mesmo bobagem — diz ela. — A gente passa todo dia pelas pessoas sem ter nenhuma ideia...

— Olha, Ellie, o que você quer?

Ela morde o lábio. Em volta deles, os passageiros se separam como água, fones de ouvido, alguns dando muxoxos audíveis para os obstáculos humanos em seu caminho. Ela esfrega o cabelo, que agora está molhado.

— Eu só queria pedir desculpas. Por aquele dia de manhã.

— Tudo bem.

— Não, não tem nada bem. Mas é... Olha, o que aconteceu não tem nada a ver com você, e eu gosto muito de você. Só que isso é uma coisa que...

— Sabe de uma coisa? Não estou interessado. Está tudo bem, Ellie. Vamos deixar do jeito que está.

Ele passa pela roleta. Ela vai atrás. Entreviu a expressão dele antes que ele se virasse, e era uma expressão horrível. Ela se sente horrível.

Posiciona-se atrás dele na escada rolante. Há pequenas pérolas de água salpicadas no cachecol cinza dele, e ela se controla para não tirá-las.

— Rory, eu sinto muito mesmo.

Ele está fitando os próprios sapatos. Olha para ela, a expressão fria.

— Casado, hein?

— O quê?

— O seu... amigo. Ficou bem claro pelo que ele disse.

— Não me olhe assim.

— Assim como?

— Eu não tive intenção de me apaixonar.

Ele dá uma risada curta e desagradável. Já chegaram ao fim da escada rolante. Ele aperta o passo e ela é obrigada a correr um pouco para acompanhá-lo. O túnel cheira a ar parado e borracha queimada.

— Não tive mesmo.

— Besteira. Você faz uma escolha. Todo mundo faz uma escolha.

— Então você nunca se extasiou com nada? Nunca sentiu aquele magnetismo?

Ele a encara.

— Claro que já. Mas, se seguir essa atração significasse magoar alguém, eu recuava.

Ela sente o rosto arder.

— Puxa, como você é maravilhoso!

— Não. Mas você não é uma vítima das circunstâncias. Devia saber que ele era casado e escolheu ir em frente mesmo assim. Você tinha a opção de dizer não.

— Eu não via desse modo.

O sarcasmo eleva o tom da voz dele:

— "Era algo mais forte que nós dois." Acho que essas cartas afetaram você mais do que pensa.

— Ah, tudo bem, então que bom para você, Sr. Prático. Que bom que você pode abrir e fechar as suas emoções como se fossem uma torneira. Sim, eu caí nessa por vontade própria. Imoral? Sim. Imprudente? A julgar pela sua resposta, óbvio. Mas eu senti uma coisa mágica por um momento e... não se preocupe, estou pagando por isso desde então.

— Mas você não é a única, é? Todo ato tem uma consequência, Ellie. Na minha opinião, o mundo se divide entre aqueles que veem isso e tomam suas decisões de acordo e os que simplesmente vão atrás do que lhes parece bom na hora.

— Meu Deus! Você tem ideia de como está soando pedante? — Ela agora está gritando, sem se importar com os curiosos que passam por ela, dirigindo-se para os túneis que levam às linhas District e Circle.

— Tenho.

— E ninguém no seu mundo tem permissão de cometer um erro?

— Uma vez — diz ele. — Você pode cometer um erro uma vez.

Ele olha para longe, a mandíbula rígida, como se avaliasse se deveria falar algo mais. Então se vira para ela.

— Já estive do outro lado, entendeu, Ellie? Amei alguém que encontrou outra pessoa a quem não conseguiu resistir. Uma coisa que era "mais forte que eles dois". Até, claro, ele dar o fora nela. E eu deixei ela voltar para minha vida e ela me feriu de novo. Então, sim, eu tenho uma opinião sobre isso.

Ela para onde está. Ouve-se o barulho do trem se aproximando, deslocando uma rajada de ar quente. Os passageiros avançam.

— Sabe de uma coisa? — diz ele, erguendo a voz para superar o estrondo. — Não estou julgando você por ter se apaixonado por esse homem. Quem sabe? Vai ver ele é o amor da sua vida. Vai ver a mulher dele realmente estaria melhor sem ele. Vai ver vocês dois realmente *tinham que ficar juntos*. Mas você podia ter dito não para mim. — De repente ela vê algo inesperado, algo sensível e exposto, no rosto dele. — É isso que não consigo entender. Você podia ter dito não para mim. Seria a coisa certa a fazer.

Ele salta com agilidade para dentro do vagão lotado bem na hora em que as portas se fecham. O vagão se afasta, com um gemido ensurdecedor.

Ela fica olhando as costas dele na janela iluminada até sumirem de vista. *A coisa certa para quem?*

> Oi, gata,
> Pensei em você o final de semana inteiro. Como vai a facul? Barry diz que todas as garotas que vão para a facul acabam encontrando outro, mas eu disse a ele que isso era babaquice. Ele só está com ciúmes. Saiu

com aquela garota da imobiliária na terça-feira e ela deu um perdido nele antes do prato principal. Disse que ia ao banheiro e se mandou!!! Ele disse que ficou ali sentado vinte minutos até perceber. Estamos todos desesperados no Feathers...

Queria que você estivesse aqui, gata. As noites parecem longas sem você. Escreva logo. Bjs, Clive

Ellie está sentada no meio da cama, uma caixa de papelão empoeirada no colo, a correspondência de sua adolescência espalhada ao seu redor. Está na cama às 21h30, tentando desesperadamente pensar em alguma maneira de salvar o artigo das cartas de amor sem expor Jennifer publicamente. Pensa em Clive, seu primeiro amor, filho de um arborista. Ele estudou com ela na mesma escola no ensino médio. Eles se angustiaram para resolver se ela deveria ir para a universidade, juraram que isso não afetaria a relação deles. O namoro terminou três meses depois de ela ir para Bristol. Ela se lembra de como a aparição do Mini acabado dele no estacionamento em frente ao prédio do seu alojamento se transformou com uma rapidez assustadora de gloriosa, um sinal para ela se perfumar toda e sair voando pelo corredor, em tristeza e desânimo, quando viu que já não sentia mais nada por ele a não ser a sensação de estar sendo arrastada de volta para uma vida que já não queria.

Querido Clive,
Passei quase a noite inteira pensando em como fazer isso de um jeito que a gente sofra o mínimo possível. Mas não tem uma maneira fácil de

Querido Clive,
Esta é uma carta realmente difícil de escrever. Mas preciso lhe dizer que eu

Querido Clive,
Sinto muito mesmo, mas não quero mais que você venha aqui. Obrigada pelos bons momentos. Espero que possamos continuar amigos.
Ellie

Ela toca seus rascunhos, dobrados e juntos num pilha cuidadosamente guardada entre outras correspondências. Depois de ter recebido a carta final, ele percorreu 340 quilômetros de carro só para chamá-la de vagabunda pessoalmente. Ela se lembra de que curiosamente não se afetara com isso, talvez porque já estivesse em outra. Na universidade, ela sentira o cheiro de uma vida nova, longe da cidadezinha de sua juventude, longe dos Clives, dos Barrys, das noites de sábado no pub, de uma vida em que todo mundo não só sabia quem você era como também o que você tinha feito na escola, o que os seus pais faziam, lembravam-se da vez em que você cantara na apresentação do coro e sua saia caíra. Só era possível se reinventar realmente longe de casa. Quando vai visitar os pais, ela ainda se sente um pouco sufocada por toda aquela história em comum.

Ela termina o chá e se pergunta o que Clive estará fazendo agora. Ele vai se casar, ela pensa, e provavelmente com alguém que o faz feliz. Era uma pessoa fácil de se lidar. Terá uns dois filhos, e o ponto alto do final de semana dele continuará sendo as noites de sábado no pub com os rapazes que ele conhece desde a época da escola.

Hoje, naturalmente, os Clives deste mundo não escreveriam cartas. Mandariam mensagens de texto. **Td bem gata?** Talvez pudesse ter terminado a relação pelo celular se fosse hoje.

Está sentada muito quieta. Olha em volta para a cama vazia, as cartas antigas espalhadas pelo edredom. Não leu nenhuma das de Jennifer desde aquela noite com Rory: estão, de certa forma, desconfortavelmente ligadas à voz dele. Lembra-se do rosto dele quando estava parado no túnel do metrô. *Você podia ter dito não para mim.* Lembra-se da expressão no rosto de Melissa, e tenta não pensar na possibilidade de ter que voltar à antiga vida. Poderia falhar. Mesmo. Tem a sensação de estar equilibrada na beira de um precipício. Algo vai acontecer.

Então ouve o celular. Quase aliviada, se estica na cama para pegá-lo, o joelho amassando o monte de papéis de tons esmaecidos.

Sem resposta?

Ela relê a mensagem e digita:

Desculpe. Pensei que não quisesse que eu mandasse torpedo.

As coisas mudaram. Diga o que quiser agora.

Ela murmura as palavras em voz alta no silêncio do seu pequeno quarto, incapaz de acreditar no que está vendo. É isso que realmente acontece fora das comédias românticas? Será que essas situações, essas contra as quais todos alertam, realmente se resolvem? Ela se imagina na cafeteria numa data futura qualquer, dizendo a Nicky e Corinne; *Sim, claro que ele vai vir morar comigo. Só até a gente encontrar um apartamento maior. Vamos ver as crianças em finais de semana alternados.* Ela o imagina voltando à noite, largando a pasta, beijando-a demoradamente na entrada. É um cenário tão improvável que fica tonta. É isso que ela quer? Recrimina-se pelo momento de dúvida. Claro que é. Não poderia se sentir assim há tanto tempo se não fosse isso.

Diga o que quiser agora.

Calma, diz a si mesma. Não conte com o ovo... E ele já decepcionou você muitas vezes.

Sua mão desce para as pequenas teclas do celular, paira sobre elas, indecisa.

Vou dizer, mas não assim. Ainda bem que vamos poder conversar.

Ela espera um instante, depois digita:

Está meio difícil assimilar isso. Mas também senti saudades. Me liga assim que voltar. Bjs E.

Está prestes a pôr o telefone na mesa de cabeceira quando ele torna a soar.

Ainda me ama?

Fica sem ar por um instante.

Sim.

Envia a mensagem quase antes de pensar a respeito. Espera uns minutos, mas não há resposta. E, sem saber ao certo se está feliz ou não, Ellie se recosta nos travesseiros e fica olhando um bom tempo pela janela para o céu escuro, observando os aviões piscarem silenciosamente na noite rumo a destinos desconhecidos.

Tentei muito fazê-lo entender um pouco do que eu estava pensando naquela viagem de Pádua para Milão, mas você agiu como uma criança mimada e eu não poderia mais magoá-lo. Agora, só tenho coragem porque estou longe. Então — e acredite quando digo que isso é repentino para mim também —, espero me casar em breve.

Agnes von Kurowsky para Ernest Hemingway, por carta

23

Rory sente uma mão no ombro e tira do ouvido um dos fones.
— Chá.
Ele confirma com um gesto de cabeça, desliga a música e enfia o mp3 player no bolso. Os caminhões já terminaram, só restam as pequenas vans de entrega do jornal, correndo de lá para cá com caixas esquecidas, pequenos carregamentos de coisas vitais para a sobrevivência do jornal. É quinta-feira. Domingo, as últimas caixas terão sido despachadas, as últimas canecas e xícaras transportadas. Segunda-feira o *Nation* começará vida nova em sua sede nova e este prédio será esvaziado para demolição. Daqui a um ano, haverá uma construção de vidro e aço no lugar.

Rory senta-se na parte traseira da van ao lado de seu chefe, que está contemplando a fachada antiga de mármore preto do prédio. O emblema de metal do jornal, um pombo-correio, está sendo desmontado de seu pedestal no alto dos degraus.

— Cena estranha, não?
Rory sopra o chá.
— Não é meio esquisito para você? Depois desse tempo todo?
— Não muito. Tudo acaba chegando ao fim. Uma parte de mim está bastante ansiosa para fazer algo diferente.
Rory dá um gole.
— É estranho passar nossos dias no meio das histórias dos outros. Sinto como se a minha própria vida andasse em suspenso.
É como ouvir um retrato falar. Muito improvável, muito fascinante. Rory pousa o chá e escuta.
— Não fica tentado a escrever alguma coisa?
— Não. — O tom do chefe é cético. — Não sou escritor.
— O que vai fazer?

— Não sei. Viajar, talvez. Quem sabe um mochilão, que nem você.

Ambos riem da ideia. Passaram meses trabalhando juntos praticamente em silêncio, raras vezes mencionando qualquer assunto além das necessidades práticas do dia. Agora, com o fim iminente da tarefa que os une, deram para conversar.

— Meu filho acha que eu deveria.

Ele não consegue esconder a surpresa na voz.

— Eu não sabia que você tinha um filho.

— E uma nora. E três netos muito endiabrados.

Rory se vê tendo que reavaliar o chefe. Ele é uma daquelas pessoas que têm um ar solitário, e é um esforço reposicioná-lo em sua imaginação como um homem de família.

— E sua mulher?

— Morreu há muito tempo.

Ele diz isso sem desconforto, mas Rory ainda se sente constrangido, como se tivesse passado dos limites. Se Ellie estivesse ali, pensa Rory, perguntaria na lata o que aconteceu com ela.

Se Ellie estivesse ali, Rory teria ido de fininho para um canto afastado do arquivo em vez de falar com ela. Não quer saber dela. Não quer pensar nela. Não vai pensar no cabelo, no riso dela, no jeito como ela franze a testa quando está concentrada. No que ela parecia ser sob o toque dele: atipicamente dócil. Atipicamente vulnerável.

— Então, quando vai fazer aquelas viagens?

Com grande esforço, Rory deixa de lado seus pensamentos e recebe um livro, depois mais outro. Esse arquivo parece a máquina do tempo e nave espacial Tardis, do seriado Doctor Who: há sempre coisas surgindo do nada.

— Entrei em aviso prévio ontem. Só preciso procurar os voos.

— Vai sentir falta da sua namorada?

— Ela não é minha namorada.

— Só causando boa impressão, hein? Achei que gostasse dela.

— Eu gostava.

— Sempre achei que vocês dois tivessem uma espécie de química.

— Eu também.

— Então qual é o problema?

— Ela é... mais complicada do que parece.

O chefe sorri com ironia.

— Nunca conheci uma mulher que não fosse.

— É... Bem, eu não gosto de complicações.

— Não existe vida livre de complicação, Rory. Todos nós acabamos fazendo concessões no fim.

— Eu não.

O chefe ergue a sobrancelha. Tem um pequeno sorriso nos lábios.

— O que foi? — diz Rory. — *O que foi?* Não vai me dar nenhum sermão sobre oportunidades perdidas e como desejaria ter agido de outra maneira, vai? — Seu tom de voz está mais alto, mais áspero do que ele pretendia, mas ele não consegue evitar. Começa a mover caixas de um lado para outro da van. — De qualquer forma, não adiantaria nada. Vou viajar. Não preciso de complicações.

— Ah, é.

Rory olha de soslaio para ele, nota o sorrisinho.

— Não vá ficar sentimental comigo agora. Preciso me lembrar de você como um velho deprimido.

O velho deprimido ri.

— Eu não me atreveria. Vamos lá. Vamos verificar uma última vez a área de microfichas e carregar o material do chá. Depois eu pago um almoço para nós dois. E então você pode não me contar tudo o que aconteceu entre você e essa moça para quem evidentemente você não está nem aí.

A calçada em frente ao prédio de Jennifer Stirling tem um tom de cinza desbotado sob o sol de inverno. Um gari vem varrendo ao longo do meio-fio, catando habilmente o lixo com um enorme alicate de limpeza. Ellie se pergunta quando foi a última vez que viu um gari em sua parte de Londres. Talvez varrer ruas seja considerado um sisifismo: sua rua é um tumulto de lojas de comida para viagem, padarias baratas, suas sacolas listradas de vermelho e branco flutuando alegremente pela vizinhança, remetendo a mais uma orgia de gorduras saturadas e açúcar na hora do almoço.

— É Ellie. Ellie Haworth — grita ela no interfone quando Jennifer atende. — Eu lhe deixei uma mensagem. Espero que não seja um problema se eu...

— Ellie. — A voz dela é acolhedora. — Eu já ia descer.

Enquanto o elevador vai descendo naquele seu ritmo sem pressa, ela pensa em Melissa. Sem conseguir dormir, Ellie chegou à redação do *Nation* pouco depois das 7h30. Precisava descobrir como dar um fim decente à matéria das cartas de amor. Reler as correspondências de Clive a fez se dar conta de que não pode voltar de jeito nenhum à vida antiga. Vai fazer esta matéria dar certo. Vai conseguir o restante das informações de Jennifer Stirling e, de algum jeito, terminar o artigo. Voltou a ser quem era, focada, determinada. Não pensar na confusão total que sua vida pessoal se tornou ajuda.

Ela levou um choque ao ver Melissa já na redação. A editoria estava deserta, salvo por um faxineiro, empurrando silenciosa e desanimadamente um aspirador de pó por entre as mesas remanescentes. A porta de Melissa estava encostada.

— Eu sei, amorzinho, mas Nina vai levar você.

Ela erguera a mão ao cabelo e agora enrolava nervosamente uma mecha brilhante. Os fios se entrelaçavam em seus dedos esguios, iluminados pelo sol baixo de inverno, puxado, enrolado, solto.

— Não, eu disse isso a você domingo à noite. Lembra? Nina vai levar e buscar depois... Eu sei... Eu sei... Mas a mamãe tem que trabalhar. Você sabe que eu tenho que trabalhar, meu amorzinho...

Ela se sentou, apoiou a cabeça na mão por um momento, de forma que Ellie teve que fazer um esforço para conseguir ouvir.

— Eu sei, eu sei. E eu vou na próxima. Mas lembra que eu contei a você sobre a mudança da nossa sede? E que isso é muito importante? E que mamãe não pode...

Houve um longo silêncio.

— Daisy, querida, pode me chamar a Nina?... Eu sei. Deixa eu falar com ela um minutinho... Sim, depois eu falo com você. Chame...

Ela ergueu os olhos e viu Ellie lá fora. Ellie virou as costas depressa, sem graça por ter sido flagrada entreouvindo a conversa, e pegou seu telefone, fingindo estar numa ligação igualmente importante. Quando tornou a olhar, a porta da sala de Melissa estava fechada. Era difícil dizer daquela distância, mas ela parecia estar chorando.

— Ora, que surpresa agradável.

Jennifer Stirling está com uma camisa de linho engomada e uma calça jeans índigo.

Quero usar jeans quando for sessentona, pensa Ellie.

— Você disse que eu podia voltar.

— Claro que pode. Devo confessar que foi um pecado prazeroso desabafar semana passada. Você faz com que eu me lembre um pouco da minha filha também, o que é realmente uma alegria para mim. Sinto muita falta de tê-la por perto.

Ellie sente um absurdo estremecimento de prazer ao ser comparada à mulher Calvin Klein da fotografia. Tenta não pensar em por que está ali.

— Desde que eu não esteja incomodando...

— Absolutamente. Desde que você não se entedie terrivelmente com as divagações de uma velha. Eu ia dar uma caminhada na Primrose Hill. Quer me acompanhar? — Elas caminham, conversam um pouco sobre a área, os lugares em que cada uma morou, os sapatos de Ellie, que a Sra. Stirling declara admirar. — Meus pés são horríveis — diz. — Quando tinha sua idade eu vivia espremendo-os em sapatos de salto alto. Sua geração deve ser muito mais confortável.

— Sim, mas minha geração nunca teve sua aparência. — Ela está pensando na foto de Jennifer logo que foi mãe, a maquiagem e o cabelo impecáveis.
— Ah, não tínhamos muita escolha. Era uma tirania terrível. Laurence, meu marido, não me deixava ser fotografada se eu não estivesse perfeita. — Ela parece mais leve hoje, menos alquebrada pelas lembranças que trouxe à tona. Caminha com energia, como uma pessoa muito mais jovem, e de vez em quando Ellie tem que dar uma corridinha para acompanhá-la. — Vou lhe dizer uma coisa. Há poucas semanas, fui à estação comprar um jornal, e havia lá uma garota com o que obviamente era a calça de um pijama e aquelas botas enormes forradas de lã de ovelha. Como vocês chamam isso?
— Uggs.
A voz de Jennifer é alegre.
— Isso mesmo. Umas coisas medonhas. E fiquei olhando enquanto ela comprava um litro de leite, o cabelo em pé atrás, e tive uma inveja horrível da liberdade dela. Fiquei ali parada olhando para ela como uma completa maluca. — Ela ri ao se lembrar. — Danushka, gerente do quiosque, me perguntou o que a pobre moça tinha feito contra mim... Acho que, quando me lembro daqueles tempos, era uma existência muito cerceada.
— Posso lhe perguntar uma coisa?
As comissuras da boca de Jennifer sobem ligeiramente.
— Desconfio que você vai perguntar de qualquer forma.
— Você se sente mal em relação ao que aconteceu? Sobre ter um caso, quero dizer.
— Está perguntando se eu lamento ter magoado meu marido?
— Acho que sim.
— E isso é... curiosidade? Ou absolvição?
— Não sei. Provavelmente ambas. — Ellie rói uma unha. — Acho que meu... John... pode estar prestes a largar a mulher.
Há um breve silêncio. Elas estão nos portões da Primrose Hill; Jennifer para ali.
— Filhos?
Ellie não ergue os olhos.
— Sim.
— É uma grande responsabilidade.
— Eu sei.
— E você está um pouco assustada.
Ellie encontra as palavras que não foi capaz de dizer a mais ninguém.
— Eu queria ter certeza de que estou fazendo a coisa certa. Que vai valer a pena todo o sofrimento que estou prestes a causar.

O que essa mulher tem que torna impossível omitir qualquer verdade? Ela sente os olhos de Jennifer nela, e quer, de fato, ser absolvida. Lembra-se das palavras de Boot: *Você me faz querer ser um homem melhor.* Ela quer ser uma pessoa melhor. Não quer estar ali andando com aquela senhora tendo metade da mente se perguntando que trechos da conversa vai roubar e publicar no jornal.

Ter passado anos ouvindo os problemas dos outros parece ter dado a Jennifer um ar de neutralidade sábia. Quando ela fala, afinal, Ellie sente que ela escolheu cuidadosamente as palavras:

— Tenho certeza de que vão resolver isso entre vocês. Você só precisa falar com ele com honestidade. Com uma dolorosa honestidade. E talvez nem sempre receba as respostas que quer. Foi disso que me lembrei ao reler as cartas de Anthony depois que você foi embora semana passada. Não havia nenhum jogo. Eu nunca conheci ninguém, nem antes nem depois, com quem pudesse ser tão honesta.

Ela suspira e acena para que Ellie entre pelo portão. Elas começam a subir a trilha que vai levá-las ao alto do morro.

— Mas não existe perdão para pessoas como nós, Ellie. Você pode vir a descobrir que a culpa tem um papel muito maior no seu futuro do que você gostaria. Dizem que a paixão arde por uma razão, e, quando se trata de casos, os protagonistas não são os únicos que saem machucados. Quanto a mim, ainda me sinto culpada pelo sofrimento que causei a Laurence... Eu justificava isso para mim na época, mas vejo que o que aconteceu... magoou a todos nós. Mas... a pessoa em relação à qual sempre me senti pior é Anthony.

— Você ia me contar o resto da história.

O sorriso de Jennifer está desaparecendo.

— Bem, Ellie, não é um final feliz.

Ela fala de uma viagem malograda à África, uma longa procura, um silêncio conspícuo por parte do homem que antes nunca deixou de lhe dizer como se sentia, e finalmente do início de uma vida nova em Londres, sozinha.

— E é só isso?

— Em resumo.

— E nesse tempo todo você nunca... Nunca houve outra pessoa?

Jennifer Stirling torna a sorrir.

— Mais ou menos. Sou humana. Mas vou dizer que nunca me envolvi emocionalmente com ninguém. Depois de Boot, eu... Eu não quis muito me aproximar de mais ninguém. Para mim, só tinha havido ele. Eu podia ver isso com muita clareza. E, além do mais, eu tinha Esmé. — Seu sorriso se alarga. — Uma criança realmente é um consolo maravilhoso.

Elas já chegaram ao topo. Todo o norte de Londres se estende lá embaixo. Respiram fundo, observando a linha do horizonte ao longe, ouvindo cada vez mais distantes o tráfego, os gritos de gente passeando com seus cães e de crianças desobedecendo aos pais.

— Posso lhe perguntar por que manteve a caixa postal aberta por tanto tempo? Jennifer se apoia no banco de ferro e pensa antes de responder.

— Acho que isso pode parecer uma bobagem para você, mas a gente tinha se desencontrado duas vezes, entende, ambas por uma questão de horas. Senti-me na obrigação de criar todas as chances para um reencontro. Acho que fechar aquela caixa postal seria admitir que finalmente tudo estava acabado. — Ela dá de ombros pesarosa. — Todo ano eu dizia a mim mesma que era hora de cancelar. Os anos se passaram sem que eu percebesse que já havia tanto tempo. Mas acabei não cancelando. Acho que disse a mim mesma que era um capricho bastante inofensivo.

— Então não teve mais nada depois disso? Da última carta dele? — Ellie aponta para a direção de St. Johns Wood. — Nunca mais ouviu falar mesmo nele? Como conseguiu aguentar não saber o que aconteceu?

— Do meu ponto de vista, havia duas possibilidades. Ou ele tinha morrido no Congo, o que, na época, era uma hipótese insuportável demais para considerar, ou, como desconfio, estava muito magoado comigo. Acreditou que eu nunca largaria meu marido, talvez até que eu não me importava com os sentimentos dele, e acho que lhe custou muitíssimo se aproximar de mim uma segunda vez. Infelizmente, só percebi isso tarde demais.

— Nunca tentou mandar localizá-lo? Um detetive particular? Anúncios em jornais?

— Ah, eu não faria isso. Ele saberia onde me encontrar. Eu tinha explicado meus sentimentos. E tinha que respeitar os dele. — Ela olha séria para Ellie. — Sabe, não se pode fazer alguém voltar a nos amar. Por mais que se queira. Às vezes, infelizmente, a questão do momento apenas... não bate.

O vento é forte lá em cima. Entra pelo espaço entre a gola e o pescoço, percorre todas as regiões expostas. Ellie mete as mãos nos bolsos.

— O que acha que teria acontecido se ele tivesse tornado a encontrá-la?

Pela primeira vez os olhos de Jennifer Stirling ficam cheios d'água. Ela olha para a linha do horizonte, faz um pequeno movimento negativo de cabeça.

— Os jovens não têm o monopólio dos corações partidos, sabe. — Ela começa a descer a trilha devagarzinho, e não dá mais para ver seu rosto. O silêncio antes que ela fale de novo faz cair uma pequena lágrima no coração de Ellie.

— Aprendi uma coisa há muito tempo: o *se* é um jogo muito perigoso mesmo.

* * *

Me encontre — Bjs J.

Estamos usando celulares? Bjs

Tenho muita coisa pra contar. Só preciso ver vc. Les Percivals na Derry Street. Amanhã 13h. Bjs

Percivals?!? Não é sua escolha habitual.

Ah. Sou todo surpresas ultimamente. Bjs J.

Ela está sentada à mesa coberta com toalha de linho, folheando as anotações que escreveu no metrô. Sabe, no íntimo, que não pode publicar esta matéria, mas que, se não o fizer, sua carreira no *Nation* está liquidada. Por duas vezes pensou em voltar correndo para o apartamento de St. Johns Wood e se ajoelhar diante daquela senhora, explicando-se, suplicando que ela a deixasse reproduzir no jornal seu caso de amor malogrado. Mas sempre que pensa isso vê o rosto de Jennifer Stirling, ouve a voz dela: *Os jovens não têm o monopólio dos corações partidos, sabe.*

Ela olha para as azeitonas que brilham no prato de cerâmica branco sobre a mesa. Está sem apetite. Se não escrever esta matéria, Melissa vai transferi-la. Se escrever, não tem certeza se jamais se sentirá a mesma no que diz respeito ao que faz ou a quem é. Deseja, mais uma vez, poder falar com Rory. Ele saberia o que ela deve fazer. Ela tem um sentimento desconfortável de que talvez não seja isso que ela queira fazer, mas sabe que ele estaria certo. Seus pensamentos perseguem-se em círculos, argumento e contra-argumento. *Jennifer Stirling provavelmente nem lê o* Nation. *Talvez ela nunca saiba o que você fez. Melissa está procurando uma desculpa para mandar você embora. Você na verdade não tem escolha.*

E então a voz de Rory, sardônica: *Está brincando comigo?*

Sua barriga se contrai. Ela não consegue lembrar quando foi a última vez que não a sentiu cheia de nós. Um pensamento lhe ocorre: se conseguisse descobrir o que foi feito de Anthony O'Hare, Jennifer teria que perdoá-la? Talvez ficasse zangada por algum tempo, mas certamente, no fim, veria que Ellie lhe dera um presente. A resposta caiu no colo dela. Ela vai encontrá-lo. Nem que leve dez anos, vai descobrir o que aconteceu com ele. É a mais inconsistente das possibilidades, mas a faz sentir-se um pouquinho melhor.

Estou a cinco minutos. Já chegou? Bjs J.

Sim. Mesa no térreo. Copo gelado aguardando. Bjs E.

Leva a mão maquinalmente ao cabelo. Ainda não conseguiu descobrir por que John não quis ir direto à casa dela. O velho John sempre preferia ir direto para lá. Era como se ele não conseguisse falar com ela direito, nem mesmo vê-la, até ter liberado toda aquela tensão contida. Nos primeiros meses da relação ela achara isso lisonjeiro, e depois, meio irritante. Agora, uma pequena parte sua se pergunta se este encontro num restaurante significa que eles enfim vão revelar publicamente que estão juntos. Tudo parece ter mudado de forma tão dramática que não está além do novo John querer fazer alguma espécie de declaração pública. Ela vê as pessoas com roupas caras nas mesas vizinhas e seus dedos do pé se contraem ante a ideia.

— Por que está tão inquieta? — perguntou-lhe Nicky esta manhã. — Isso quer dizer que conseguiu o que queria, não?

— Eu sei. — Ela lhe ligou às 7 horas, agradecendo a Deus por ainda ter amigas que entendiam que uma emergência romântica era uma razão legítima para telefonar a uma hora daquelas. — É só que...

— Você não tem certeza se ainda o quer.

— Não! — Ela fez careta para o telefone. — Claro que eu quero! Mas tudo mudou tão depressa que eu não tive chance de assimilar.

— Melhor fazer isso logo. É perfeitamente possível que ele apareça no almoço com duas malas e duas crianças em seus calcanhares.

Por alguma razão Nicky achou a maior graça nessa ideia, e riu até começar a irritar.

Ellie tem a sensação de que Nicky ainda não a perdoou por "estragar as coisas", como ela definiu o que aconteceu, com Rory. Rory parecia um cara legal, disse ela várias vezes.

— Alguém legal de se conversar no pub. — O texto nas entrelinhas: Nicky jamais iria querer ir ao pub com John. Jamais o perdoaria por ser o tipo de homem capaz de trair a mulher.

Ela olha o relógio, depois faz sinal para o garçom lhe trazer outra taça de vinho. Ele já está vinte minutos atrasado. Em qualquer outra ocasião ela estaria contidamente furiosa, mas está tão nervosa agora que até se pergunta se não vai vomitar assim que o vir chegar. Sim, isso é sempre um desejo de boas-vindas. E então ela ergue os olhos e vê uma mulher parada em frente a sua mesa.

A primeira ideia de Ellie é de que se trata de uma garçonete, e então se pergunta por que a mulher não está com a taça de vinho na mão. Então se dá conta não só de que a mulher veste um casaco azul-marinho em vez de um uniforme de garçonete, mas também que a encara, intensamente até, como uma pessoa prestes a começar a cantar sozinha no ônibus.

— Olá, Ellie.

Ellie apenas a olha sem entender.

— Desculpe-me — diz, após folhear mentalmente toda uma agenda de contatos recentes e não ter descoberto nada. — A gente se conhece?

— Ah, acho que sim. Sou a Jessica.

Jessica. Sua mente está em branco. Corte de cabelo bacana. Boas pernas. Talvez meio cansada. Bronzeado. E aí lhe vem o estalo. Jessica. *Jess.*

A mulher percebe seu choque.

— Pois é, imaginei que você fosse reconhecer meu nome. Provavelmente não queria ligá-lo a uma fisionomia, não é? Não queria pensar muito em mim. Acho que o fato de John ser casado era meio inconveniente para você.

Ellie não consegue falar. Tem uma vaga consciência de que os outros clientes olham na sua direção, tendo sentido no ar umas vibrações estranhas vindo da mesa 15.

Jessica Armour está examinando mensagens de texto num telefone celular familiar. Ela aumenta um pouco o tom de voz ao lê-las.

— "Estou me sentindo muito má hoje. Fuja. Não quero saber como, apenas fuja. Vou fazer o encontro valer a pena." Humm, e aqui tem uma boa. "Eu deveria estar escrevendo uma entrevista com a esposa do parlamentar, mas só fico pensando na última terça. Safadinho!" Ah, e minha preferida: "Estive na Agent Provocateur. Foto anexa..." — Quando torna a olhar para Ellie, ela tem a voz trêmula de raiva incontida. — É bem difícil competir com isso quando a gente está cuidando de duas crianças doentes e organizando a reforma da casa. Mas, sim, terça, 12. Eu me lembro desse dia, sim. Ele me trouxe um buquê de flores para se desculpar pelo atraso.

A boca de Ellie está aberta, mas nenhuma palavra sai. Sua pele formiga.

— Examinei o telefone dele nas férias. Queria saber para quem ele estava ligando do bar, e aí descobri sua mensagem. "Ligue por favor. Só uma vez. Preciso saber de você. Bjs". — Ela ri sem achar graça. — Que meigo. Ele acha que o telefone foi roubado.

Ellie quer se enfiar debaixo da mesa. Quer se encolher até sumir, evaporar.

— Eu até queria torcer para você acabar deprimida e sozinha. Mas, na verdade, torço para você ter filhos um dia, Ellie Haworth. Aí você saberá como é estar vulnerável. E ter que brigar, estar sempre vigilante, só para garantir que seus filhos cresçam com um pai. Pense nisso da próxima vez que comprar lingerie transparente para divertir meu marido.

Jessica Armour vai embora por entre as mesas para a rua ensolarada. Talvez o restaurante tenha ficado em silêncio. Não há como Ellie saber com aquele zumbido nos ouvidos. Por fim, o rosto em brasa, as mãos trêmulas, ela faz sinal para o garçom trazer a conta.

Quando ele se aproxima, ela murmura alguma coisa sobre ter que sair inesperadamente. Não sabe bem o que está dizendo: a voz já não parece dela.

— A conta — diz.

Ele aponta para a porta. Tem um sorriso solidário.

— Não precisa. Aquela senhora já pagou.

Ellie volta para a redação, indiferente ao tráfego, ao empurra-empurra nas calçadas, aos olhares de recriminação dos vendedores da *Big Issue*. Queria estar em sua casinha com a porta fechada, mas, dada sua situação precária no trabalho, é impossível. Ela atravessa a redação do jornal, consciente dos olhares alheios, convencida de que todo mundo deve estar vendo sua vergonha, vendo o mesmo que Jessica Armour, como se estivesse gravado com todas as letras em sua testa.

— Tudo bem com você, Ellie? Está muito pálida. — Rupert levanta-se de detrás do monitor. Alguém colou um adesivo escrito "incinerar" atrás do monitor dele.

— Dor de cabeça. — Sua voz sai rouca.

— Terri tem remédio. Ela tem remédio para tudo — comenta ele, e torna a desaparecer atrás do monitor.

Ela senta-se à sua mesa e liga o computador, vendo os e-mails novos. Lá está.

```
Perdi o telefone. Compro outro na hora do almoço. Vou
passar o número novo por e-mail. Bjs J.
```

Ela confere a hora. Chegara em sua caixa de entrada enquanto ela entrevistava Jennifer Stirling. Ela fecha os olhos, vendo de novo a imagem que flutua diante dos seus olhos há meia hora: a mandíbula tensa de Jessica Armour, os olhos medonhos, o modo como o cabelo se mexia em volta do rosto enquanto ela falava, como se estivesse eletrificado pela sua raiva, sua mágoa. Bem lá no fundo, ela reconheceu que, em outras circunstâncias, teria ido com a cara daquela mulher, teria tido vontade de sair para beber com ela. Quando torna a abrir os olhos, não quer ver as palavras de John, não quer ver essa versão de si mesma refletida nelas. É como se ela tivesse acordado de um sonho especialmente vívido, um sonho que já dura um ano. Ela sabe a extensão de seu erro. Deleta o e-mail.

— Aqui. — Rupert põe uma xícara de chá em sua mesa. — Talvez ajude a se sentir melhor.

Rupert nunca faz chá para ninguém. Os outros redatores já apostaram no passado quanto tempo ele levava para ir até a cantina, e ele sempre era uma barbada. Ela não sabe se fica comovida com esse ato raro de compaixão ou com medo do que o levou a achar que ela precisa disso.

— Obrigada — diz ela, e pega o chá.

É quando ele se senta que ela vê um nome familiar num outro e-mail: *Phillip O'Hare*. Seu coração dispara, as humilhações da última hora temporariamente esquecidas. Clica na mensagem e vê que o remetente é o Phillip O'Hare do *Times*.

```
Oi — fiquei meio confuso com a sua mensagem. Pode me
ligar?
```

Ela enxuga os olhos. O trabalho, diz a si mesma, é a resposta para tudo. O trabalho é agora a única coisa. Ela vai descobrir o que aconteceu com o amante de Jennifer, que vai perdoá-la pelo que ela está prestes a fazer. Terá que perdoar.

Ela liga para a linha direta que consta no e-mail. Um homem atende no segundo toque. Dá para ouvir o burburinho familiar de uma redação de jornal ao fundo.

— Oi — diz ela, a voz hesitante. — É Ellie Haworth. Você me mandou um e-mail.

— Ah. Sim, Ellie Haworth. Um momento. — Pela voz, ele deve ter uns 40 e tantos anos. É uma voz parecida com a de John. Ela bloqueia esse pensamento ao ouvir taparem o bocal com a mão, depois a voz dele, abafada, e depois ele de novo. — Desculpe-me. Prazos. Olha, obrigado por retornar... Eu só queria confirmar uma coisa. Onde você disse que trabalhava? No *Nation*?

— Sim. — Ela ficou com a boca seca. Desata a falar. — Mas eu lhe garanto que o nome dele não vai necessariamente ser usado na matéria sobre a qual estou escrevendo. Eu só queria descobrir o que aconteceu com ele para uma amiga que...

— *Nation*?

— Sim.

Há um breve silêncio.

— E você diz que quer descobrir o paradeiro do meu pai?

— Sim. — Sua voz está sumindo.

— E você é jornalista?

— Desculpe-me — diz ela. — Não estou entendendo aonde você quer chegar. Sim, sou jornalista. Como você. Está dizendo que se sente mal em dar informações para um jornal concorrente? Eu já disse que...

— Meu pai é Anthony O'Hare.

— Sim. É quem estou tentando...

O homem do outro lado da linha está rindo.

— Você não é da seção de investigação, claro que não, é?

— Não.

Ele custa um pouco a se conter.

— Srta. Haworth, meu pai trabalha no *Nation*. No seu jornal. Há mais de quarenta anos.

Ellie fica muito quieta. Pede que repita o que ele acaba de dizer.

— Não estou entendendo — diz ela, levantando-se. — Eu pesquisei os créditos das matérias. Fiz um monte de buscas. Não apareceu nada. Só o seu nome, no *Times*.

— É porque ele não escreve.

— Então o que ele...

— Meu pai trabalha no arquivo. Desde... hum... 1964.

... o fato é que fazer sexo com você e ganhar a bolsa Somerset Maughan simplesmente não combinam.

Homem a Mulher, por carta

24

— E dê isso a ele. Ele vai saber o que significa.

Jennifer Stirling escreveu um bilhete, arrancou-o da agenda e enfiou-o em cima da pasta, que colocou na mesa do subeditor.

— Claro — disse Don.

Ela segurou o braço dele.

— Vai mesmo entregar-lhe isso? É muito importante. Absurdamente importante.

— Entendo. Agora, se me permite, preciso continuar meu trabalho. Esta é a hora mais cheia do dia. Todo mundo aqui está às voltas com os prazos.

Don queria vê-la fora da sala. Queria a criança fora da sala.

Ela contraiu o rosto.

— Desculpe-me. Por favor só me garanta que ele receba isso. Por favor.

Meu Deus, ele só queria que ela fosse embora. Não conseguia olhar para ela.

— Eu... Desculpe-me por ter incomodado o senhor.

Ela subitamente parecia inibida, como se tivesse consciência da cena que criara. Pegou a mão da filha e, quase com relutância, foi-se embora. As poucas pessoas reunidas em volta da mesa do subeditor observaram-na se retirar em silêncio.

— Congo — disse Cheryl um instante depois.

— Precisamos mandar a página 4 para a composição. — Don olhava fixamente para a mesa. — Vamos com o padre dançarino.

Cheryl continuava olhando para ele.

— Por que disse que ele foi para o Congo?

— Quer que eu diga a verdade? Que ele entrou em coma alcoólico?

Cheryl mordeu a caneta na boca, olhando para a porta do outro lado da sala.

— Mas ela parecia tão triste.

— Bem feito. Foi ela que causou os problemas todos dele.

— Mas você não pode...

A voz de Don explodiu na redação:

— A última coisa que aquele rapaz precisa é dela despertando tudo de novo. Está entendendo? Estou fazendo um favor a ele.

Arrancou o bilhete da pasta e atirou-o na lixeira.

Cheryl enfiou a caneta atrás da orelha, lançou um olhar duro para o chefe e voltou requebrando para sua mesa.

Don respirou fundo.

— Certo, será que dá para esquecer a maldita vida amorosa de O'Hare e continuar com o raio dessa matéria do padre dançarino? Alguém? Terminem uma matéria rapidinho ou amanhã a gente vai mandar os jornaleiros para a rua com um carregamento de páginas em branco.

Na cama ao lado, um homem tossia. A tosse ia e vinha, em ritmo educado, *staccato*, como se ele tivesse algo preso na garganta. Tossia até dormindo. Anthony O'Hare deixava o ruído recuar para um canto remoto de sua consciência, como tudo mais. Ele agora sabia os truques. Como fazer as coisas sumirem.

— Visita para você, Sr. O'Hare.

Barulho de cortinas sendo abertas, claridade inundando o ambiente. Enfermeira escocesa bonitinha. Mãos frias. Cada palavra que ela lhe dizia era no tom de alguém com a intenção de conceder um favor. *Só vou lhe dar uma injeçãozinha, Sr. O'Hare. Devo chamar alguém para ajudá-lo a ir ao banheiro, Sr. O'Hare? Visita para você, Sr. O'Hare.*

Visita? Por um momento pairou uma esperança, então ele ouviu a voz de Don através das cortinas e se lembrou de onde estava.

— Não se importe comigo, meu bem.

— Pode deixar — disse ela com afetação.

— Na cama a essa hora, é? — Uma cara redonda em algum lugar aos seus pés.

— Que engraçado — falou com a boca nos travesseiros, se endireitando na cama. Seu corpo todo doía. Piscou. — Preciso sair daqui.

Sua visão clareou. Don estava parado no pé da sua cama, braços cruzados no peito.

— Você não vai a lugar nenhum, rapaz.

— Não posso ficar aqui. — A voz dele parecia vir de dentro do peito. Rangia como uma roda de madeira numa trilha.

— Você não está bem. Querem verificar sua função hepática antes de você ir a qualquer lugar. Você deu um baita susto em todos nós.

— O que aconteceu? — Ele não conseguia se lembrar de nada.

Don hesitou, talvez tentando calcular quanto dizer.

— Você não apareceu no escritório da Marjorie Spackman para a grande reunião. Quando deu 18 horas e ninguém sabia de você, tive um mau pressentimento, deixei o Michaels no comando e corri para seu hotel. Encontrei você no chão, não muito bonito. Estava com uma cara pior do que agora, e olha que isso é difícil.

Flashback. O bar do Regent. Os olhos desconfiados do barman. Dor. Vozes falando mais alto. Uma viagem interminável de volta ao quarto, se segurando nas paredes, subindo trôpego. O barulho de coisas se quebrando. Depois nada.

— Estou todo doído.

— Imagino. Só Deus sabe o que fizeram com você. Você parecia uma almofada de alfinetes ontem à noite.

Agulhas. Vozes urgentes. A dor. Ai, nossa, a dor.

— Que diabo está havendo, O'Hare?

Na cama ao lado, o homem recomeçou a tossir.

— Foi aquela mulher? Ela o rejeitou?

Don sentia um desconforto físico quando discutia sentimentos. Isso se via no seu balançar da perna e na mania de passar a mão na careca.

Não fale nela. Não me faça lembrar do rosto dela.

— Não é tão simples.

— Então que merda é essa? Mulher nenhuma vale... isso. — E fez um gesto distraído acima da cama.

— Eu... só queria esquecer.

— Então vai arrastar a asa para outra pessoa. Alguém que você possa *ter*. Você vai superar isso. — Talvez falar fizesse isso se concretizar.

O silêncio de Anthony durou apenas o suficiente para contradizê-lo.

— Algumas mulheres são encrenca — acrescentou Don.

Perdoe-me. Eu só precisava saber.

— Mariposas atraídas para uma chama. Todos nós já passamos por isso.

Perdoe-me.

Anthony balançou a cabeça.

— Não, Don. Não é isso.

— Sempre "não é isso" quando é com a gente...

— Ela não pode largá-lo porque ele não vai deixá-la ficar com a menina.

A voz de Anthony, de repente límpida, atravessou a área cercada pela cortina. Por um instante o homem na cama ao lado parou de tossir. Anthony viu o chefe entender o que a frase deixava implícito, uma expressão de solidariedade se insinuando.

— Ah. Duro.

— É.

A perna de Don começara a balançar de novo.

— Isso não quer dizer que você tenha que se matar de tanto beber. Sabe o que disseram? A febre amarela acabou com o seu fígado. Acabou com ele, O'Hare. Mais uma bebedeira dessas e você...

Anthony sentia-se infinitamente cansado. Virou para o outro lado no travesseiro.

— Não se preocupe. Não vai acontecer de novo.

Depois que voltou do hospital, Don ficou meia hora sentado à sua mesa, pensando. Em volta dele a redação despertava lentamente, como todos os dias, um gigante adormecido incitado à vida com relutância: jornalistas batendo papo aos telefones, matérias subindo e descendo nas listas de notícias, páginas formadas e planejadas, o layout da primeira sendo feito na mesa de produção.

Ele esfregou o queixo, chamou por cima do ombro para a mesa das secretárias:

— Lourinha, arranja o telefone do tal do Stirling. O homem do asbesto.

Cheryl ouviu em silêncio. Minutos depois, entregou-lhe o número que havia tirado da Who's Who da redação.

— Como ele está?

— Como você acha que estaria?

Ele bateu com a caneta na mesa algumas vezes, ainda mergulhado em pensamentos. Então, enquanto ela voltava para sua mesa, ele pegou o telefone e pediu à telefonista para ligar para Fitzroy 2286.

Tossiu um pouco antes de falar, como alguém pouco à vontade em usar o telefone.

— Eu gostaria de falar com Jennifer Stirling, por favor.

Dava para ele sentir Cheryl observando-o.

— Posso deixar um recado?... O quê? Ah, não? Ah. Entendi. — Uma pausa. — Não, não tem importância. Perdão por tê-la incomodado. — Desligou.

— O que aconteceu? — Cheryl estava parada a seu lado. De salto alto, era mais alta que ele. — Don?

— Nada. — Ele se endireitou. — Esqueça que eu disse alguma coisa. Quer ir buscar um sanduíche de bacon para mim? E não se esqueça do molho. Não consigo comer sem isso.

Amassou o número rabiscado e jogou-o na lixeira a seus pés.

A dor era pior do que se alguém tivesse morrido. À noite vinha em ondas, implacáveis e com uma força espantosa, esvaziando-o por dentro. Ele a via toda vez que fechava os olhos, o prazer sonolento dela, sua expressão de culpa e desamparo ao avistá-lo no lobby do hotel. Sua fisionomia lhe dissera que eles estavam perdidos, e que ao dizer isso ela já sabia o que havia feito.

E ela estava certa. Ele sentira raiva, a princípio, por ela lhe ter dado esperanças sem lhe contar sua verdadeira situação. Ter reconquistado à força seu coração de modo tão implacável quando não havia chance para eles. Como era mesmo o ditado? *Era a esperança que o mataria.*

Os sentimentos oscilavam loucamente. Ele a perdoava. Não havia nada a perdoar. Ela fizera aquilo porque, assim como ele, não poderia não ter feito. E porque era a única parte dele que ela poderia razoavelmente esperar ter. Espero que essa lembrança a sustente, Jennifer, porque me destruiu.

Ele relutava em reconhecer que, dessa vez, de fato não lhe sobrara mais nada. Sentia-se fisicamente enfraquecido, fragilizado pelo próprio comportamento desastroso. Sua mente perspicaz lhe fora sequestrada, suas partes lúcidas, desmanteladas, só restando nessa lucidez a pulsação da perda, o mesmo latejar implacável que ele ouvira naquele dia em Leopoldville.

Ela nunca seria dele. Eles haviam chegado tão perto, e ela nunca seria dele. Como ele viveria com essa certeza?

De madrugada, ele imaginava mil soluções. Exigiria que Jennifer se divorciasse. Faria tudo o que pudesse para fazê-la feliz, compensar a ausência da filha, com sua força de vontade. Contrataria o melhor advogado. Daria a ela mais filhos. Enfrentaria Laurence. Em seus sonhos mais loucos, tentava esganá-lo.

Mas Anthony fora durante muitos anos um homem machista, e mesmo agora, em seu íntimo, não podia deixar de sentir como devia ser para Laurence: saber que sua mulher amava outro. E então ter que entregar a filha ao homem que a roubara. Isso minara a vida de Anthony — mesmo ele nunca tendo amado Clarissa como amara Jennifer. Pensava em seu filho triste e calado, no próprio sentimento de culpa constante, e sabia que, se impusesse isso a outra família, qualquer felicidade que eles conquistassem seria construída sobre uma corrente sinistra de sofrimento. Ele destruíra uma família. Não podia ser responsável pela destruição de outra.

Telefonou para sua namorada em Nova York e avisou que não iria voltar. Ouviu seu espanto e as lágrimas que ela mal conseguia disfarçar apenas com um sentimento de culpa distante. Não poderia voltar para lá. Não poderia mergulhar nos ritmos urbanos constantes da vida de Nova York, dos dias medidos em viagens de ida e volta ao prédio da ONU, porque agora eles estariam contaminados por Jennifer. Tudo estaria contaminado por Jennifer, seu cheiro, seu gosto, pelo fato de que ela estaria existindo em algum outro lugar, respirando, sem ele. Era pior, de certa forma, saber que ela o quisera tanto quanto ele a quisera. Ele não podia usar a raiva contra Jennifer para impulsionar seu pensamento para longe dela.

Perdoe-me. Eu só precisava saber.
Ele sentia a necessidade de estar num lugar onde não pudesse pensar. Para sobreviver, tinha que estar em algum canto onde sobreviver fosse a única coisa em que pudesse pensar.

Don pegou-o dois dias depois, na tarde em que o hospital concordara em lhe dar alta, com resultados de funções hepáticas adequados e terríveis ameaças do que poderia lhe acontecer se ele se atrevesse a beber de novo.

— Para onde estamos indo? — Ele observou Don colocar sua maletinha no porta-malas e sentiu-se como um refugiado.

— Você vai para minha casa.

— O quê?

— Viv decidiu. — Ele evitava os olhos de Anthony. — Ela acha que você precisa de confortos caseiros.

Você acha que eu não posso ser deixado sozinho.

— Acho que eu não...

— Isso não é objeto de discussão — disse Don, e sentou-se ao volante. — Mas não me culpe pela comida. Minha mulher conhece 101 maneiras de incinerar um boi, e, pelo que eu sei, ela continua fazendo experiências.

Era sempre desconcertante ver os colegas de trabalho num ambiente doméstico. Ao longo dos anos, embora tivesse encontrado Viv — vivaz na mesma medida que Don era desagradável — em várias funções de trabalho, Anthony de certa forma via Don, mais do que qualquer pessoa, como alguém que morava no *Nation*. Ele estava sempre lá. Aquela redação, com suas enormes pilhas de papéis, suas notas e mapas rabiscados espetados de qualquer maneira nas paredes, era seu hábitat natural. Don em casa, de pantufas, os pés para cima num sofá de estofado exagerado, Don ajeitando enfeites ou indo comprar leite — isso ia contra as regras da natureza.

Afora isso, era de certa forma tranquilizante estar na casa dele. O chalé em falso estilo Tudor que ficava na periferia da cidade era espaçoso o suficiente para que ele não se sentisse esbarrando em ninguém. Os filhos já eram crescidos e haviam saído de casa, e, à parte os porta-retratos, não existiam lembretes constantes do seu próprio fracasso como pai.

Viv o recebeu com dois beijinhos, e não fez nenhuma referência a onde ele estivera.

— Pensei que vocês rapazes fossem querer jogar golfe hoje à tarde — disse.

Eles queriam. Mas Don jogava tão mal que Anthony depois se deu conta de que seus anfitriões deviam ter pensado naquilo como o único programa que eles poderiam fazer juntos e que não envolvesse bebida. Don não mencionou Jennifer. Ainda estava preocupado, dava para ver. Fazia referências frequentes ao fato de Anthony estar bem, à retomada da normalidade, o que quer que isso significasse. Não havia vinho no almoço nem no jantar.

— Então, qual é o plano?

Ele estava sentado num dos sofás. Ao longe, ouvia Viv na cozinha acompanhando a música no rádio enquanto lavava a louça.

— Voltamos ao trabalho amanhã — disse Don. Estava esfregando a barriga.

Trabalho. Uma parte sua queria perguntar o que isso poderia ser, mas não se atrevia. Falhara com o *Nation* uma vez, temia a confirmação de que tivesse falhado definitivamente dessa vez.

— Conversei com Spackman.

Ai. Lá vem.

— Tony, ela não sabe. Ninguém lá em cima sabe.

Anthony piscou.

— Só a gente na redação. Eu, a Lourinha, uns dois subeditores. Tive que avisar a eles que eu não ia voltar para a redação no dia em que levamos você para o hospital. Eles não vão falar nada.

— Não sei o que dizer.

— Isso é novidade. Mas enfim. — Don acendeu um cigarro e soprou uma longa espiral de fumaça. Seus olhos encontraram os de Anthony quase com culpa. — Ela concorda comigo em que devemos mandar você de novo para o exterior.

Anthony custou um pouquinho a registrar o que ele dizia.

— Para o Congo?

— Você é o melhor homem para o trabalho.

Congo.

— Mas eu preciso saber... — Don bateu o cigarro num cinzeiro.

— Tudo bem.

— Deixa eu terminar. Preciso ter certeza de que você vai tomar conta de si mesmo. Não posso ficar me preocupando.

— Nada de bebida. Nenhuma imprudência. Eu simplesmente... Eu preciso fazer o trabalho.

— Foi o que pensei.

Mas Don não acreditou nele. Anthony via isso no olhar de soslaio. Uma pequena pausa.

— Eu me sentiria responsável.

— Eu sei.

Esperto, esse Don. Mas Anthony não poderia tranquilizá-lo. Como faria isso? Ele não sabia ao certo como passaria a meia hora seguinte, quanto mais como se sentiria no coração da África.

A voz de Don tornou a interromper seus pensamentos antes que a resposta se tornasse humilhante. Ele apagou o cigarro.

— O futebol vai começar num minuto. Chelsea contra Arsenal. Que tal? — Don levantou-se pesadamente da cadeira e ligou o televisor revestido de mogno, no canto. — Vou lhe dar uma boa notícia. Você não pode mais pegar aquela febre amarela filha da mãe. Depois de ter ficado mal como você ficou, parece que você fica imune.

Anthony fitava a tela em preto e branco sem nada ver. *Como posso fazer o restante ficar imune?*

Eles estavam na sala do editor internacional. Paul de Saint, um homem alto e aristocrático de cabelo penteado para trás e ar de poeta romântico, analisava um mapa sobre a mesa.

— A grande reportagem está em Stanleyville. Há pelo menos oitocentos não congoleses mantidos reféns ali, muitos no hotel Victoria, e talvez mais mil nos arredores. Até agora, os esforços diplomáticos para salvá-los não deram em nada. Há tantas lutas internas entre os rebeldes que a situação muda a toda hora e é quase impossível ter uma imagem precisa. Está tudo muito confuso lá, O'Hare. Até uns seis meses atrás, eu teria dito que a segurança de todos os brancos estava garantida, independentemente do que acontecesse com os nativos. Agora, acho, eles parecem ter como alvo *les colons*. Há algumas histórias bastante medonhas vindo à tona. Nada que a gente possa botar no jornal. — Ele fez uma pausa. — Estupro é só metade dessas atrocidades.

— Como eu entro?

— Aí está nosso problema inicial. Andei falando com o Nicholls, e a melhor maneira vai ser via Rodésia, ou Zâmbia, como agora estão chamando a metade norte. Nosso homem lá está tentando arranjar uma rota terrestre para você, mas muitas das estradas foram destruídas, e isso vai levar dias.

Enquanto falava de logística de viagem com Don, Anthony deixou a conversa se afastar dele e viu, com certa satisfação, que não só já estava há meia hora sem pensar nela como também a matéria o atraía. Já sentia um friozinho na barriga, e estava empolgado com o desafio de atravessar o terreno hostil. Não sentia medo. Como poderia? O que de pior poderia acontecer?

Ele folheou os arquivos que o assistente de Saint lhe entregou. O contexto político; a ajuda comunista aos rebeldes que tanto irritara os americanos; a execução do missionário americano, Paul Carlson. Leu os relatos locais do que os rebeldes haviam feito e ficou tenso. Aquilo tudo lhe lembrava 1960, a confusão do breve governo de Lumumba. Leu tudo com certo distanciamento.

Tinha a sensação de que o homem que estivera lá antes, o homem tão abalado pelo que vira, era alguém que ele já não reconhecia.

— Então, vamos reservar voos para o Quênia amanhã, sim? Temos um homem na Sabena que vai nos informar se há algum voo doméstico para o Congo. Do contrário, é desembarcar no aeroporto de Salisbury e atravessar a fronteira da Rodésia. Tudo bem?

— A gente sabe quais correspondentes conseguiram chegar lá?

— Não tem muita coisa sendo publicada. Desconfio que as comunicações estejam difíceis. Mas Oliver tem um artigo no *Mail* hoje, e ouvi dizer que amanhã a cobertura do *Telegraph* vai ser grande.

A porta se abriu. A expressão de Cheryl era de ansiedade.

— Estamos no meio de uma discussão, Cheryl — gritou Don, irritado.

— Desculpe-me — disse ela —, mas o seu filho está aqui.

Anthony custou a perceber que ela olhava para ele.

— Meu filho?

— Levei ele para a sala do Don.

Anthony se levantou, sem conseguir digerir o que tinha ouvido.

— Deem-me licença um instante — disse, e acompanhou Cheryl pela redação.

De novo aquilo: o baque que ele sentia nas poucas vezes que conseguia ver Phillip, uma espécie de choque visceral ao notar quanto ele havia mudado desde o último encontro; seu crescimento era uma repreensão constante pela ausência do pai.

Em seis meses o garoto espichara alguns centímetros, entrando na adolescência mas ainda sem ter encorpado. Encurvado, parecia um ponto de interrogação. Ergueu o rosto quando Anthony entrou na sala, e tinha o rosto pálido, os olhos vermelhos.

Anthony ficou ali, tentando descobrir a causa do sofrimento estampado no rosto do filho, e se perguntava: Fui eu de novo? Será que ele descobriu o que eu fiz comigo? Será que sou um fracasso tão grande aos olhos dele?

— É a mamãe — disse Phillip. Ele piscava furiosamente e limpava o nariz com a mão.

Anthony chegou mais perto. O garoto abriu os braços e se atirou com ímpeto nos braços do pai. Anthony se sentiu agarrado, as mãos de Phillip segurando a sua camisa como se nunca fossem soltá-lo, e ele deixou a mão cair suavemente na cabeça do garoto, cujos soluços sacudiam seu corpo franzino.

A chuva fazia tanto barulho no teto do carro de Don que quase afogava os pensamentos. Quase. Durante os vinte minutos que haviam levado para atravessar o tráfego na Kensington High Street, os dois homens ficaram calados, e o único outro som que se ouvia eram as tragadas apaixonadas de Don em seu cigarro.

— Acidente — disse Don, olhando para as luzes traseiras serpenteantes à sua frente. — Deve ter sido dos grandes. Devíamos ligar para a redação. — Ele estacionou sem esforço ao lado das cabines telefônicas.

Como Anthony ficou calado, Don se inclinou e ficou mexendo no rádio até a estática o ensurdecer. Examinou a ponta do cigarro, soprou-a, fazendo-a brilhar.

— De Saint disse que temos até amanhã. Depois disso, temos que esperar quatro dias pelo próximo voo. — Falava como se houvesse uma decisão a ser tomada. — Você podia ir, e a gente o tira de lá se ela piorar.

— Já piorou. — O câncer de Clarissa fora de uma rapidez chocante. — A expectativa é de que ela não dure nem 15 dias.

— Ônibus desgraçado. Veja só, ocupando a rua toda. — Don abaixou o vidro da janela e jogou o cigarro na rua molhada. Limpou as gotas de chuva da manga ao tornar a fechá-la. — Como é o marido, aliás? Não presta?

— Só estive com ele uma vez.

Não posso ficar com ele. Por favor, pai, não me faça ficar com ele.

Phillip se agarrara ao seu cinto como alguém se segurando a um bote salva-vidas. Quando finalmente levara o menino de volta para a casa em Parsons Green, Anthony continuara sentindo, até muito depois de tê-lo deixado, o peso dos seus dedos.

— Desculpe-me — dissera Anthony a Edgar.

O vendedor de cortinas, mais velho do que ele esperara, olhara-o desconfiado, como se houvesse um insulto no que ele dissera.

— Não posso ir.

As palavras estavam ali. Era quase um alívio dizê-las. Como finalmente ter recebido a sentença de morte após anos de possíveis suspensões de pena.

Don suspirou. Talvez de melancolia ou de alívio.

— Ele é seu filho.

— Ele é meu filho.

Ele prometera: *Sim, claro que pode ficar comigo. Claro que pode. Vai ficar tudo bem.* Mas mesmo enquanto falava não entendera plenamente do que estava abrindo mão.

O tráfego começara a andar de novo, a princípio se arrastando lentamente, depois com mais velocidade.

Estavam em Chiswick antes de Don tornar a falar.

— Sabe, O'Hare, isso pode dar certo. Pode ser uma sorte. Só Deus sabe o que poderia acontecer com você lá. — Olhou-o de soslaio. — E quem sabe? Deixe o garoto se acalmar um pouco... Você ainda pode ir trabalhar em campo.

Podemos ficar com ele. Deixe Viv cuidar dele. Ele vai gostar lá de casa. Só Deus sabe como ela sente falta de ter criança por perto. Nossa. — Uma ideia lhe ocorreu. — Você vai ter que arranjar uma casa. Chega de morar em quartos de hotel.

Ele deixou Don falar, colocando diante dele essa mítica vida nova, como matérias numa página, prometendo, tranquilizando, o homem de família emergindo para fazê-lo sentir-se melhor, para esconder o que ele perdera, calar o tambor que ainda batia em algum lugar nas regiões mais obscuras de sua alma.

Ele recebera duas semanas de licença para encontrar um lugar onde morar e estar ao lado do filho na morte da mãe e na formalidade desagradável do funeral. Phillip não tornara a chorar na sua frente. Manifestara um prazer educado diante da casa geminada no sudoeste de Londres — perto da escola, e de Don e Viv, que se atirara com alegria em seu papel de futura tia. Ele agora estava sentado com sua triste malinha, como se aguardando novas instruções. Edgar não telefonara para saber como ele estava.

Era como morar com um estranho. Phillip ficava ansioso para agradar, como se receasse ser mandado embora. Anthony estava aflito para lhe dizer como se sentia feliz por estarem morando juntos, embora, no íntimo, tivesse a sensação de que havia passado alguém para trás, recebido algo que não merecia. Sentia-se totalmente inábil para lidar com a esmagadora dor do menino e se esforçava para superar a própria.

Embarcou num curso intensivo de habilidades práticas. Levava as roupas dos dois à lavanderia, sentava-se ao lado de Phillip no barbeiro. Como na cozinha não sabia fazer muito mais que um ovo cozido, os dois iam todas as noites a um café no fim da rua, onde comiam refeições enormes e substanciosas de bife e torta de rim e vegetais muito cozidos, pudins salgados nadando em um molho pálido. Eles empurravam a comida pelo prato com desânimo, e toda noite Phillip anunciava que tinha sido "deliciosa, obrigado", como se ir àquele café tivesse sido uma grande alegria. Em casa, Anthony ficava parado em frente ao quarto do filho, se perguntando se deveria entrar ou se reconhecer a tristeza dele só a agravaria.

Aos domingos, eram convidados a ir à casa de Don, onde Viv servia um assado com todos os acompanhamentos, e insistia em jogos de tabuleiro depois que tirava a mesa. Observar o menino rir da provocação, da insistência otimista dela para ele entrar no jogo, vê-la acolhendo-o naquela estranha família estendida deixava Anthony com dor no coração.

Quando entravam no carro, ele via que mesmo enquanto Phillip acenava para Viv, soprando beijos pela janela, uma lágrima solitária lhe escorria pelo rosto. Ele segurava o volante, paralisado com tamanha responsabilidade. Não conseguia imaginar o que dizer. O que tinha para oferecer a Phillip quando ainda se perguntava a toda hora se não teria sido melhor se fosse Clarissa quem tivesse sobrevivido?

Naquela noite, sentou-se diante da lareira, vendo as primeiras imagens de TV dos reféns de Stanleyville libertados. Seus vultos indistintos saíam de um avião do Exército e se amontoavam, chocados, em grupos na pista.

— Tropas de elite belgas levaram apenas algumas horas para defender a cidade. Ainda é muito cedo para contar as vítimas com alguma precisão, mas os primeiros relatos sugerem que pelo menos cem europeus morreram na crise. Há ainda muitos mais desaparecidos.

Ele desligou a televisão, hipnotizado pela tela até bem depois de sumir o ponto branco. Finalmente, subiu, hesitando diante da porta do filho, ouvindo o inconfundível ruído de soluços abafados. Eram 22h15.

Anthony fechou os olhos por um instante, abriu-os novamente e empurrou a porta. Seu filho se sobressaltou e escondeu algo embaixo da colcha.

Anthony acendeu a luz.

— Filho?

Silêncio.

— O que foi?

— Nada. — O menino se recompôs, enxugando o rosto. — Estou bem.

— O que foi isso?

Ele falava baixo. Sentou-se na beira da cama. Phillip estava quente e molhado, devia estar chorando havia horas. Anthony sentiu-se arrasado com sua falta de jeito como pai.

— Nada.

— Aqui. Deixa eu ver.

Puxou delicadamente a coberta. Era um pequeno retrato de Clarissa numa moldura de prata, as mãos pousadas com orgulho nos ombros do filho. Ela sorria de orelha a orelha.

O menino deu de ombros. Anthony pôs a mão na fotografia e limpou as lágrimas do vidro com o polegar. Espero que Edgar tenha feito você sorrir assim, disse a ela mentalmente.

— É uma fotografia linda. Quer colocar lá embaixo? Em cima da lareira, talvez? Em algum lugar que você possa olhar para ela sempre que quiser?

Ele sentia os olhos de Phillip analisando seu rosto. Talvez estivesse se preparando para algum comentário mordaz, alguma acusação com um resto de ressentimento, mas os olhos de Anthony estavam grudados na mulher da foto, em seu sorriso feliz. Não conseguia enxergá-la. Via Jennifer. Via-a em toda parte. Sempre a veria em toda parte.

Controle-se, O'Hare.
Ele devolveu o retrato ao filho.
— Sabe... não tem problema se sentir triste. Mesmo. Temos autorização para nos sentirmos tristes quando perdemos alguém que amamos. — Era muito importante ele entender isso.
Sua voz ficara embargada, uma emoção vindo lá de dentro, e seu peito doía com o esforço para não se deixar dominar por ela.
— Na verdade, eu também estou triste. Muito. Perder uma pessoa que a gente ama é... é realmente insuportável. Eu entendo.
Ele puxou o filho para junto dele, falando bem baixinho:
— Mas estou muito feliz que você agora esteja aqui, porque acho... acho que você e eu simplesmente poderíamos enfrentar isso juntos. O que acha?
Phillip encostou a cabeça no peito dele e um braço fino envolveu sua cintura. Ele sentiu a respiração do filho se acalmando e ficou ali sentado abraçado a ele, envoltos em silêncio, perdidos em seus pensamentos na penumbra.

Ele não percebera que as férias de meio do ano letivo caíam na semana em que ele deveria voltar a trabalhar. Viv na mesma hora disse que ficaria com Phillip nos últimos dias, mas, como estava previsto que ela só voltaria da casa da irmã na quarta-feira, Anthony teria que ver o que faria nos dois primeiros dias.
— Ele pode ir com a gente para a redação — disse Don. — Se fazer útil servindo chá.
Sabendo a opinião de Don sobre a interferência da vida particular no trabalho do *Nation*, Anthony ficou agradecido. Estava desesperado para voltar a trabalhar, restabelecer uma aparência de vida normal. Phillip estava ansioso para acompanhá-los, o que era comovente.
Anthony sentou-se a sua nova mesa e deu uma olhada nos jornais matutinos. Como não vagara nenhuma posição na editoria de Nacional, ele virara repórter geral, o título honorífico designado para tranquilizá-lo, fazendo-o acreditar, desconfiava, que mais uma vez seria de fato um repórter. Deu um gole no café que faziam ali mesmo na redação, e torceu a cara ao sentir o gosto repugnante familiar. Phillip estava indo de mesa em mesa, perguntando se alguém queria chá, com a camisa que o pai passara para ele naquela manhã, bem esticada em suas costas magras. Sentiu-se subitamente — e felizmente — em casa. Era ali que sua vida nova começava. Seria uma vida boa. Eles ficariam bem. Recusou-se a olhar para a seção Internacional. Não queria saber ainda quem haviam mandado para Stanleyville em seu lugar.
— Aqui. — Don jogou um exemplar do *Times* para ele, uma matéria circulada em vermelho. — Faça uma versão rápida do texto sobre o lançamento

espacial americano. Não vamos conseguir nenhuma citação nova deles a essa hora, mas dá uma coluna pequena na página 8.

— Quantas palavras?

— Duzentas e cinquenta. — A voz de Don tinha um tom de pedido de desculpas. — Vou ter uma coisa melhor para você depois.

— Tudo bem.

Tudo bem mesmo. Seu filho sorria, levando uma bandeja cheia de xícaras com uma cautela quase excessiva. O menino olhou para o pai, e Anthony fez um gesto de aprovação. Estava orgulhoso do filho, orgulhoso da coragem dele. Era realmente uma dádiva ter alguém para amar.

Anthony posicionou a máquina de escrever, colocou carbonos entre as folhas de papel. Uma para o editor, uma para o subeditor, uma para seu arquivo. A rotina tinha uma espécie de prazer sedutor. Datilografou seu nome no alto da página, ouvindo o gostoso martelar das letras de aço no papel.

Leu e releu a matéria do *Times* e fez algumas anotações em seu bloco. Deu um pulo no arquivo do jornal e pegou a pasta sobre missões espaciais, folheando os recortes mais recentes. Fez mais algumas anotações. Depois colocou os dedos nas teclas da máquina de escrever.

Nada.

Era como se suas mãos não quisessem trabalhar.

Escreveu uma frase. Insossa. Arrancou as folhas da máquina, enfiou outras no cilindro.

Escreveu outra frase. Insossa. Escreveu mais outra. Iria melhorá-la. Mas as palavras se recusavam, resolutas, a ir para onde ele queria. Era uma frase, sim, mas não do tipo que funcionava num jornal de circulação nacional. Lembrou-se da regra da pirâmide do jornalismo: a informação mais importante na primeira frase, continuando do mais para o menos relevante. Poucas pessoas leem uma matéria até o fim.

'A nota não viria.

Às 12h15, Don apareceu ao seu lado.

— Já entregou aquela?

Anthony estava recostado na cadeira, as mãos no queixo, uma pequena montanha de papéis amassados no chão.

— O'Hare? Terminou?

— Não consigo, Don. — A incredulidade deixava sua voz rouca.

— O quê?

— Não consigo. Não consigo escrever. Perdi o jeito.

— Não seja ridículo. O que é isso? Bloqueio de escritor? Quem você pensa que é? F. Scott Fitzgerald? — Ele pegou uma folha amassada e esticou-a na mesa. Pegou outra, leu e releu. — Você passou por muita coisa — disse finalmente. — Deve estar precisando de umas férias. — Falava sem convicção. Anthony acabara de ter férias. — Vai voltar — disse. — Não diga nada. Vá com calma. Vou pedir ao Smith. Vai com calma por hoje. Isso volta.

Anthony olhou para o filho, que apontava lápis para o Obituário. Pela primeira vez na vida tinha responsabilidades. Pela primeira vez era vital que pudesse prover o sustento. Sentiu a mão de Don no ombro como um grande peso.

— O que eu vou fazer se não voltar?

um garoto irlandês perseguir uma garota de san diego é como tentar pegar uma onda com a mão... impossível... às vezes é preciso só ir em frente e se assombrar.

                      Homem para Mulher, por mensagem de texto

25

Ellie fica acordada até as 4 horas da manhã. Não é um suplício: pela primeira vez em meses tudo está claro. Ela passa a noite pendurada no telefone, segurando-o entre o pescoço e o ombro enquanto olha a tela do computador. Envia mensagens, pede favores. Faz charme, canta as pessoas, não aceita não como resposta. Quando tem o que precisa, senta-se de pijama a sua mesa, prende o cabelo e começa. Digita depressa, as palavras se derramando com facilidade de seus dedos. Pela primeira vez sabe exatamente o que quer dizer. Refaz cada frase até ficar satisfeita; posiciona informações até a frase funcionar da maneira mais impactante. Uma vez ela chora relendo a matéria, e muitas outras vezes dá gargalhadas. Reconhece algo em si mesma, talvez alguém que perdeu por uns tempos. Quando termina, imprime duas cópias e dorme o sono dos justos.

Por duas horas. Está de pé e na redação às 7h30. Quer pegar Melissa antes que tenha mais alguém lá. Toma uma ducha para espantar o cansaço, bebe dois expressos fortes, faz questão de secar o cabelo. Está transbordando de energia. O sangue borbulha em suas veias. Já está a sua mesa quando Melissa, bolsa cara a tiracolo, abre a porta de sua sala. Quando a chefe se senta, Ellie vê sua reação mal disfarçada ao notar que tem companhia.

Ellie termina o café. Dá um pulo no banheiro para ver se não tem nada nos dentes. Usa uma blusa branca engomada, sua melhor calça e sapato alto: como diriam suas amigas, de brincadeira, parece até uma adulta.

— Melissa?
— Ellie.

A surpresa em seu tom consegue trazer embutida uma leve recriminação. Ellie ignora isso.

— Posso dar uma palavrinha com você?

Melissa olha o relógio.

— Rápido. Preciso ligar para a embaixada da China em cinco minutos.

Ellie senta-se em frente a ela. A sala de Melissa está agora esvaziada de tudo exceto por dois arquivos, de que ela precisa para fazer o trabalho de edição do dia. Só sobrou a fotografia da filha.

— É sobre o artigo.

— Não vai me dizer que não dá para fazer.

— Vou, sim.

É como se ela estivesse preparada para isso, já à beira de um ataque de mau humor.

— Bem, Ellie, isso realmente não é o que eu queria ouvir. Temos o fim de semana mais movimentado do jornal pela frente e você já teve semanas para preparar a matéria. Você não está mesmo melhorando sua situação chegando para mim a esta altura e...

— Melissa, por favor. Descobri a identidade do homem.

— E? — As sobrancelhas da chefe se arqueiam como só as feitas por uma profissional conseguem.

— E ele trabalha aqui. Não podemos usar as cartas porque ele trabalha aqui.

O faxineiro passa empurrando o aspirador pela porta, seu barulho monótono abafando por um instante a conversa.

— Não entendo — diz Melissa quando o ruído diminui.

— O homem que escreveu aquelas cartas de amor é Anthony O'Hare.

Melissa não demonstra saber quem é. Ellie se dá conta, envergonhada, de que a editora de Reportagens Especiais também não tem ideia de quem ele é.

— O chefe do arquivo. Ele trabalha lá embaixo. Trabalhava.

— O grisalho?

— É.

— Ah. — Ela está tão perplexa que se esquece por um instante de se irritar com Ellie. — Uau — diz, passado um minuto. — Quem diria?

— Eu sei.

Ficam considerando isso num silêncio quase cordial até que Melissa, talvez caindo em si, mexe em uns papéis em sua mesa.

— Por mais fascinante que isso possa ser, Ellie, não resolve um grande problema nosso. Temos uma edição comemorativa, que precisa ser impressa hoje à noite, com um grande buraco de 2 mil palavras onde a matéria principal deveria estar.

— Não — diz Ellie. — Não tem.

— Não temos seu texto sobre a linguagem do amor. Não quero um artigo com material reciclado de livros na nossa...

— Não — repete Ellie. — Eu fiz o artigo. Duas mil palavras completamente originais. Aqui está. Diga se achar que precisa de modificações. Tudo bem se eu sair por uma hora?

Ela a deixou perplexa. Entrega as páginas, observa Melissa examinar rapidamente a primeira, os olhos se iluminando quando ela lê algo que lhe interessa.

— O quê? Ah, sim. Ótimo. Tudo bem. Esteja de volta para a reunião.

Ellie se controla para não dar um soco no ar quando sai da sala. Não é assim tão difícil: acha quase impossível mexer os braços de forma enfática enquanto se equilibra em cima dos saltos.

Ela lhe mandou um e-mail ontem à noite, e ele concordou sem fazer objeções. O lugar não faz o gênero dele. John só gosta de gastrobares e restaurantes elegantes e discretos. O Giorgio's, em frente ao *Nation*, serve ovos, batata frita e bacon de procedência desconhecida por 2,99 libras.

Quando ela chega, ele já está sentado à mesa, estranho e deslocado no meio dos peões de obra com aquele paletó Paul Smith e aquela camisa clara e macia.

— Desculpe-me — diz ele antes mesmo de Ellie se sentar. — Sinto muito mesmo. Ela pegou o meu telefone. Achei que o tivesse perdido. Ela pegou uns e-mails que eu não tinha deletado e descobriu seu nome... o resto...

— Ela daria uma boa jornalista.

Ele parece distraído por um instante, acena para a garçonete e pede mais um café. Sua cabeça está em outro lugar.

— É. É, acho que sim.

Ela se senta e se permite examinar o homem à sua frente, um homem que está sempre assombrando seus sonhos. O bronzeado dele não esconde as olheiras. Ela se pergunta vagamente o que terá acontecido na noite passada.

— Ellie, acho que seria uma boa ideia nos encontrarmos menos. Só por uns meses.

— Não.

— O quê?

— Acabou, John.

Ele não está tão surpreso quanto ela achou que ficaria.

Antes de responder, ele pensa no que ela disse. Então:

— Você quer... está dizendo que quer terminar?

— Bem, vamos encarar os fatos, não temos uma grande história de amor, certo? — Sem querer, ela fica consternada por ele não protestar.

— Eu gosto de você, Ellie.

— Mas não o bastante. Você não se interessa por mim, pela minha vida. Pela nossa vida. Acho que não sabe nada sobre mim.

— Sei tudo o que preciso para...
— Como era o nome do meu primeiro bicho de estimação?
— O quê?
— Alf. Alf era meu hamster. Onde eu cresci?
— Não sei por que está me perguntando isso.
— O que você algum dia já quis de mim além de sexo?

Ele olha em volta. Os operários na mesa atrás caíram num silêncio suspeito.

— Quem foi o meu primeiro namorado? Qual é meu prato preferido?
— Isso é ridículo.

Ele contrai os lábios, fazendo uma cara que ela nunca viu antes.

— Não. Você não se interessa por mim, só quer saber quanto tempo eu levo para tirar a roupa.
— É isso que você acha?
— Você já se importou alguma vez com alguma coisa que eu tenha sentido? Algo pelo qual eu tenha passado?

Ele ergue as mãos, exasperado.

— Caramba, Ellie, não venha se fazer de vítima. Não aja como se eu fosse um sedutor calhorda — diz ele. — Quando você já falou comigo sobre sentimentos? Quando já me disse que não era isso que queria? Você se dizia uma mulher moderna. Sexo por demanda. A carreira em primeiro lugar. Você era... — ele procura a palavra certa — impenetrável.

A palavra é estranhamente dolorosa.

— Eu estava me protegendo.
— E sou obrigado a saber disso por osmose? Que tal ser verdadeira? — Ele parece genuinamente chocado.
— Eu só queria estar com você.
— Mas queria mais... uma relação.
— Sim.

Ele a analisa, como se a visse pela primeira vez.

— Você esperava que eu largasse a minha mulher.
— Claro que esperava. Algum dia. Achei que se eu lhe dissesse como realmente me sentia, você... você me deixaria.

Atrás deles, os operários começam a falar de novo. Ela vê pelos olhares de esguelha que eles são o assunto da conversa.

Ele passa a mão pelo cabelo alourado.

— Ellie — diz —, desculpe-me. Se eu achasse que você não podia lidar com essa relação, eu nunca teria começado nada, para início de conversa.

E aí está a verdade da situação. A coisa que ela está há um ano inteiro escondendo de si mesma.

— Acabou tudo, não? — Ela se levanta para ir embora. O mundo desabou e, estranhamente, ela está saindo dos escombros. Ainda de pé. Ilesa. — Você e eu — diz ela. — É irônico, dada a nossa profissão, mas a gente nunca se disse absolutamente nada.

Ela fica parada lá fora em frente ao café, sentindo a pele contrair com o ar frio, os cheiros da cidade penetrando em suas narinas, e saca o celular da bolsa. Digita uma pergunta, envia-a e, sem esperar por uma resposta, atravessa a rua. Não olha para trás.

Melissa passa por ela no lobby, os saltos batendo no mármore polido. Está falando com o editor executivo, mas interrompe a conversa ao passar por Ellie. Faz um gesto de cabeça, o cabelo balançando em volta dos ombros.

— Gostei.

Ellie expira, embora não tivesse notado que estava prendendo a respiração.

— Gostei muito. Primeira página. Domingo para segunda. Mais, por favor.

E então ela já está no elevador, continuando sua conversa, as portas se fechando.

O arquivo está deserto. Ela empurra as portas duplas e vê que, de pé, só sobraram umas estantes empoeiradas. Nada de periódicos, revistas, volumes do Hansard caindo aos pedaços. Ela ouve os estalos dos canos da caldeira que correm no telhado, e então pula o balcão, deixando a bolsa no chão.

A primeira câmara, a que costumava guardar quase um século de exemplares encadernados do *Nation*, está totalmente vazia, afora duas caixas de papelão no canto. Parece uma caverna. Seus passos ecoam no piso ladrilhado enquanto ela se dirige para o centro.

A sala de recortes de A a M também está vazia, salvo pelas estantes. As janelas, acima do chão quase dois metros, enviam partículas luminosas de poeira ao redor dela. Embora não haja ali nenhum jornal, um cheiro de papel velho impregna o ambiente. Ela acha, fantasiosamente, que quase consegue ouvir os ecos de matérias passadas pairando no ar, 100 mil vozes que não são mais ouvidas. Vidas mudadas, perdidas, torcidas pelo Destino. Ocultas dentro de arquivos que podem continuar incógnitos por mais cem anos. Pergunta-se que outros Anthonys e Jennifers estão sepultados nessas páginas, esperando ter suas vidas mudadas por um acaso ou uma coincidência. Num canto, há uma cadeira giratória estofada marcada "Arquivo Digital". Ela vai até a cadeira e a gira para um lado e depois para outro.

De repente lhe bate um cansaço absurdo, como se a adrenalina que a alimentou nas últimas horas tivesse se esgotado. Senta-se pesadamente na sala quentinha e silenciosa e, pela primeira vez desde que consegue se lembrar, está calma. Tudo dentro dela está tranquilo. Ela dá um longo suspiro.

Não sabe por quanto tempo dormiu quando ouve a porta abrir.

Anthony O'Hare está segurando sua bolsa.

— Isso é seu?

Ela se levanta, desorientada e meio tonta. Por um momento não consegue saber onde está.

— Nossa. Desculpe-me. — Ela esfrega o rosto.

— Você não vai achar muita coisa aqui — diz ele, entregando-lhe a bolsa. Ele vê seu ar amassado, seus olhos sonolentos. — Está tudo no prédio novo agora. Só vim pegar as últimas coisas do chá. E essa cadeira.

— Sim... confortável. Boa demais para deixar para trás... Ai meu Deus, que horas são?

— Quinze para as onze.

— A reunião é às 11 horas. Tudo bem. Às 11 horas.

Ela está balbuciando, procurando ao redor objetos pessoais inexistentes. Então lembra por que está ali. Tenta pôr a cabeça no lugar, mas não sabe como dizer o que precisa a esse homem. Olha furtivamente para ele, vendo outra pessoa por trás do cabelo grisalho, dos olhos melancólicos. As palavras dele agora não a enganam.

Ela pega a bolsa.

— Hã... Rory está por aí?

Rory vai saber. Rory vai saber o que fazer.

O sorriso dele é um pedido de desculpas mudo, um reconhecimento do que ambos sabem.

— Infelizmente não veio hoje. Deve estar em casa nos preparativos.

— Preparativos?

— Para a grande viagem. Você sabia que ele vai viajar, não?

— Eu meio que esperava que ele não fosse. Não tão cedo. — Ela enfia a mão na bolsa e escreve um bilhete. — Acho que... o senhor não deve ter o endereço dele, tem?

— Se quiser ir lá no que sobrou da minha sala, eu descubro para você. Acho que ele só viaja mais ou menos daqui a uma semana.

Quando ele se afasta, ela pigarreia.

— Na verdade, Sr. O'Hare, não era só com o Rory que eu queria falar.

— Hein?

Dá para ver a surpresa dele quando ela usa seu nome.

Ela tira a pasta da bolsa e a entrega a ele.

— Encontrei uma coisa sua. Umas semanas atrás. Eu teria devolvido antes, mas... eu não sabia que eram suas até ontem à noite.

A última carta de amor

Ela o observa abrindo as cópias das cartas. Sua fisionomia muda quando ele reconhece a própria letra.

— Onde conseguiu isso? —pergunta ele.

— Estavam aqui — responde ela timidamente, temendo o efeito dessa informação sobre ele.

— Aqui?

— Sepultadas. No seu arquivo.

Ele olha em volta, como se as estantes vazias pudessem dar alguma pista sobre o que ela está dizendo.

— Desculpe-me. Sei que são... pessoais.

— Como soube que eram minhas?

— É uma longa história. — O coração dela dispara. — Mas o senhor precisa saber de um detalhe. Jennifer Stirling deixou o marido no dia seguinte àquele em que o viu, em 1964. Ela veio aqui, na redação do jornal, e disseram a ela que o senhor tinha ido para a África.

Ele está imóvel. Todo seu corpo concentrado nas palavras dela, ouvindo com tanta atenção que quase chega a tremer.

— Ela tentou encontrá-lo. Tentou lhe dizer que estava... estava livre.

Ellie está meio assustada com o efeito que essa informação parece provocar em Anthony. A cor sumiu do rosto dele. Senta na cadeira, respirando com dificuldade. Mas agora ela não pode parar.

— Isso é tudo... — começa ele, a expressão perturbada, muito diferente da alegria não disfarçada de Jennifer — isso é tudo muito antigo.

— Ainda não terminei. Por favor.

Ele aguarda.

— Estas são cópias. Porque tive que devolver os originais. Tive que devolver. — Ela mostra o número da caixa postal, a mão trêmula, de nervoso ou de empolgação.

Ela recebeu uma mensagem de texto dois minutos antes de descer para o arquivo.

Não, ele não é casado. Que tipo de pergunta é essa?

— Não sei qual é sua situação. Não sei se estou sendo intrusiva demais. Talvez eu esteja cometendo o maior equívoco do mundo. Mas este é o endereço, Sr. O'Hare — diz ela. Ele o pega da sua mão. — É para lá que o senhor deve escrever.

Certa vez uma pessoa sábia me disse que escrever é perigoso pois nem sempre podemos garantir que nossas palavras serão lidas no espírito em que foram escritas. Portanto, vou ser direto. Desculpe-me. De verdade. Perdoe-me. Se houver algum jeito de eu poder mudar o que você pensa sobre mim, preciso saber.

Mulher para Homem, por carta

26

Querida Jennifer?
É você mesmo? Perdoe-me. Já tentei escrever isso uma dezena de vezes e não sei o que dizer.
Anthony O'Hare

Ellie arruma as anotações que estão sobre sua mesa, desliga o monitor, e, fechando a bolsa, sai da editoria de Reportagens Especiais pronunciando um adeus mudo para Rupert. Ele está debruçado sobre uma entrevista com um autor que, segundo o próprio Rupert reclamou a tarde inteira, é um chato de galocha. Ellie pediu especificamente para não escrever sobre livros no momento. Acabou de arquivar a matéria sobre as mães de aluguel, e amanhã vai a Paris entrevistar uma chinesa que trabalha com obras beneficentes e que está impedida de regressar a seu país por causa de comentários polêmicos que fez num documentário britânico. Ela confere o endereço e corre para pegar o ônibus. Ao sentar-se espremida no banco, vai pensando nas informações contextuais que reuniu para o artigo, já organizando-as em parágrafos.

Mais tarde, vai encontrar Corinne e Nicky num restaurante caro demais para qualquer uma delas. Douglas irá também. Ele foi muito simpático quando ela ligou ontem. Era um absurdo estarem há tanto tempo sem se falar. Num instante, ficou claro que ele sabia o que tinha acontecido com John. Corinne e Nicky têm carreiras alternativas garantidas no *Nation* se algum dia desistirem de seus empregos atuais, diz ela.

— E não se preocupe, não vou alugar você com aquelas conversas de mulherzinha sobre sentimentos — diz ela quando Douglas aceita ir encontrá-las.

— Graças a Deus — diz Douglas.

— Mas vou pagar seu jantar. Como forma de me desculpar.

— Nada de sexo casual?

— Só se incluir sua namorada. Ela é mais bonita que você.
— Eu sabia que você ia dizer isso.
Ela está rindo quando desliga o telefone.

Querido Anthony,

Sim, sou eu. Seja lá que eu é esse, comparado com a garota que você conheceu. Estou imaginando que, a essa altura, você sabe que nossa amiga jornalista já falou comigo. Ainda estou tentando assimilar o que ela me contou.

Mas na caixa postal hoje de manhã havia a sua carta. Quando vi sua letra, quarenta anos desapareceram. Será que isso faz sentido? Parece que o tempo não passou. Mal posso acreditar que estou segurando o que você escreveu há dois dias, mal posso acreditar no que isso significa.

Ela me contou um pouco sobre você. Fiquei admirada, nem me atrevi a pensar que talvez tenha a chance de sentar para conversar com você.

Tomara que você esteja feliz.
Jennifer

Esse é o lado bom dos jornais: a cotação do seu texto pode subir vertiginosamente, duas vezes mais depressa do que caiu. Duas boas matérias e você pode ser o assunto da redação, o centro das conversas e da admiração. Seu artigo será reproduzido na internet, sairá em outras publicações em Nova York, Austrália, África do Sul. Eles gostaram, disse-lhe o setor de Distribuição de Notícias. Exatamente o tipo do assunto para o qual podem encontrar mercado. Em menos de 48 horas ela recebeu vários e-mails de leitores contando as próprias histórias. Um agente ligou, querendo saber se Ellie tinha um número suficiente de depoimentos para transformar em livro.

Quanto a Melissa, tudo o que Ellie faz está certo. Ellie é a primeira pessoa a quem ela recorre na reunião se houver um bom artigo de 2 mil palavras para escrever. Por duas vezes esta semana seus artigos curtos foram parar na primeira página. É o mesmo que ganhar na loteria para quem trabalha em jornal. Sua visibilidade cada vez maior significa que ela é mais solicitada. Vê matérias em toda parte. É magnética: atrai contatos, reportagens, que vão voando para ela. Está a postos às 9 horas da manhã, trabalha até a noite. Dessa vez, não vai desperdiçar o que tem.

Seu espaço na grande mesa oval é branco e brilhoso, e abriga um monitor de 17 polegadas sem brilho e de alta resolução, além de um telefone com seu nome, marcado com clareza, no número do ramal.

Rupert já não se oferece mais para lhe fazer chá.

Querida Jennifer,

Peço desculpas pela demora na resposta. Por favor, perdoe-me pelo que pode lhe parecer reticência. Há muitos anos não ponho uma caneta no papel, a não ser para pagar contas ou registrar alguma queixa. Acho que não sei o que lhe dizer. Há décadas só vivo através das palavras dos outros. Rearrumo-as, arquivo-as, copio-as e classifico-as. Guardo-as em segurança. Desconfio que há muito tempo já tenha esquecido as minhas. O autor daquelas cartas é um estranho para mim.

Você parece muito diferente da garota que vi no hotel Regent. No entanto, em todos os melhores aspectos, vê-se que é a mesma. Que bom que vai bem. Que bom que tive a oportunidade de lhe dizer isso. Eu pediria para encontrá-la, mas receio que você vá me achar muito diferente do homem de quem você se lembra. Não sei.
Perdoe-me.
Anthony.

Dois dias atrás, Ellie ouvira gritarem seu nome de forma um tanto esbaforida quando ela descia as escadas do prédio antigo pela última vez. Ao virar-se, viu Anthony no alto. Ele segurava um papel com um endereço escrito.

Ela tornou a subir, para poupar-lhe o esforço.

— Eu estava pensando, Ellie Haworth — disse ele, e sua voz era cheia de alegria, vibração e arrependimento —, não mande uma carta. Talvez seja melhor você simplesmente... sabe, ir lá falar com ele. Pessoalmente.

Meu muitíssimo querido Boot,
Minha voz explodiu dentro de mim! Sinto que vivi meio século sem conseguir falar. Foi tudo uma compensação, uma tentativa de construir uma coisa boa a partir do que parecia destruído, arruinado. Minha penitência silenciosa pelo que eu tinha feito. E agora... agora? Já aluguei o ouvido da Ellie Haworth até ela ficar me olhando num silêncio perplexo e eu conseguir vê-la pensando: cadê a dignidade desta velha? Como ela pode se parecer tanto com uma garota de 14 anos? Quero falar com você, Anthony. Quero conversar com você até ficarmos sem voz. Tenho quarenta anos de assunto para botar em dia.

Como você pode dizer que não sabe? Não pode ser medo. Como eu poderia ficar desapontada com você? Depois de tudo o que aconteceu, como eu poderia sentir outra coisa além de uma alegria profunda só de poder ver você de novo? Meu cabelo está cinza, não louro. As rugas no meu rosto são marcas enfáticas, determinadas. Sinto dor, sou um chocalho de suplementos alimentares, e meus netos não acreditam que já fui qualquer coisa senão pré-histórica.

Estamos velhos, Anthony. Sim. E não temos mais quarenta anos pela frente. Se você ainda estiver aí, se estiver preparado para me deixar passar uma tinta por cima da imagem que talvez você guarde da moça que um dia conheceu, ficarei feliz em fazer o mesmo com você.

Beijos,
Jennifer

Jennifer Stirling está parada no meio do quarto, de roupão, o cabelo em pé de um lado.

— Olhe para mim — diz ela com desespero. — Um monstro. Um completo monstro. Tive insônia ontem à noite e finalmente apaguei quando já eram mais de 5 horas; acabei não ouvindo o despertador tocar e perdi a hora do cabeleireiro.

Ellie está olhando fixamente para ela. Nunca a viu desse jeito, irradiando ansiedade. Sem maquiagem, sua pele parece de criança; seu rosto, vulnerável.

— Você... você está ótima.

— Liguei para minha filha ontem à noite, sabe, e contei a ela um pouco da história. Não toda. Contei que iria encontrar um homem a quem amei e que não vejo desde garota. Será que foi uma mentira muito grande?

— Não — diz Ellie.

— Sabe o que ela me disse por e-mail hoje de manhã? Isso. — Mostra uma folha impressa, uma reprodução de um jornal americano, sobre um casal que se casou depois de um hiato de cinquenta anos na relação. — O que devo fazer com isso? Já viu alguma coisa tão absurda? — O nervosismo transborda em sua voz.

— A que horas vocês marcaram?

— Meio-dia. Nunca vou ficar pronta. Eu deveria cancelar.

Ellie se levanta e liga a chaleira.

— Vá se vestir. Você tem quarenta minutos. Eu a levo de carro — diz.

— Você me acha ridícula, não? — É a primeira vez que ela já viu Jennifer Stirling parecer qualquer outra coisa que não a mulher mais serena de todo o universo. — Uma velha ridícula. Como uma adolescente no primeiro encontro.

— Não — responde Ellie.

— Estava bem quando eram só cartas — diz Jennifer, sem ouvi-la. — Eu podia ser eu mesma. Eu podia ser esta pessoa de quem ele se lembrava. Eu estava muito calma e tranquila. E agora... O único consolo que tive nesses anos todos era saber que houve um homem que me amou, que viu o que eu tinha de melhor. Mesmo no horror do nosso último encontro, eu soube que ele via uma coisa em mim que queria mais que tudo no mundo. E se ele olhar para mim e ficar desapontado? Vai ser pior do que se eu nunca tivesse voltado a estar com ele. Pior.

— Mostre-me a carta — diz Ellie.
— Não posso fazer isso. Não acha que às vezes é melhor não fazer uma coisa?
— A carta, Jennifer.

Jennifer pega a carta no aparador, segura-a por um momento, depois lhe entrega.

Caríssima Jennifer,

Será que os velhos também choram? Estou aqui sentado lendo e relendo a carta que você mandou, e custo a acreditar que minha vida tenha dado uma guinada tão inesperada e alegre. Não deveria acontecer esse tipo de coisa com a gente. Aprendi a me sentir contente com presentes banais: meu filho, os filhos dele, uma boa vida, ainda que vivida discretamente. Sobrevivência. Ah, sim, sempre a sobrevivência.

E agora você. Suas palavras, suas emoções me tornaram cobiçoso. Podemos pedir tanto? Será que me atrevo a tornar a vê-la? Os Destinos foram sempre tão implacáveis que no fundo acho que não podemos nos encontrar. Serei liquidado por uma doença, atropelado por um ônibus, engolido inteiro pelo primeiro monstro marinho do Tâmisa. (Sim, ainda vejo a vida em manchetes.)

Nas últimas duas noites ouvi suas palavras enquanto eu dormia. Ouço sua voz, e tenho vontade de cantar. Lembro-me de coisas que eu pensara ter esquecido. Sorrio em horas impróprias, assustando meus familiares e fazendo-os sair correndo atrás do diagnóstico de demência.

A moça que vi da última vez estava muito destroçada. Saber que você construiu uma vida assim para você pôs em dúvida minha visão de mundo. O mundo deve ser um lugar bom, pois cuidou de você e de sua filha. Você não pode imaginar a alegria que isso me proporcionou. Vicariamente. Não posso escrever mais. Então, me aventuro, atemorizado: Postman's Park. Quinta-feira. Meio-dia?

Beijos do seu,
Boot

Ellie está com os olhos cheios d'água.

— Quer saber? — diz ela. — Acho que você não precisa se preocupar.

* * *

Anthony O'Hare está sentado no banco de um parque que não visita há quarenta anos com um jornal que não vai ler e se dá conta, um tanto surpreso, de que consegue se lembrar dos detalhes de cada placa comemorativa.

MARY ROGERS, COMISSÁRIA DO STELLA, AUTOSSACRIFICOU-SE
CEDENDO SUA BOIA SALVA-VIDAS E VOLUNTARIAMENTE
AFUNDANDO DENTRO DO NAVIO.

WILLIAM DRAKE PERDEU A VIDA EVITANDO UM ACIDENTE
SÉRIO COM UMA DAMA NO HYDE PARK CUJOS CAVALOS
FICARAM DESGOVERNADOS APÓS O ROMPIMENTO
DO VARAL DA CARRUAGEM.

JOSEPH ANDREW FORD SALVOU SEIS PESSOAS DE UM
INCÊNDIO NA GRAYS INN ROAD, MAS EM SEU ÚLTIMO
ATO HEROICO MORREU EM CONSEQUÊNCIA
DAS QUEIMADURAS.

Já está ali sentado desde as 11h40. Agora são 12h07.
Ele leva o relógio ao ouvido e o sacode. No fundo, não acreditava que isso pudesse acontecer. Como poderia? Se passasse bastante tempo num arquivo de jornal, via-se que as mesmas histórias se repetiam sempre: guerras, fomes, crises financeiras, amores perdidos, famílias divididas. Morte. Desengano amoroso. Há poucos finais felizes. Tudo o que tive foi um bônus, diz ele a si mesmo com firmeza, à medida que os minutos passam. Esta frase lhe é dolorosamente familiar.

A chuva está mais forte e o pequeno parque ficou vazio. Só ele está sentado no abrigo. Ao longe vê a rua principal, os carros cortando a água, dando um banho nos incautos.

12h15.

Anthony O'Hare se lembra de todas as razões pelas quais deveria se sentir agradecido. Seu médico se espanta por ele até mesmo estar vivo. Anthony desconfia que há muito tempo ele quer usá-lo como exemplo para outros pacientes com problemas de fígado. Sua saúde vigorosa é uma censura à autoridade do médico, à ciência médica. Ele se pergunta, por um instante, se deve de fato viajar. Não quer tornar a visitar o Congo, mas a África do Sul seria interessante. Talvez o Quênia. Ele irá para casa e fará os planos. Terá algo em que pensar.

Ouve um ônibus frear, um office boy de bicicleta gritar irritado. Basta saber que ela o amou. Que ela foi feliz. Isso tinha que bastar, não? Com certeza uma das vantagens da velhice deveria ser a capacidade de colocar as coisas em perspectiva. Ele já amou uma mulher que, como se revelou, o amou mais do que ele imaginava. Pronto. Isso deveria bastar para ele.

12h21.

E então, quando está prestes a se levantar, botar o jornal embaixo do braço e ir para casa, ele vê que um carro pequeno parou perto do portão do parque. Aguarda, oculto no pequeno abrigo sombrio.

Passado um momento, a porta se abre e ele ouve um guarda-chuva sendo aberto. O guarda-chuva está levantado, e ele vê um par de pernas embaixo dele, uma capa de chuva escura. Enquanto observa, a figura se abaixa para dizer alguma coisa ao motorista, e as pernas entram no parque e seguem pela trilha estreita, se encaminhando direto para o abrigo.

Anthony O'Hare vê que está de pé, endireitando o paletó e ajeitando o cabelo. Não consegue tirar os olhos daqueles sapatos, do andar distintamente ereto, visível apesar do guarda-chuva. Dá um passo à frente, sem saber direito o que vai dizer, o que vai fazer. Seu coração se instalou em algum lugar perto da boca. Há um zumbido em seus ouvidos. Os pés, calçados com uma meia-calça escura, param diante dele. O guarda-chuva se ergue devagar. E lá está ela, ainda a mesma, espantosa e absurdamente a mesma, um sorriso brincando nas comissuras dos lábios quando seus olhos encontram os dele. Ele não consegue falar. Só consegue olhar enquanto o nome dela ecoa em seus ouvidos.

Jennifer.

— Olá, Boot — diz ela.

Ellie está sentada no carro e desembaça a janela do carona com a manga. Está estacionada num local proibido, sem dúvida atraindo a ira dos deuses do estacionamento, mas não liga. Não pode sair dali.

Observa o avanço contínuo de Jennifer pelo caminho, nota a pequena hesitação em seu andar que denuncia seus medos. Por duas vezes Jennifer insistiu em que voltassem para casa, que estavam muito atrasadas, que tudo estava perdido, que era inútil. Ellie se fez de surda. Cantou *lararará* até Jennifer Stirling lhe dizer, com uma irritação atípica, que ela era "de um ridículo atroz".

Observa Jennifer seguindo em frente embaixo do guarda-chuva e teme que ela se vire e fuja. Essa experiência lhe mostrou que idade não é proteção contra os riscos do amor. Escutara as palavras de Jennifer, oscilando rapidamente entre triunfo e desastre, e ouvira as próprias análises intermináveis do que John dizia, a necessidade desesperada que tinha de uma coisa que era muito claramente errada para ser certa. Sua evocação de desfechos, emoções a partir de palavras cujos sentidos ela só podia supor.

Mas Anthony O'Hare é uma criatura diferente.

Ela torna a desembaçar a janela e vê Jennifer diminuir o passo, depois parar. E ele está saindo da sombra, de alguma forma mais alto do que parecia antes, abaixando-se ligeiramente para passar pela entrada do abrigo antes de parar bem na frente dela. Eles se encaram, a mulher esguia de capa de chuva e o chefe do arquivo. Mesmo a essa distância, Ellie pode ver que eles agora estão alheios à chuva, à pracinha bem-cuidada, aos olhares dos curiosos. Eles então entreolham-se ali em pé como se pudessem passar mil anos assim. Jennifer deixa o guarda-chuva cair, inclina a cabeça de lado, muito ligeiramente, e toca com carinho o rosto dele. Enquanto Ellie observa, Anthony leva a mão à dela e a aperta.

Ellie Haworth olha mais um pouco, depois se afasta da janela, deixando-a ficar totalmente embaçada. Volta para trás do volante, assoa o nariz e liga o carro. Os melhores jornalistas sabem quando se retirar de uma matéria.

A casa fica numa rua de casas vitorianas geminadas, as janelas e portas com detalhes em alvenaria branca, as venezianas e cortinas descombinadas revelando que pertencem a proprietários diversos. Ela desliga o carro, salta e vai até a porta, olhando os nomes nas duas campainhas. No térreo só há o nome dele. Ela fica meio surpresa; achava que ele não tinha apartamento nenhum. Mas o que ela sabe da vida dele antes do jornal? Absolutamente nada.

O artigo está num envelope pardo grande, com o nome dele na frente. Ela o enfia pela abertura que há na porta, deixando a aba bater ruidosamente. Volta para o portão e se senta na coluna de tijolos que o sustenta, o cachecol envolvendo o rosto. Tornou-se muito boa em esperar sentada. Descobriu que é gostoso deixar o mundo girar à sua volta. O mundo faz isso das maneiras mais inesperadas.

Do outro lado da rua há uma mulher alta acenando para um adolescente. Ele cobre a cabeça com o capuz do casaco e coloca os fones de ouvido sem olhar para ela, mais atrás. Adiante há dois homens encostados no capô aberto de um carro grande. Estão conversando, sem prestar muita atenção no motor lá dentro.

— Você escreveu Ruaridh errado.

Ela olha para trás, e ele está apoiado no marco da porta, o jornal na mão.

— Eu entendi errado um monte de coisas – responde ela.

Está usando a mesma camiseta de mangas compridas que usava na primeira vez que se falaram, amaciada pelos anos de uso. Ela se lembra de que gostou do jeito dele, de não ligar para a roupa que vestia. Seus dedos conhecem a textura daquela camiseta.

— Belo artigo — diz ele, segurando o jornal. — "Cinquenta anos de Últimas Cartas de Amor". Estou vendo que você voltou a ser a garota de ouro das Reportagens Especiais.

— Por enquanto. Na verdade — diz ela —, tem uma aí que eu inventei. É o que eu teria dito. Se tivesse tido chance.

É como se ele não a tivesse ouvido.

— E Jennifer deixou você usar aquela primeira.

— Anonimamente. Sim. Ela foi maravilhosa. Abri o jogo com ela, e ela foi maravilhosa. — A expressão dele está normal, impassível.

Você ouviu o que eu disse?, pergunta-lhe ela em silêncio.

— Acho que ela ficou meio chocada, sem dúvida, mas, depois de tudo o que aconteceu, acho que ela não se importou com o que eu fiz.

— Anthony veio aqui ontem. Parece outro homem. Não sei por que ele veio. Acho que só queria conversar com alguém. — Ele faz um gesto de cabeça positivo para si mesmo, recordando. — Estava de camisa nova e gravata. E tinha cortado o cabelo.

Ao imaginá-lo assim, Ellie sorri, apesar da resistência.

No silêncio, Ruaridh se alonga no degrau, as mãos unidas acima da cabeça.

— Foi legal o que você fez.

— Espero que sim — diz ela. — Seria bom pensar que alguém teve um final feliz.

Um velho passa com seu cachorro, a ponta do nariz vermelha, e os três murmuram uma saudação. Quando ela ergue os olhos, Ruaridh está olhando para o chão. Ela o observa, se perguntando se é a última vez que vai vê-lo. Desculpe-me, diz-lhe mentalmente.

— Eu convidaria você para entrar — diz ele —, mas estou fazendo as malas. Tenho muito que fazer.

Ela levanta a mão, tentando não deixar transparecer a decepção. Desce do pilar, o tecido da calça agarrando ligeiramente na superfície áspera, e pendura a bolsa no ombro. Mal sente os pés.

— Então... tinha mais alguma coisa que você quisesse? Além de, sabe, brincar de entregadora de jornal?

Está esfriando. Ela mete as mãos nos bolsos. Ele está olhando para ela com um ar de expectativa. Ela tem medo de falar. Se ele disser não, ela tem medo do quanto vai se sentir arrasada. Por isso levou dias para ir até ali. Mas o que tem a perder? Nunca mais vai vê-lo de novo.

Ela respira fundo.

— Eu queria saber... se você poderia me escrever.

— Escrever para você?

— Enquanto estiver viajando. Ruaridh, eu pisei na bola. Não posso pedir nada, mas sinto sua falta. Sinto mesmo. Eu... eu só queria que isso não terminasse aqui. Que a gente pudesse... — ela se mexe, desconfortável, esfrega o nariz — se escrever.

— Escrever.

— Só... coisas. O que você estiver fazendo. Como estiver indo tudo. Onde você estiver. — As palavras soam pobres a seus ouvidos.

Ele está com as mãos nos bolsos e olha para a rua. Não responde. O silêncio é longo como a rua.

— Está um gelo — diz ele por fim.

Ela sente um bolo no estômago. A *história deles terminou. Ele não tem mais nada a lhe dizer.* Ele olha para trás como quem pede desculpas.

— Estou deixando o aquecimento da casa ir todo embora.

Ela não consegue falar. Dá de ombros, como se concordando, e abre um sorriso forçado que, ela desconfia, deve parecer mais uma careta. Quando vira de costas, torna a ouvir a voz dele.

— Acho que você poderia entrar e me fazer um café. Enquanto eu separo as minhas meias. Aliás, você me deve um café se eu me lembro bem.

Quando ela se vira, vê que a expressão dele já está menos fria. Ainda não chega a ser quente, mas está esquentando.

— Quem sabe você pode dar uma olhada no meu visto peruano já que veio até aqui. Ver se eu escrevi tudo direitinho.

Ela deixa os olhos pousarem nele agora, em seus pés dentro de meias, em seu cabelo castanho comprido-demais-para-estar-ajeitado.

— Você não iria querer confundir Patallacta com Phuyupatmarca — diz ela.

Ele levanta os olhos para o céu, meneando a cabeça devagarzinho. E, tentando esconder o sorriso radiante, Ellie entra atrás dele.

Agradecimentos

Cada capítulo deste livro é iniciado por uma última carta, um último e-mail ou outra forma de correspondência da vida real, à parte aquela que é tirada da trama do livro.

Na maioria dos casos, essas mensagens foram generosamente fornecidas graças aos meus vários apelos, e em todos os casos de correspondência nunca antes publicadas disfarcei as identidades tanto do remetente quanto do destinatário, para proteger os inocentes (e os não tão inocentes).

Há, porém, algumas pessoas que me ajudaram a reunir esse material e que têm prazer em ser citadas. Agradeço, sem seguir uma ordem, a Brigid Coady, Suzanne Parry, Kate Lord Brown, Danuta Kean, Louise McKee, Suzanne Hirsh, Fiona Veacock e àquelas almas fortes e generosas que forneceram as próprias cartas mas que preferiram permanecer anônimas.

Gostaria de agradecer também a Jeanette Winterson, ao espólio de F. Scott Fitzgerald e à University Press da Nova Inglaterra por me autorizarem a reproduzir a correspondência literária usada neste livro.

Agradeço como sempre à maravilhosa equipe da Hachette: minha editora, Carolyn Mays, bem como Francesca Best, Eleni Fostiropoulos, Lucy Hale, a equipe de vendas e as espantosas habilidades de Hazel Orme no preparo dos originais.

Agradeço também à equipe da Curtis Brown, especialmente a minha agente Sheila Crowley. Meus agradecimentos vão para a British Newspaper Library em Colindale, uma fonte maravilhosa para escritores procurando mergulhar em outro mundo.

Devo outros agradecimentos a meus pais, Jim Moyes e Lizzie Sanders, e a Brian Sanders. Ao conselho do Writersblock, uma fonte constante de apoio, estímulo e perda de tempo.

Os maiores agradecimentos a minha família, Charles, Saskia, Harry e Lockie.

CONHEÇA OUTROS TÍTULOS DE JOJO MOYES

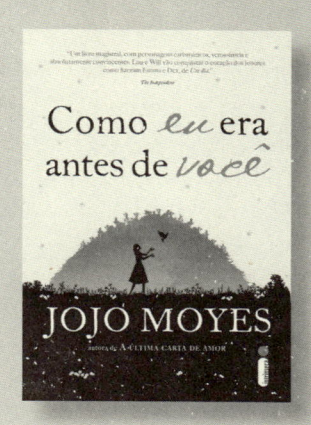

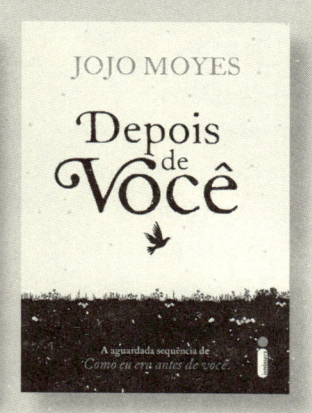

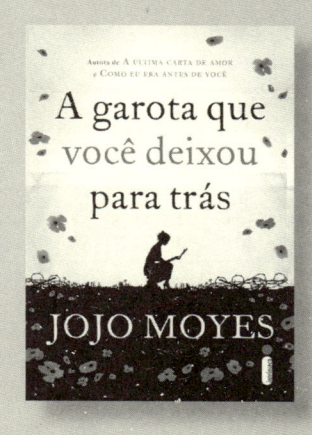

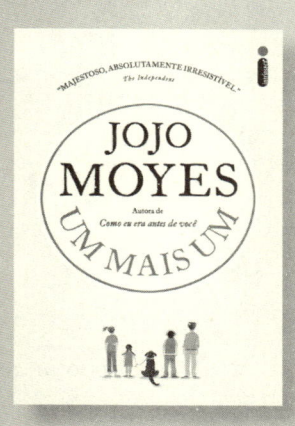

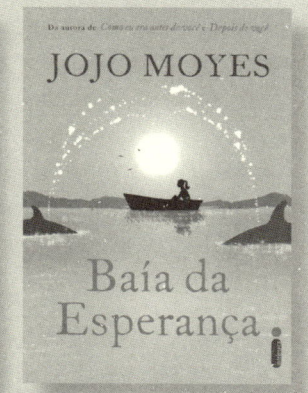

2ª edição	MAIO DE 2016
reimpressão	JUNHO DE 2021
impressão	LIS
papel de miolo	PÓLEN SOFT 70G/M²
papel de capa	CARTÃO SUPREMO ALTA ALVURA 250G/M²
tipografias	HOUSTON PEN E ELECTRA